P9-BZB-088

Historia Clínica

Dr. Daniel López Rosetti

Historia Clínica

La salud de los grandes personajes a través de la Historia

López Rosetti, Daniel
Historia clínica.- 14ª ed. – Buenos Aires : Planeta, 2015.
296 p. ; 23x15 cm.

ISBN 978-950-49-2626-9

1. Ensayo Argentino. I. Título
CDD A864

Editor: Fernando Horacio De Leonardis
Diseño de cubierta: Juan Pablo Cambariere
Diseño de interiores: Claudia Arroyo

Publicado bajo el sello Planeta®
Independencia 1682 (1100) C.A.B.A.
www.editorialplaneta.com.ar

14ª edición: mayo de 2015
3.000 ejemplares

ISBN 978-950-49-2626-9

Impreso en Master Graf S.A.,
Mariano Moreno 4794, Munro,
en el mes de mayo de 2015.

Hecho el depósito que prevé la ley 11.723
Impreso en la Argentina

A MI MADRE

...que una vez, cuando era estudiante de medicina, me preguntó sobre una enfermedad. Contesté en forma corrida y con terminología científica durante largos e interminables minutos... Mi madre guardó silencio y cuando concluí, sentenció:

—Hijo, si hablás así de difícil nunca vas a curar a nadie.

Ese día mi madre me enseñó, entre otras cosas, Medicina...

Prólogo de Felipe Pigna

¿Qué tienen en común Jesús, el Che, Napoleón, San Martín y toda la serie de notables personajes de la Historia cuyas historias clínicas constituyen el núcleo de este libro? Su condición de seres humanos que los aleja de lo sobrenatural y nos recuerda que todos ellos fueron pacientes, o mejor dicho, impacientes padecientes de enfermedades que de alguna manera marcaron sus vidas y condicionaron sus muertes.

Al hombre público no sólo se le perdona el no ocuparse debidamente de su salud, sino que en una visión muy particular de lo humano, se valora ese "estoicismo" —que encubre en no pocos casos cierta omnipotencia— de postergarse generalmente por entregarse a su pasión política o artística. Esto forma parte de la construcción del mito del héroe, tan apreciado en Occidente.

Cada uno de los personajes "atendidos" por el doctor Daniel López Rosetti tuvo una relación particular con sus males médicos y jugó hasta donde pudo con el delgado límite entre la vida y la muerte.

Sobre la misteriosa muerte de Alejandro Magno, el autor del libro que usted ha comenzado a leer y no podrá abandonar, arroja realmente una información novedosa y valiosísima, aportando, a 2.333 años de su muerte, el análisis de los últimos avances de la medicina, permitiéndose dudar de la clásica versión del envenenamiento —muy poco probable por las rutinarias medidas de seguridad que se tomaban en su entorno— sugiriendo que pudo haberse debido a enfermedades endémicas presentes en las zonas de sus conquistas.

Toda una tradición iconográfica ignoró a aquel entrañable, a todos los que antes y después del entrañable Antonio Machado reclamaron recordar al Jesús que anduvo en la mar y no al que murió en la cruz, y por lo tanto la asociación del Nazareno con el instrumento de tortura que lo llevaría a su muerte es inevitable a tal punto que se ha convertido en el símbolo de su credo. Pero muy pocos de los que portan el símbolo cristiano conocen las implicancias clínicas —descritas científicamente en este libro— de aquel horroroso castigo impuesto por el Imperio Romano en sus dominios y la aplicación de los conocimientos anatómicos para aumentar el dolor del condenado y prolongar su martirio.

Es imposible recordar a Napoleón despojado de sus males y de las conspiraciones de sus captores que rodearon su estancia obligada en Santa Elena, desde su derrota definitiva en 1815 hasta su muerte en 1821. Aquel hombre increíble, que inspiró a Beethoven a componer su *Heroica*, cambió el mapa de Europa y, sin quererlo, encendió la chispa de las revoluciones latinoamericanas; aquel que convirtió a la Francia revolucionaria en un Imperio, seguía siendo, sin embargo, un personaje incorrecto, molesto para los nuevos amos del mundo. De allí que se pensara con cierta lógica en la posibilidad del envenenamiento como causa de su muerte. El lector encontrará otra versión de la historia de la mano de especialistas médicos del siglo XXI.

Cierta historia machista intenta disimular la abultada historia clínica de José de San Martín, suponiendo que un héroe nacional no puede enfermarse y mucho menos cruzar parte de la cordillera en camilla. Los que no comulgamos con este enfoque fascistoide creemos que lo ennoblece y lo engrandece el haber emprendido semejante hazaña justamente en las condiciones en que lo hizo. En las páginas siguientes el lector encontrará un interesantísimo material que lo asombrará y lo acercará aún más al querido Don José.

Ernesto Guevara de la Serna, el "Che", fue además de todo lo que sabemos sobre él, asmático y médico, y estos dos elementos le dan un interés extra a su vida para un libro como el presente. Hay datos muy precisos sobre cuándo comenzaron sus padecimientos asmáticos y cómo esta enfermedad influyó en su carácter, su temeridad y su relación con la muerte.

Es en el capítulo de Perón donde se confirman las excelentes dotes de investigador de Daniel López Rosetti, obteniendo una información exhaustiva sobre la vinculación de los sucesivos infartos del Perón del regreso y la situación política nacional, y sobre los oscuros últimos días del general, aportando una información novedosa. Como en el resto de los capítulos, aporta la actualización de los conocimientos médicos para entender mejor las causas últimas de su muerte bajo la sombra del "Brujo" López Rega.

Hay una increíble paradoja, la ceguera de Borges, que es analizada detalladamente en sus causas, desarrollo e implicancias. Nos adentraremos en el oro de los tigres y en ese mundo de sombras amarillas.

La historia reciente está presente en dos de sus más notables protagonistas, Raúl Alfonsín y Néstor Kirchner, en los que se destaca el entrecruzamiento entre sus historias clínicas y la de nuestro país.

Este interesantísimo trabajo se ocupa, como ningún otro hasta el presente en nuestro medio, de las historias clínicas de estos notables personajes. Su autor nos propone un apasionante viaje por la historia sumamente instructivo para los que no somos médicos, porque en la descripción entendible de las distintas patologías aprendemos sobre ellas por un camino original y atractivo. Vale la pena destacar la seriedad con que está escrito este libro en el que Daniel abandona deliberadamente las elecciones efectistas o amarillistas prefiriendo en los casos dudosos la formulación de hipótesis científicas a la exposición de conclusiones que no lo dejan satisfecho.

F. P.

Agradecimientos

Al historiador Felipe Pigna, por su estímulo, asesoría e inapreciable aporte en la investigación histórica que me ayudaron a hacer este trabajo.

Al Dr. Osvaldo Canziani, meteorólogo, miembro del panel intergubernamental de cambio climático —panel que fue galardonado con el Premio Nobel de la Paz 2007—, por su asesoría con relación a la salud y el clima en los capítulos dedicados a José de San Martín y Ernesto "Che" Guevara.

Al Dr. Pedro Ramón Cossio, médico cardiólogo que atendió a Juan Domingo Perón en su residencia de Gaspar Campos e hijo del profesor Pedro Cossio, a su vez médico cardiólogo de cabecera de Perón en Argentina. Al Dr. Carlos A. Seara, médico cardiólogo, integrante del equipo de médicos residentes de cardiología que atendió al General Perón. Al comandante Fernando Carlos Cebral, piloto de Aerolíneas Argentinas que tripulaba el avión que trajo a Perón a Buenos Aires en junio de 1973. A la enfermera María Elisa Makara, quien formara parte del equipo de enfermería que asistió a Perón.

Al Dr. Francisco García Bazán, investigador superior del Conicet y director del Centro de Investigaciones en Filosofía e Historia de las Religiones de la Universidad Kennedy, por las largas conversaciones mantenidas que aportaron información relacionada con el Jesús de la historia y no con el "bíblico".

Al Dr. Alberto Granado, quien realizó el primer viaje con Ernesto "Che" Guevara por Latinoamérica —cuya historia inspiró la historia de la película *Diarios de motocicleta*— a quien entrevisté poco tiempo antes de su fallecimiento en La Habana, Cuba. A la antropóloga Patricia Bernardi, miembro del Equipo Argentino de Antropología Forense, quien participó en la exhumación e identificación de los restos óseos del Che en la fosa de Vallegrande, en Bolivia. Al Dr. Pacho O'Donnell por la información brindada sobre aspectos relacionados con la salud de Guevara. Al contador Alfredo Vasallo por la información bibliográfica y los debates mantenidos sobre aspectos relativos a la personalidad del Che.

Al Dr. Carlos F. Damin, profesor titular de la primera Cátedra de Toxicología de la Facultad de Medicina de la Universidad de Buenos Aires, por el análisis de las posibles causas toxicológicas de muerte por envenenamiento de Alejandro Magno.

Al Dr. Nelson Castro, por los aportes e intercambios que hemos mantenido sobre aspectos éticos en la atención médica y su relación con el tratamiento de Eva Duarte de Perón. A la enfermera María Eugenia Álvarez, quien fuera enfermera personal de Eva y que acompañó a la paciente hasta el momento de su muerte, porque me aportó datos históricos sobre la personalidad de Eva de inapreciable valor.

A la periodista Cristina Pérez, por sus consideraciones sobre aspectos relacionados con la personalidad y la obra literaria de Jorge Luis Borges: esas charlas motivaron la inclusión, con justa razón, del poeta en este trabajo. Al Dr. Jorge Segundo Malbrán, médico oftalmólogo, que operó a Borges junto con su padre, el Dr. Jorge Malbrán, pionero de la oftalmología en Argentina.

Al Dr. Francisco Klein, profesor titular del Departamento de Medicina de la Facultad de Medicina de la Universidad Favaloro, y al Dr. Roberto Laguens, profesor titular de Anatomía Patológica de la Facultad de Medicina de la Universidad Favaloro y jefe del Servicio de Anatomía Patológica del mismo centro, por sus aportaciones en la evaluación de la autopsia de Napoleón.

Al Dr. Juan Krauss, subjefe del Servicio de Cardiología del Hospital Italiano de Buenos Aires, quien fuera médico cardiólogo personal de Raúl Ricardo Alfonsín. A la periodista Julia Constenla, por la información biográfica y su contribución relacionadas con la personalidad de Alfonsín. A la señora Margarita Ronco, ex secretaria del presidente Alfonsín. Al Dr. Elías Hurtado Hoyo, presidente de la Asociación Médica Argentina, médico especialista en cirugía torácica, que asistió a Alfonsín en el traslado aéreo posterior al politraumatismo por accidente automovilístico sufrido en Río Negro. Al Dr. Marcelo Muro, ex director del SAME, que asistió como médico emergentólogo a Alfonsín en el vuelo sanitario desde Río Negro hasta Buenos Aires. Al Dr. Pablo Verani, ex gobernador y actual senador nacional por la provincia de Río Negro, quien se accidentó con Alfonsín en 1999.

Al Dr. Carlos D. Tajer, médico cardiólogo, especialista en metodología de la investigación, por sus consideraciones en clínica y terapéutica cardiovascular actual.

Al Dr. Alberto Alves de Lima, médico cardiólogo, especialista en investigación en educación médica, por sus aportes relativos a los alcances del tratamiento clínico actual de la patología cardiovascular.

Al Dr. Luis de la Fuente, médico cardiólogo especialista y pionero en cardiología intervencionista, por las largas conversaciones sobre aspectos relacionados al tratamiento actual por angioplastía de la enfermedad cardiovascular.

A la señora Patricia Gennaro, por la transcripción de los manuscritos originales de esta publicación.

A la profesora Flavia Pitella, por la corrección de textos previa a la redacción final de este trabajo.

A todos ellos, gracias.

Introducción

La historia clínica es un modo de abordar la historia de las personas. En este caso, personajes de la Historia. Implica conocer a ese personaje desde una óptica integral, una visión abarcadora de sus aspectos físicos y emocionales, una suerte de esfuerzo para realizar un diagnóstico retrospectivo, diferido en el tiempo, que nos permita acceder a su intimidad a través de un pretexto médico: la historia clínica.

Se descubren así muchas cosas, algunas de ellas paradójicas. Como la paradoja de Alejandro Magno, el gran militar que es vencido por el más pequeño de los enemigos. Como Jesús, que muere por asfixia por crucifixión, logrando así los romanos que viva eternamente en la Fe de los creyentes. Como Napoleón, que no logra escapar de la misma causa que mató a su padre pero logra superar una grave enfermedad que más tarde mataría a su hijo. Como José de San Martín, que sufría insomnio por la preocupación de cómo cruzar con su ejército la cordillera más que por el hecho de combatir con el enemigo al otro lado. La paradoja de Eva Perón es que, teniendo los recursos médicos suficientes, le da al cáncer 18 meses de injustificada ventaja. Como la paradoja del Che Guevara, que muere con nueve impactos de bala, seis de ellos en el pecho, pero ninguno alcanzó su corazón. La paradoja de Borges, quien perdió la luz de la visión, pero conservando el color amarillo que tanto amaba, y que, ya ciego, fue director de la Biblioteca Nacional. La paradoja de Raúl Alfonsín es que superó su principal factor de riesgo, la enfermedad cardiovascular, pero fue alcanzado por una enfermedad traicionera que terminó con su vida en poco tiempo. Por último, la de Néstor Kirchner, donde la misma fuerza temperamental artífice de sus logros resultó paradójicamente adversa en la batalla final, la de su vida.

Los médicos no somos jueces. Somos médicos. Cuando un médico atiende a un paciente se pone de su lado. Se asocia a él frente a un enemigo común: la enfermedad. No ve otra cosa que ese enemigo y no busca más que la mejoría del paciente. No juzga a la persona, la acompaña en una lucha en contra de la enfermedad que, algunas veces, es desigual. Los médicos atendemos personas, no ideologías. En cada una de las historias clínicas aquí desarrollada aplicamos ese temperamento y nos ponemos a favor del paciente. Ensayamos así un ejercicio de diagnóstico y terapéutica para adentrarnos en la intimidad y en los aspectos más humanos del personaje. Reflexionamos sobre qué habría pasado si los beneficios de la medicina actual hubieran sido puestos al alcance de aquellos personajes de la historia: ¿cómo hubiera evolucionado entonces la historia clínica del paciente?; y en consecuencia: ¿cómo hubiera cambiado la Historia?

Queda, pues, abierto el interrogante para quien quiera buscar la respuesta.

José de San Martín: la Cordillera de los Andes no fue el único obstáculo

Los héroes necesitan tener salud robusta, para sobrellevar las fatigas y dar a sus soldados el ejemplo de la fortaleza en medio del peligro; pero hay héroes que con cuatro miembros menos, sujetos a enfermedades continuas o con un físico endeble, se han sobrepuesto a sus miserias por la energía de su espíritu. A esa raza de los inválidos heroicos perteneció San Martín.

BARTOLOMÉ MITRE

Desde la perspectiva clínica y realizando un estudio médico retrospectivo, el General José de San Martín fue un paciente que convivió con numerosas afecciones. Muchas de ellas resultaron ser relevantes y condicionaron su vida en numerosas oportunidades. La información histórica hace mención de un cúmulo numeroso de síntomas, traumatismos y enfermedades. Entre ellos se citan traumatismos por accidentes y heridas de guerra, asma, gota, ataques reumáticos, cólera, fiebre tifoidea, úlcera gastroduodenal, hemorragia digestiva, cataratas, ceguera, hemorroides, trastornos nerviosos, insomnio, tensiones psíquicas y algunos profesionales especulan que la tuberculosis causó su muerte.

Ante el desafío médico que implica un diagnóstico retrospectivo, el caso que nos ocupa presenta dos dificultades. La primera de ellas, obviamente, es la falta de estudios de laboratorio y métodos complementarios de diagnóstico que simplemente no existían en la época; es así que nos valdremos de la descripción de los síntomas y cuadros clínicos que conocemos gracias a la lectura de cartas del paciente y de terceros. La segunda dificultad radica en que la información médica provista en dichos documentos no es lo suficientemente rica como hubiéramos esperado. Lamentablemente, los médicos que lo trataron no han dejado descripciones clínicas precisas o, si lo hicieron, no llegaron a nuestros días. Por otro lado —y esto resultaría determinante—, no contamos con la autopsia de San Martin. De haberse realizado, hubiera determinado con certeza alguna de las dos causas más probables de fallecimiento: el shock hemorrágico por úlcera gastroduodenal o una complicación cardíaca por tuberculosis pulmonar. Por lo tanto, sólo nos queda hacer una adecuada interpretación clínica de los síntomas para aproximarnos a la formulación de un diagnóstico. Los grandes maestros de la medicina argentina siempre han enfatizado que "la clínica es soberana", refiriéndose a la importancia que tienen los síntomas y el examen físico para llegar a un diagnóstico. Formularemos entonces una suerte de historia clínica que busca determinar las principales dolencias del paciente, aquellas otras que condicionaron su vida y, fundamentalmente, la causa de muerte.

La historia clínica

Toda historia clínica busca los antecedentes que pueden llegar a tener relación con la patología del paciente. En este caso comenzaremos despejando los antecedentes familiares y los de su infancia.

San Martín fue el quinto hijo de los españoles Gregoria Matorras y de Juan de San Martín, coronel y gobernador de Yapeyú. Sus hermanos fueron María Elena, Manuel Tadeo, Juan Fermín Rafael y Justo Rufino. Ni sobre los padres ni sobre los hermanos existe información médica de interés tales como enfermedades genéticas o de algún otro tipo que pudieran llegar a condicionar la salud de San Martín. Tampoco tenemos referencia a enfermedades de la infancia. Es de suponer que, como cualquier otro chico, debió presentar afecciones infantiles habituales pero ninguna de ellas de importancia o fuera de lo común. Este dato no es menor, ya que el paciente presentó asma en su vida adulta y debemos asumir que ésta no se inició en la infancia, ya que, de haber sido así, lo habríamos sabido; es más, cuando tenía 11 años San Martín ingresó en calidad de cadete al regimiento de Murcia en España, hecho que hace suponer un buen estado general de salud para iniciar su carrera militar. A los 23 años ya había participado en la campaña de África, combatido en el ejército de Aragón contra los franceses, embarcado en una nave española en la guerra contra Inglaterra y participado en la contienda contra Portugal, acciones llevadas a cabo sin enfermedades ni limitaciones físicas, ya que no existe ninguna información en contrario.

Respecto a traumatismos, tuvo varios. El primero de ellos ocurrió en 1801, cuando transportaba caudales del ejército desde Valladolid a Salamanca y fue asaltado por delincuentes y herido severamente en el pecho, en una mano y en la garganta, por lo que requirió internación y más de un mes de cuidados antes de ser dado de alta. En 1811, en la batalla de Albuera, España, se menciona que sufrió una lesión en su brazo izquierdo por una estocada cuando luchaba contra un oficial francés que terminó muerto en la contienda. En la batalla de San Lorenzo, en 1813, fue herido en la cara, lesión que le dejó una cicatriz. Sufrió contusiones en una pierna y en el hombro —aparentemente el izquierdo, ya que redactó sin dificultad los detalles del combate con su mano derecha. Más tarde, en 1829, en Falmouth, Inglaterra, vuelca un carruaje donde viajaba en calidad de pasajero. Recibió un corte importante en su brazo izquierdo, producido por un vidrio.

Ninguna de las lesiones mencionadas provocó daños permanentes que condicionaran su salud. Ninguna de ellas complicó pulmones ni otros órganos vitales.

Sin antibióticos

Las heridas y lesiones traumáticas descritas debieron sanar sin antibióticos, ya que por entonces no existían, y lo mismo ocurrió con los procesos infecciosos padecidos.

En Chile, San Martín contrajo un cuadro clínico denominado “chavalongo”. El término es de origen araucano y el cuadro incluía fiebre tifoidea y cuadros gastrointestinales similares. La fiebre tifoidea es una enfermedad infecciosa producida por bacterias de la familia de las salmonellas. El contagio se produce a través del agua y de los alimentos y así llega la bacteria al intestino para luego invadir la sangre. El cuadro clínico incluye fiebre alta (40º), náuseas, vómitos, diarrea y dolor abdominal, es decir, se comporta como una gastroenteritis aguda. La enfermedad puede durar hasta tres semanas y eventualmente comprometer el funcionamiento del hígado, bazo, sangre y otros órganos. En un porcentaje de los casos puede resultar mortal. Aunque no podamos afirmar que la gastroenteritis que padeció fuese por fiebre tifoidea porque no contamos con los análisis correspondientes y por entonces todo episodio de gastroenteritis importante se englobaba en el llamado "chavalongo", el cuadro clínico debió ser de magnitud como para que quedara asentada la evidencia escrita de esa indisposición.

En 1832, cuando San Martín y su hija Mercedes vivían en Francia, una epidemia de cólera se extendió por Europa. El cólera es una enfermedad aguda producida por una bacteria, el vibrio cholerae. La infección se adquiere al ingerir agua o alimentos contaminados. Durante una epidemia, la fuente de la enfermedad son las heces contaminadas con la bacteria. El cuadro clínico típico consta de una diarrea verdaderamente intensa —con más de 20 deposiciones diarias—, náuseas, vómitos, decaimiento, malestar general, hipotensión arterial, taquicardia, deshidratación importante, color azulado de la piel y de las mucosas (cianosis) y eventualmente la muerte. La epidemia europea de 1832 fue devastadora. El poeta Heinrich Heine describe la magnitud de la catástrofe en París con las siguientes palabras: "por la noche los bailes estaban concurridos como de costumbre, las risas de la gente ahogaban la música, de pronto los asistentes sentían escalofríos en sus piernas, se quitaban la máscara y tenían su rostro amoratado, los coches se los llevaban directamente del baile al Hospital Central donde con trajes de carnaval morían". La primera en enfermar fue su hija, Mercedes, quien se recuperó con cierta facilidad debido a su edad, pero San Martín estuvo al borde de la muerte. Él mismo describiría que lo atacó "del modo más terrible", que lo tuvo "al borde del sepulcro" y que sufrió "inexplicables padecimientos". La descripción de la dolencia por parte del propio paciente da una pauta del grave cuadro clínico padecido.

Reuma y gota

Aquí nuevamente nos encontramos con un problema en las definiciones médicas. Numerosas biografías de San Martín citan documentación en la que hacen referencia a "ataques de reuma", sufridos al menos en diez oportunidades. En otros documentos se hace referencia a "ataques de gota". Estos dos conceptos merecen ser considerados desde la óptica actual de la patología para interpretar las dolencias de San Martín que, como estamos viendo, no fueron pocas. La enfermedad "reuma", aunque la usamos con frecuencia, simplemente no existe. Sí existen los llamados dolores o síntomas reumáticos, como las dolencias en los huesos y articulaciones, inflamaciones articulares dolorosas, dolores musculares, tendinosos, de ligamentos, etc., que pueden ser agudos o crónicos; también están las llamadas "enfermedades reumáticas". Es decir: si uno va a un consultorio de reumatología, en la sala de espera todos van a tener síntomas similares (reumáticos), pero debido a diferentes enfermedades. Los médicos hablamos de enfermedades cuando tenemos un diagnóstico: en el caso de San Martín, ¿qué habrán querido decir cuando en las crónicas se habla de reuma y gota?

La descripción de la intensa sintomatología reumática deja claramente establecido que presentaba alguna enfermedad reumática por momentos incapacitante. Un fuerte ataque con síntomas reumáticos u osteoarticulares lo padeció el 12 de febrero de 1817, día en que se libró la batalla de Chacabuco. Allí, el paciente tenía serias dificultades para mantenerse a caballo debido a los dolores osteoarticulares. El General ganó la batalla, lo que le permitió afirmar: "en veinticuatro días hemos hecho la campaña, pasamos las cordilleras más elevadas del globo, concluimos con los tiranos y dimos libertad a Chile". Sin duda, y en virtud de la información disponible, los dolores fueron intensos, pero no podemos saber con certeza cuál fue la enfermedad que los produjo.

Cabe aclarar que es numerosa la lista de enfermedades reumáticas. San Martín utilizó los baños termales de los Cauquenes, al sur de Chile, para encontrar transitorio alivio a sus dolencias osteoarticulares y otro tanto sucedió con los ataques de gota[1]. El general Tomás Guido escribe sobre San Martin: "... a más de la molestia casi crónica que diariamente lo mortificaba, sufría de vez en cuando de agudísimos ataques de gota, que entorpeciéndole la articulación de la mano derecha, lo imposibilitaban para el uso de la pluma."

La gota es una de las tantas enfermedades incluidas dentro de las afecciones reumáticas. En ella el paciente tiene en sangre una concentración alta de ácido úrico y éste se deposita en las articulaciones, los riñones y en otros órganos. El ataque agudo de gota es típico: se produce una intensa inflamación en el dedo gordo del pie (articulación metatarsofalángica) que, además de doler intensamente, va acompañado de hinchazón o inflamación y de hecho impide caminar al paciente (eventualmente puede afectar también otras articulaciones, como los tobillos o las rodillas). Los síntomas en la mano derecha mencionada por Tomás Guido no son comunes en la gota, por lo tanto debemos poner en duda que la descripción hubiera correspondido a un episodio agudo o "ataque de gota". Lo que no cabe duda es que la sintomatología de "tipo reumático" era intensa, ya que le impedía escribir y lo obligaba a tomar láudano por indicación médica para paliar los intensos dolores. Meses después de la batalla de Chacabuco, el mismo Guido escribe: "el estado del Gral. San Martín es de sumo grave y desespero de su vida".

¿San Martín era drogadicto?

Éste es un punto por demás interesante. Es aquí donde los historiadores se reparten opiniones respecto de un tema central: ¿era el General San Martín adicto al opio? Es atendible que todo aquel que investigue en la historia de un personaje emita su juicio u opinión en cuanto a, por ejemplo, las posiciones políticas adoptadas y las condiciones y circunstancias históricas donde actuó. Sin embargo, el abordaje médico es diferente. En primer lugar, por definición, se trata de una evaluación de la condición de salud y en consecuencia lo único relevante es la consideración de los síntomas, síndromes y enfermedades que conocemos con certeza como para formular un diagnóstico. En segundo lugar, la evaluación médica de la condición de salud debería eximir a quien la formule de consideraciones éticas, condiciones políticas o influencias emocionales que inclinen el fiel de la balanza en un sentido o en otro. No concierne aquí si el paciente consumió opio en forma repetida y en consecuencia se presume una adicción ni se debe adoptar intencionalmente la posición contraria: importa la evaluación objetiva de las condiciones clínicas del paciente.

Sabemos al menos dos cosas con certeza. La primera de ellas es que el paciente presentaba dolores reumáticos frecuentes y en ocasiones "ataques" o "crisis" de dolor; asimismo, y como veremos más adelante, padecía intensos dolores gastrointestinales y crisis asmáticas. La segunda es que San Martín consumía opio; entre otras fuentes, el general Mitre afirmó que San Martín "abusaba del opio", aseveración a la que suscribieron el general Guido y el biógrafo chileno Benjamín Vicuña Mackenna —quienes agregaron que el médico Juan Isidro Zapata sobremedicaba a San Martín con dicha droga—, y también está documentado que el médico estadounidense Guillermo Colsberry le indicó opio para aliviar sus dolores. Sobre la base de lo antedicho vamos a hablar del opio y de sus efectos como droga.

El opio es una droga analgésica muy potente que se obtiene de forma natural de las cabezas o cápsulas de una planta denominada adormidera o *papaver somniferum*. El opio contiene varias sustancias psicoactivas, entre las cuales se destaca la morfina. En medicina indicamos morfina a los pacientes con dolores intensos de origen oncológico o que tienen otras enfermedades dolorosas crónicas. La morfina es una droga psicoactiva, como la heroína, que de hecho deriva de aquélla y que, por lo tanto, también produce adicción. ¿Qué se entiende en medicina por adicción? La adicción es un estado psíquico y físico caracterizado por la "tolerancia, dependencia y abstinencia". Tolerancia significa que la persona requiere cada vez mayores dosis para obtener los mismos efectos. Dependencia refiere a que el paciente requiere imperiosamente el consumo de droga, "depende de ella". Y por abstinencia se entiende el síndrome producido por la falta de suministro de la droga, caracterizado por ansiedad, nerviosismo, insomnio, temblores, taquicardia y transpiración, entre otros padecimientos. La forma en que los médicos de la época administraban la morfina era mediante el láudano de Sydenham. Éste fue un famoso médico inglés (1624-1689) que preparó una mezcla de opio, azafrán, canela de Ceilán, clavos de especia y vino de Málaga. El preparado, que se administraba por vía oral, se indicaba para el tratamiento de los dolores intensos, del asma y de la diarrea.

Los médicos contamos en la actualidad con un verdadero arsenal terapéutico ya que la farmacología nos brinda un sinnúmero de medicamentos eficaces para infinidad de diagnósticos distintos. Doscientos años atrás las cosas eran bien diferentes. La farmacología se agotaba en pocas sustancias activas derivadas del uso medicinal de las plantas. Por entonces el opio ocupaba un lugar muy importante en la terapéutica, y era indicado como medicamento de elección para dolores intensos, al no existir alternativas al uso del mismo. En el caso de San Martín, además de que existe referencia histórica sobre el hecho de que recibió opio por prescripción médica, la lógica indica que no existía otra opción terapéutica desde el punto de vista farmacológico. También es de suponer que, teniendo disponible el opio, se automedicó en más de una oportunidad. Más arriba se citó que San Martín tomó baños termales en el sur de Chile, ejemplo de que debió haber recurrido a cuanto procedimiento terapéutico estuvo a su alcance, habida cuenta de su sintomatología. Como hemos señalado anteriormente, el opio, bajo la forma de láudano de Sydenham, produce constipación, de ahí que se lo usara ante episodios de diarrea intensa para prevenir la deshidratación y la pérdida de sales. Sabemos por las cartas que San Martín le enviaba a Manuel Belgrano que ambos padecían de hemorroides, una patología muy molesta.[2] ¡Imaginemos esta dolencia en un militar que combatía a caballo! Seguramente la utilización del opio reagudizó la sintomatología hemorroidal en varias oportunidades, dado que la constipación aumenta esos síntomas.

A esta altura del relato estamos en condiciones de intentar contestar a la pregunta con la que iniciamos este apartado: ¿San Martín era adicto al opio? Para dar una respuesta coherente debemos tener en cuenta los síntomas que produce el opio en tanto droga narcótica y psicoactiva. El opio, y su componente fundamental, la morfina, producen adicción. Esta adicción es física y mental ya que el paciente necesita de la droga para calmar ya no solamente el dolor sino sus necesidades psíquicas.

Anteriormente echamos un vistazo a los síntomas físicos que producen la adicción a las drogas, veamos ahora los mentales. A continuación vamos a citar un conjunto de síntomas mentales, emocionales y de conducta que en distinta proporción pueden presentarse en la adicción a las drogas: ansiedad, conducta obsesiva, conducta impulsiva, pérdida de interés, pérdida del sentido de la obligación, pérdida del sentido de la responsabilidad, afectación de las relaciones interpersonales, afectación de la comunicación interpersonal, deterioro en la capacidad de trabajo, deterioro en el estado de ánimo, pérdida de la autoestima, pérdida de la iniciativa, egocentrismo, falta de control en la conducta, etcétera.

Si bien es cierto que el paciente recibió opio en la forma farmacéutica de láudano de Sydenham por indicación médica, también podemos asumir como posible que en ocasiones se automedicó porque los dolores seguramente lo obligaron. Sin embargo, luego de que repasemos los síntomas mentales de una adicción, notaremos que ellos son incompatibles con los antecedentes ocupacionales y laborales del paciente. Militar en actividad, organizó el ejército de los Andes y fue artífice de la independencia de Argentina, Chile y Perú. La capacidad de trabajo, la disciplina, la convicción, la capacidad de decisión, el sentido del deber y el liderazgo demostrado son incompatibles con la adicción a una droga. Si bien por periodos pudo extralimitarse en el uso del opio en forma de láudano de Sydenham, no hay evidencia clínica como para pensar que el paciente era adicto al opio.

San Martín y la homeopatía

En el Museo General San Martín de la ciudad de Mendoza se conserva un botiquín homeopático que Ángel Correa le regaló a su amigo José de San Martín. Se trata de un pequeño botiquín transportable donde se encuentran sesenta frascos con medicación homeopática. Entre ellos, glóbulos homeopáticos de belladona, bromiun, ipeca, nux vomica y pulsatilla.

En el Museo del General Bartolomé Mitre de la ciudad de Buenos Aires también hay un botiquín homeopático que perteneció a Bartolomé Mitre.

No es una mera coincidencia: por entonces, la homeopatía era una alternativa válida frente a la medicina tradicional, en la cual el opio, las sanguijuelas, las sangrías, los eméticos y los purgantes estaban al alcance de los médicos de entonces. Es posible que San Martín haya utilizado opio en tanto medicación homeopática. El tratamiento con opio en preparación homeopática no produce adicción ni efectos adversos. Es probable que el paciente haya utilizado medicación homeopática para sus dolores reumáticos, sus trastornos digestivos, de insomnio y para calmar otras dolencias.

Esto nos conduce a la formulación de otro interrogante: ¿pudo haber sido la terapéutica homeopática efectiva para las múltiples dolencias de San Martín? Intentaremos dar una respuesta.

La homeopatía es una forma de medicina que, entre fines del siglo XVIII y principios del XIX, desarrolló el médico alemán Samuel Hahnemann (1755-1843). El principio de la homeopatía sostiene que un extracto de una sustancia que produce determinados síntomas sirve para tratar o combatir esos mismos síntomas cuando se la administra diluida en cantidades mínimas. Dicho de otro modo: si una sustancia determinada produce, por ejemplo, ansiedad, una dilución de ella ayudaría a combatir la ansiedad. Es el principio de *similia similibus curantur*, que significa "lo similar cura lo similar".

¿Pudo haber sido eficaz la medicación homeopática en San Martín? No lo sabemos, ya que es una discusión médica en la que faltan las pruebas científicas. Una posible respuesta para parte del problema es el llamado efecto placebo. Un placebo es una sustancia que no ejerce ningún efecto farmacológico comprobado (inerte), pero que sin embargo mejora al paciente. La explicación de esto se halla en la influencia psicológica o mental que ejerce el placebo sobre el paciente. Dicho de otro modo, si el paciente cree que le va a hacer bien, es probable que efectivamente le haga bien. Del mismo modo, alguien que cree que lo que toma le puede caer mal, es probable que le caiga mal. Es innegable la influencia de la mente sobre el cuerpo, más aún si se trata de un paciente "psicosomático". San Martín, como veremos más adelante, sufrió de úlcera gastroduodenal. Ésta es una afección con un fuerte componente psicosomático, lo que nos lleva a pensar que San Martín era un paciente en el que los aspectos emocionales repercutían en los físicos. Podemos asumir que la medicación homeopática que San Martín tuvo disponible por obsequio de su amigo Ángel Correa —quien también le indicó cómo usarlos— pudo haber sido efectiva, al menos como efecto placebo.

El aire y las altas cumbres

Lo que no me deja dormir no son los enemigos,
sino cómo atravesar esos inmensos montes.

San Martín

San Martín pensaba que los indios eran los verdaderos dueños de la tierra y se refería a ellos como "nuestros paisanos los indios". Así, antes de cruzar la cordillera, se reunió con caciques pehuenches para solicitarles "permiso" para el cruce porque, les dijo, "ustedes son los verdaderos dueños de este país". Lo que traía detrás no era un ejército menor: 5.000 hombres armados con fusiles, carabinas, cañones y municiones, 10.000 mulas, 1.600 caballos y 600 reses para faenar.

Para quien iba a cruzar los Andes con temperaturas diurnas de más de 30° C y nocturnas de -10° C, con falta de oxígeno debido a que la altura promedio era de 3.000 metros, su condición respiratoria no era la mejor, ya que era asmático.

El asma es una enfermedad respiratoria crónica que afecta a las vías aéreas. Los bronquios, pequeñas vías aéreas, lejos de ser conductos rígidos, pueden contraerse y así hacerse más delgados y dificultar el paso del aire. De eso se trata un ataque asmático: las pequeñas vías aéreas se estrechan dificultando de esta manera la respiración. El ataque asmático o crisis asmática es un fenómeno reversible; es decir, cuando el episodio termina, las vías respiratorias se dilatan y funcionan normalmente hasta que vuelve a ocurrir un nuevo episodio. La crisis se vivencia con una entendible angustia y ansiedad, provocando temores ante la posibilidad de que se repita el suceso. Estas crisis muchas veces se producen por factores desencadenantes tales como el frío, la humedad, los cambios de temperatura, las alergias, el estrés, los estímulos emocionales, las infecciones, etcétera.

San Martín fumaba, y al parecer no poco. Por supuesto que esto no ayuda a un paciente con antecedentes asmáticos. La importancia "vital" del tabaco queda de manifiesto en esta exhortación dirigida a sus soldados: "Compañeros del Ejército de los Andes: la guerra se la tenemos que hacer como podamos: si no tenemos dinero, carne y tabaco no nos tienen que faltar".

San Martín tuvo su primer ataque asmático, según tenemos referencia, en 1808. En ese entonces tenía 30 años y aún estaba en España. También se menciona que en Tucumán, en 1814, cuando era jefe del Ejército del Norte, tuvo una crisis asmática de importancia; y padeció otra al regresar de la batalla de Chacabuco, en 1817. Seguramente debió haber presentado otros episodios, pero de menor intensidad. De las referencias encontradas en tantas y distintas fuentes históricas, San Martín seguramente debió haber presentado crisis asmáticas recién cuando entró en la adultez.

Cabe aclarar que, si bien el diagnóstico era simple, no se conocía realmente por qué se producían los episodios asmáticos ni había ninguna medicación efectiva.

En la actualidad hay medicamentos broncodilatadores que permiten un tratamiento exitoso de las crisis asmáticas y asimismo existen tratamientos para evitar que estos ataques se produzcan: el General San Martín no tuvo la fortuna de conocerlos, de ahí que el asma haya sido uno de sus más íntimos y temidos enemigos.

¿Tuberculoso?

María de los Remedios Escalada, esposa de San Martín, estaba severamente enferma de tuberculosis. Cuando su marido parte a Chile, decide viajar de Mendoza a la casa de sus padres en Buenos Aires para un mejor cuidado.

Su estado era de tal severidad, que decidió llevar un ataúd por si moría en el viaje. El general Manuel Belgrano dispuso una custodia para protegerla de las bandas que merodeaban por la zona y el general José María Paz la encabezó hasta Rosario. Pero una vez llegada a Buenos Aires, fallece el 3 de agosto de 1823 en la quinta de los padres, en la calle Caseros y Monasterio. La casualidad hizo que allí hoy se encuentre el Hospital Muñiz, referente en el diagnóstico y tratamiento de las enfermedades infecciosas. La tuberculosis era común, no se sabía por qué se producía y, por supuesto, no tenía tratamiento.

La tuberculosis es una enfermedad infectocontagiosa y hay estudiosos que sostienen que San Martín la padeció: argumentos no faltan, como veremos a continuación.

Las condiciones epidemiológicas —o ambientales— para enfermar estaban dadas. Era una enfermedad común y muy contagiosa. Más aún, su esposa había muerto por tuberculosis. Estas referencias son suficientes como para anotarlo en la historia clínica como posibilidad diagnóstica.

La tuberculosis afecta principalmente a los pulmones, aunque también puede comprometer otras partes del cuerpo, ya sea en forma aislada o en conjunto con la afectación pulmonar. Es así que puede comprometer el sistema nervioso central, el gastrointestinal, el circulatorio, los huesos, las articulaciones, la piel, etcétera.

Los síntomas típicos de la tuberculosis pulmonar son: tos productiva crónica (con moco), tos de predominio matinal, hemoptisis (tos con expectoración sanguinolenta), fiebre (frecuentemente vespertina), sudores (normalmente nocturnos), dolor de pecho o espalda, escalofríos, pérdida de peso, debilidad, piel pálida, pérdida del apetito (anorexia). El contagio del bacilo se produce a través del aire cuando una persona con bacilos (bacilifera) tose, habla o estornuda.

Veamos ahora los síntomas respiratorios de San Martín.

Hacia 1808, luego de la batalla de Bailén, donde España triunfó sobre las fuerzas napoleónicas provocando la primera derrota de los franceses, San Martín presenta su primer ataque asmático acompañado de dolores reumáticos intensos. La enfermedad lo tuvo fuera de servicio durante un año. Hasta aquí la afección respiratoria fue diagnosticada como asma y no hay motivo para pensar que el diagnóstico estuviese equivocado.

Como hemos dicho con anterioridad, el asma tiene síntomas típicos y difíciles de confundir. Como su estado de salud figura en su foja de servicio realizada por médicos militares, no habría motivos para dudar acerca del diagnóstico de asma junto con un cuadro clínico de dolores reumáticos intensos. Sin embargo, hacia fines del año 1808, en una fecha posterior a la batalla de Tudela, el paciente presenta un episodio de hemoptisis, es decir, escupe moco sanguinolento. San Martín, aún no recuperado totalmente y luego de un año de iniciada la enfermedad, escribe al rey Fernando VII para solicitar su reincorporación al servicio activo ya que "estando más aliviado de la peligrosa enfermedad que he padecido, desea el que expone continuar su mérito en el ejército de Cataluña".

Hasta aquí hay que asumir que superó, aunque más no sea parcialmente, una enfermedad importante. Enfermedad que tenía como foco el sistema respiratorio. Pero ese evento, la hemoptisis, es el síntoma que hace pensar en tuberculosis.

La sangre que sale por la boca puede tener dos orígenes: del sistema respiratorio —en forma de expectoración sanguinolenta, de aspecto espumoso y rojo rutilante por la sangre fresca— o del sistema digestivo. Cuando la sangre proviene de este último —generalmente del esófago, el estómago o el duodeno—, se denomina hematemesis, que es una suerte de vómito de sangre. He aquí una diferencia diagnóstica central. Sabemos, como veremos más adelante en la descripción de la historia clínica del paciente, que San Martín sufrió una enfermedad gastrointestinal que produjo varios episodios de hematemesis, es decir, expulsión por la boca de sangre de origen digestivo.

Ahora bien, se nos presenta un problema diagnóstico: si en 1808 tuvo hemoptisis —sangre por la boca de origen respiratorio—, el primer diagnóstico diferencial sería tuberculosis asociada a un cuadro asmático ya diagnosticado con anterioridad. Los episodios de hemoptisis fueron repetidos, de acuerdo a la documentación disponible. Tanto se relaciona la "hemoptisis" con el diagnóstico de tuberculosis, que combina la misma palabra desde el punto de vista etimológico: hemo (sangre), tisis (tuberculosis).

En la actualidad, los médicos nos inclinamos a diagnosticar una hemoptisis cuando el líquido tiene aspecto de esputo o expectoración —a veces espumosa o aireada— y la sangre es de color rojo, rutilante; en cambio, la hematemesis es más propia de un vómito, por volumen y características. ¿Y si un paciente nos llama por teléfono y nos describe que expulsa sangre por la boca cuál es el diagnóstico médico? Es difícil, pues no podemos ver el fluido.

Llegado este punto, la pregunta para diagnosticar o descartar tuberculosis en San Martín es: ¿tuvo realmente episodios de hemoptisis? Si tuvo, ¿fueron de origen tuberculoso o podrían tener otro origen?

La información histórica con la que contamos para formular esta historia clínica nos dice que el paciente padeció un primer episodio de hemoptisis en 1808: vamos a consignarlo por cierto. Ahora bien, esta hemoptisis, ¿fue por tuberculosis?

Cualquier médico hace un diagnóstico cuando logra acumular un conjunto de síntomas y signos que apunten en una misma dirección. Aquí parecen faltar varios síntomas que parecen no coincidir con la evolución de la enfermedad. Los síntomas que faltan —o que no se los menciona—, son: tos con expectoración persistente, fiebre ("calores", como se los denominaba por entonces), pérdida de peso (una constante en la tuberculosis), escalofríos y sudores. Por otro lado, al recuperarse, el paciente mejoró su capacidad respiratoria, tal como se indica en un acta que consigna que se le permite ingresar al ejército de Cataluña. Experimenta entonces una mejoría en ese año difícil para su salud en el que el diagnóstico inicial es asma junto con dolores reumáticos.

Aquí hay otro elemento clínico de interés: no sólo faltan algunos síntomas propios de la tuberculosis sino que la evolución de la enfermedad es favorable (lo cual no era común), permitiéndole reincorporarse al servicio activo. Quienes sostienen que el paciente tuvo tuberculosis en 1808, lo hacen pensando como posible diagnóstico en una forma poco frecuente, llamada "tuberculosis fibrosa". Se trata de una forma "involutiva" donde el cuadro se "enfría", quedando en el pulmón lesiones que posibilitan la reactivación de la enfermedad. Este tipo de tuberculosis es de evolución muy lenta y facilitan una larga sobrevida al paciente: tal sería el caso de San Martín, quien falleció a los 72 años. No obstante, la falta de los síntomas típicos de tuberculosis al comienzo de la enfermedad, sumada a la evolución de su historia clínica, no nos permite dar crédito al diagnóstico de tuberculosis fibrosa.

La repetición de los episodios de crisis asmática que se darían en el futuro —con intervalos asintomáticos, propios de una tuberculosis típica— hace pensar que el diagnóstico de la enfermedad que comienza en 1808 era efectivamente asma asociada a dolores reumáticos.

Aunque las dudas diagnósticas persisten, vista la evolución clínica, me inclino a especular que el paciente no presentó tuberculosis, al menos no en su forma típica.

En 1811 San Martín se retira de los ejércitos españoles y se dirige a Londres. Al año siguiente llega a Buenos Aires. Tiempo después lo esperarían las altas cumbres de los Andes.

La salud del prócer desde 1814 hasta su muerte

Guillermo Colsberry atendió a San Martín el 25 de abril de 1814 por una complicación clínica que marcaría, médicamente hablando, el futuro del paciente. Colsberry —quien más adelante sería el padrino del Dr. Guillermo Rawson— hizo un rápido diagnóstico: hematemesis. Fue en Tucumán, cuando el paciente estaba al mando del Ejército del Norte. La enfermedad que ese día se manifestó mediante un vómito de sangre o hematemesis acompañaría a San Martín en los siguientes 36 años.[3] La salud del paciente se veía complicada, ya que a sus problemas reumáticos y respiratorios se le sumaban los digestivos: fue entonces que San Martín decidió pasar dos o tres meses en Córdoba para aprovechar las particularidades del clima mediterráneo que eran favorables para el tratamiento de las enfermedades respiratorias, tales como el asma o la tuberculosis.[4]

Volvamos ahora al cuadro clínico del paciente.

La sintomatología de San Martín era típica de una úlcera gastroduodenal complicada con sangrado digestivo. La úlcera, que por falta de autopsia no podemos saber con certeza si era de localización gástrica o duodenal, va acompañada además de dolores intensos y con acidez gástrica o gastritis. Es en estos episodios de dolor que San Martín también debió haber utilizado opio en forma de láudano de Sydenham. En 1816, San Martín escribe al Superior Gobierno de Buenos Aires solicitando licencia en términos que hacen pensar fuertemente en este diagnóstico: "Hace tres meses que para dormir un breve rato debo de estar sentado en una silla y que los repetidos vómitos de sangre me tienen sumamente debilitado". En esta solicitud hay indicios clínicos que apuntan al diagnóstico: úlcera gastroduodenal sangrante, fatiga por anemia y posiblemente hernia hiatal. Esta condición clínica fue documentada por el biógrafo Ricardo Rojas en *El santo de la espada*: "Los vómitos y gastralgias como en Tucumán, Córdoba y Mendoza, le siguen atormentando".

La peoría del estado clínico de San Martín fue evidente en variadas oportunidades, por ejemplo cuando el paciente, en una carta enviada al general Bernardo O'Higgins el 4 de febrero de 1821, le confesó: "mi salud está sumamente abatida. Anteayer me levanté después de siete días de cama".

El historiador chileno Vicuña Mackenna cita otra carta que en noviembre del mismo año escribe nuevamente a O'Higgings: "algo mejorado de mi última enfermedad, esto me ha convencido del verdadero estado de mi máquina y lo imposible que es seguir con estos males sin una certeza positiva de mi muerte".

San Martín viaja a Europa con su hija Mercedes el 10 de febrero de 1824 y allí pasaría el resto de sus días, sufriendo las consecuencias del cuadro clínico de úlcera gastroduodenal complicado con sangrado.

En la actualidad, con un adecuado diagnóstico, existe un tratamiento efectivo que hubiera curado sin más a José de San Martín.

Perder la luz

En Europa y en compañía de su hija, el paciente comienza con padecimientos visuales. Hacia 1842 su visión se ve afectada. El síntoma dominante es una intensa molestia producida por la luz, viéndose obligado a evitarla, permaneciendo la mayor parte del tiempo a oscuras. Este síntoma —que en la actualidad se denomina fotofobia— afectó a San Martín durante aproximadamente un mes. La causa más frecuente de este cuadro es la iritis, es decir, la inflamación del iris. El iris es un músculo que abre y cierra la pupila, del mismo modo que lo hace el diafragma de una cámara fotográfica para regular el ingreso de luz al ojo. Los síntomas son: fotofobia (molestia a la luz), intenso dolor ocular, enrojecimiento del ojo, visión borrosa y lagrimeo. Entre las causas más frecuentes de iritis se encuentran la virosis, la tuberculosis y las lesiones oculares, aunque muchas veces se desconoce la causa. El cuadro, en general, evoluciona favorablemente en forma lenta.

San Martín gustaba del placer de la lectura y era un ávido lector, pero por desgracia una nueva complicación afectaría severamente su vista: las cataratas.[5] Hacia 1845 comienza a perder la visión y a fines de 1848 le escribe una carta a Rosas diciéndole que a causa de la pérdida de su visión ésa sería la última que escribiría de puño y letra.

La causa de las cataratas quizá se debió al proceso de envejecimiento, ya que la enfermedad comenzó cuando San Martín tenía 67 años, aunque también pudo haber estado condicionada por la iritis que presentó previamente o por ambas cosas en forma concurrente. El paciente sufrió enormemente la paulatina pérdida de la visión, lo que alteró fuertemente su carácter.

En la actualidad las cataratas se operan rutinariamente. La cirugía consiste en extraer el cristalino opaco y reemplazarlo por una lente artificial, procedimiento que tiene excelentes resultados. Por entonces, aunque sorprenda, también se sometía al paciente a cirugía. El procedimiento imperfecto y peligroso extraía el cristalino y no dejaba nada en su lugar porque simplemente no existían lentes intraoculares artificiales. San Martin aceptó la operación. Decidió arriesgarse, como lo había hecho tantas veces antes en su vida. Fue operado en París por Jules Sichal en 1848. La cirugía se realizaba en una cama con los pies hacia la cabecera, para que la cabeza quedara expuesta hacia el cirujano que realizaba la intervención sin anestesia, solamente utilizando opio como analgésico. El resultado de la intervención quirúrgica fue negativo e inexorable fue la progresiva pérdida de la visión que el paciente padecía desde hacía cuatro años. San Martín no volvió a leer ni a escribir por mano propia. Quedó ciego.

Es la tormenta que lleva la nave al puerto

Se especula con distintos posibles diagnósticos como causa del fallecimiento de San Martín. El empeoramiento de su estado de salud —con fatiga, decaimiento, pérdida de peso e intensos dolores— hizo que él mismo advirtiera la llegada de sus últimos días: “Es la tormenta que lleva la nave al puerto”, dijo San Martín. ¿Cuál es el diagnóstico más probable que causó su muerte? Veamos.

Una determinada patología tiene lo que se llama en medicina "historia natural de la enfermedad". La úlcera gástrica o duodenal complicada con sangrado, en caso de no ser diagnosticada y tratada, no es raro que provoque una hemorragia que comprometa, por falta de sangre, el mantenimiento de la presión arterial necesaria para irrigar y oxigenar adecuadamente los tejidos. Este cuadro se denomina shock hemorrágico. Augusto Barcia Trelles describe, sin saberlo, desde el punto de vista médico, un cuadro de shock hemorrágico: "Eran las dos de la tarde cuando San Martín se sintió atacado por las torturas de las gastralgias y presa de un frío que paralizaba la sangre".

Quizá no pueda hacerse mejor descripción del cuadro clínico. Dolor gástrico intenso asociado a un frío corporal por falta de sangre circulante. Es la descripción clínica del diagnóstico más probable de fallecimiento: shock hemorrágico por sangrado de úlcera gastroduodenal. Fue en Boulogne-Sur-Mer, Francia, cuando San Martín le dijo a su hija: "Mercedes, ésta es la fatiga de la muerte" y dirigiéndose al marido de la misma, el Dr. Mariano Balcarce, solicitó con falta de aire: "Mariano, a mi cuarto".

A las tres de la tarde del 17 de agosto de 1850 fallecía el General Don José de San Martín.

Epicrisis

A manera de síntesis o epicrisis de esta historia clínica, debemos hacer notar que el paciente en estudio fue portador de numerosas afecciones clínicas y que le tocó convivir con varias de ellas. Presentó varias lesiones traumáticas tanto por accidentes como por las producidas en combate. Paciente con perfil de personalidad proclive a padecer enfermedades psicosomáticas, el asma lo afectó desde la edad adulta. Dolores reumáticos lo acompañaron casi toda su vida y en oportunidades las crisis fueron invalidantes. Presentó episodios infecciosos severos tales como cólera y un cuadro clínico compatible con fiebre tifoidea. Padeció dolores abdominales por úlcera gastroduodenal y complicada muchas veces con sangrado digestivo evidenciado por vómitos de sangre o hematemesis, hemorroides, constipación, tensiones psíquicas, insomnio y cataratas que lo dejaron ciego. Paradoja de un paciente con asma y dolores reumáticos, cuya vida interpuso entre él y el enemigo una desafiante cordillera que tuvo que cruzar con temperaturas de -10° C y a 3.000 metros de altura.

Estamos, a esta altura de la historia clínica —y teniendo en cuenta la evolución de los antecedentes médicos y la sintomatología de las últimas horas de vida—, en condiciones de formular el certificado de defunción del Gral. Don José de San Martín:

Certificado de defunción

Paciente: José de San Martín
Sexo: Masculino
Edad: 72 años
Lugar de fallecimiento: Boulogne-Sur-Mer, Francia
Fecha: 17 de agosto de 1850
Hora: 18.50
Causa de muerte: Paro cardiorrespiratorio no traumático
Causa mediata:

1. Shock hemorrágico
2. Sangrado por úlcera gastroduodenal

Hace más ruido un solo hombre gritando que cien mil que están callados.

Mi sable nunca saldrá de la vaina por opiniones políticas.

José de San Martín

Juan Domingo Perón: emoción y corazón

"Cámpora al gobierno, Perón al poder" fue la consigna con la que se promocionaba a Héctor J. Cámpora, quien terminó siendo elegido Presidente el 11 de marzo de 1973.

Se preparaba de este modo el retorno del General Perón —que sería el último—, antesala de su tercera presidencia. La búsqueda de la ansiada "pacificación nacional", después del gobierno de facto del general Agustín Lanusse, esperaba una fiesta para el día en que Perón regresara al país.

El avión de Aerolíneas Argentinas que traía al general Perón desde Madrid se dirigía hacia Buenos Aires previa escala en las Islas Canarias. Fue el Día de la Bandera diferente, un 20 de junio distinto: fue la fiesta que no fue. El palco se había montado en el puente 12, en Autopista Ricchieri y Ruta 205, en la localidad de Ezeiza. Fue el general retirado Jorge Manuel Osinde, junto con un grupo de personas fuertemente armadas, el encargado de garantizar que las cercanías al palco donde se esperaban las palabras del General Perón fueran ocupadas sólo por los grupos peronistas tradicionales. Este objetivo debía cumplirse a cualquier precio. El precio se pagó. Mientras las columnas juveniles cantaban "Perón, Evita, la Patria Socialista", la respuesta de los grupos tradicionales era "Perón, Evita, la Patria Peronista". El clima político, cada vez más enrarecido gracias a hechos de violencia aislados, estalló alrededor de las 14, cuando los contingentes y las columnas de las Fuerzas Armadas Revolucionarias (FAR), de Montoneros y del Ejército Revolucionario del Pueblo (ERP) fueron rechazadas desde el palco con tiros de escopeta, carabinas, ametralladoras y pistolas. El caos gobernaba por doquier. Mientras continuaba el intercambio de disparos, Leonardo Favio, a través de los altoparlantes, intentaba calmar a la gente. A la fiesta que no fue habían llegado dos millones de hombres, mujeres y niños que esperaban con impaciencia las palabras que Perón daría en pos de la tan mentada "pacificación nacional".

Los hechos se conocen como "la masacre de Ezeiza". La "bienvenida" se saldó al menos con 13 muertos y 365 heridos, ya que ninguna investigación oficial avaló ninguna cifra. El policlínico de Ezeiza y de Lanús, los hospitales municipales Santojanni y Piñero y el Instituto de Cirugía de Haedo no paraban de atender heridos. Mientras el desencuentro (o "encuentro" violento) se producía, el avión fue desviado, aterrizando finalmente a las 16.50 en la VII Brigada Aérea de Morón. Junto con el General Perón viajaban políticos, artistas, sindicalistas, deportistas, el Presidente, Héctor "el tío" J. Cámpora, José López Rega y el distinguido médico argentino Dr. Pedro Cossio, quien a los pocos días jugaría un rol importante.

Al aterrizar en la base aérea de Morón, Cámpora dio un mensaje al país llevando tranquilidad sobre la salud del General Perón: "Está perfectamente bien" dijo, ignorando que su afirmación era médicamente incorrecta.

Las condiciones clínicas previas del paciente y el fuerte impacto emocional que vivió aquel 20 de junio de 1973 comenzaban a complicar su función cardíaca, situación que se pondría de manifiesto en muy pocos días. Llegaría entonces el momento en que intervendría el Dr. Pedro Cossio.

La historia clínica llegaba desde España

Cuando el avión de Aerolíneas Argentinas aterrizaba en la VII Brigada Aérea de Morón, además de una parte de la Historia, también llegaba la historia clínica de Perón. Su médico de cabecera en Madrid fue Francisco José Florez Tascón: un informe profesional de su autoría es trascripto en la Historia Clínica N° 32.967 que también suscriben, el 23 de diciembre de 1973, el médico y amigo de Perón Jorge Alberto Taiana y el doctor Pedro Cossio. El número de historia clínica era el correspondiente a la secuencia numérica de historias clínicas del consultorio particular del profesor Pedro Cossio. En el segundo párrafo se consignan los diagnósticos médicos que el paciente traía desde España y que citamos a continuación:

√ Síndrome de Sturge Kalishche Weber mínimo
√ Dislipidemia tipo II
√ Hiperuricemia
√ Isquemia subepicárdica
√ Esclerosis vascular periférica con claudicación intermitente en pierna izquierda (enfermedad de Buerger)
√ Paquipleuritis izquierda
√ Hidatidosis hepática
√ Colecistodisquinesia
√ Hernia inguinal
√ Úlcera residual de colon
√ Prostatectomía

De la historia clínica que el Gral. Perón trae desde España interesa destacar aquellos elementos de interés para los acontecimientos médicos que iban a presentarse. Y éstos son, sin duda, los relacionados a la salud cardiovascular. Perón era un paciente fumador y dislipémico, es decir, tenía colesterol alto. Ambas situaciones determinaban un terreno propicio para el desarrollo de enfermedades cardiovasculares.

La estadística se cumplió: Perón presentaba esclerosis vascular periférica con claudicación intermitente de pierna izquierda o enfermedad de Buerger y, más importante que eso, como compromiso de orden vital, enfermedad coronaria. La enfermedad vascular arterial es un proceso que afecta a todas las arterias del cuerpo en mayor o menor medida, lo que sucede es que se va a manifestar en aquellos órganos de mayor importancia u órganos nobles tales como el corazón y el cerebro. Si hoy en día a Perón le realizaran un estudio de ecografía Doppler en los vasos del cuello, muy probablemente se diagnosticaría un engrosamiento de la capa interna de las arterias carótidas como signo de aterosclerosis. Situación ésta que, seguramente, es la que condicionó el infarto de miocardio que ya presentaba al llegar a Buenos Aires el 20 de junio de 1973. Ese infarto, aunque pequeño, ya nos hablaba de un paciente coronario. Perón era un cardiópata y debía cuidarse como tal. Esto incluye, entre otras medidas, evitar las emociones negativas o dañinas que, como veremos, han guardado relación con la evolución de su historia clínica.

El infarto en Gaspar Campos

En la madrugada del 26 de junio, Perón tuvo un dolor de pecho acompañado de falta de aire que lo obligó a abrir las ventanas. Pasó una mala noche, pero no consultó inmediatamente. Ya de día lo atiende circunstancialmente el médico Osvaldo Carena, que se desempeñaba como funcionario del Ministerio de Bienestar Social de la Nación y se encontraba en la residencia porque se iba a entrevistar con José López Rega. Carena interpretó, por el cuadro clínico, que podría tratarse de un problema cardíaco. Tenía razón.

Poco después, el Dr. Jorge Taiana, por sugerencia de María Estela Martínez de Perón, llamó en consulta urgente a Pedro Cossio. Perón ya había presentado un dolor similar durante el vuelo charter que lo traía desde España, pero se había calmado en pocos minutos. Retrospectivamente, debemos interpretar ese dolor como de origen cardíaco, debido a una obstrucción coronaria. Esta vez el cuadro clínico fue más intenso. Cossio examinó al paciente y le realizó un electrocardiograma. El diagnóstico arrojó infarto agudo de miocardio de cara anterolateral.

Se entiende por infarto de miocardio a la muerte del tejido cardíaco como consecuencia directa de una obstrucción coronaria. De tal suerte, la sangre no llega a esa porción del corazón irrigada por esa arteria y, ante la falta de oxígeno, muere. Este episodio en general va acompañado de dolor de pecho intenso y opresivo, eventualmente acompañado de otros síntomas, tales como transpiración, hipotensión arterial, falta de aire, mareos, náuseas, vómitos y malestar general. El diagnóstico de Cossio indica infarto agudo anterolateral. Anterolateral significa que afecta a la cara anterior y lateral izquierda del ventrículo izquierdo del corazón. Es una extensión importante del corazón que, debido al infarto, deja de contraerse, es decir, deja de trabajar. A este cuadro hay que agregar que Perón ya presentaba un infarto de cara inferior del corazón, con lo cual ambas lesiones se suman, complicando el cuadro. Por motivos y planes políticos, aunque la indicación precisa fue la internación en un centro médico asistencial, el paciente, la familia y su entorno decidieron realizar una internación en su domicilio privado. Médicamente no era lo ideal, pero haber internado a Perón por enfermedad hubiera disminuido sus posibilidades electorales.

La influencia de la política había modificado la indicación médica y el diagnóstico difundido a la ciudadanía indicaba un "cuadro bronquial" sin mayor importancia. En realidad era un infarto importante.

Apenas dos días después, presentó una nueva complicación. Un cuadro de falta de aire acompañado con fiebre. El diagnóstico fue pleuropericarditis aguda. Ésta es una complicación inflamatoria del pericardio y la pleura. Tanto el pericardio como la pleura son membranas que, para graficar, podemos decir que son similares a un "celofán" que cubren y envuelven el corazón y los pulmones, respectivamente. En la pleurocarditis post-infarto lo que sucede es que una reacción inflamatoria aguda de origen inmunológico afecta a ambas envolturas donde se acumula líquido inflamatorio produciéndose dolor, fiebre y falta de aire. Esta complicación evolucionó bien con el tratamiento. La evolución domiciliaria de este segundo infarto, así como también la complicación de la pleuropericarditis, fue satisfactoria según la descripción del propio Cossio, dejando constancia escrita de que la evolución clínica del enfermo había sido muy buena tras tres semanas de reposo y tratamiento farmacológico. El hijo de Cossio, el también médico Pedro Ramón Cossio, que entonces tenía 35 años de edad, fue incluido a partir de entonces en el equipo de jóvenes médicos que tendrían por misión cuidar a Perón de forma continua, sobre todo ante las posibles complicaciones si se produjera un nuevo infarto de miocardio, un edema agudo de pulmón, un cuadro de angina de pecho o, en la peor de las circunstancias, un paro cardiorrespiratorio.

La atención médica y la convivencia de Pedro Cossio (h) le dio la oportunidad de conocer a Perón de manera íntima. El entonces joven médico recuerda que el trato que Perón le dispensaba era "afable" y que la natural distancia que al comienzo existía entre ambos fue disminuyendo por mérito de Perón. Pedro Cossio (h) cita lo siguiente: "En uno de esos días de junio, durante la visita médica periódica que le realizaba mi padre y estando yo presente, Perón le manifestó textualmente que no estaba satisfecho con el presidente Cámpora por haberse rodeado de gente que no era de su agrado (...) Una tarde vi junto con el General Perón el noticiero que anunciaba la visita del presidente Cámpora a Gaspar Campos y su posterior llegada y entrada. Al rato salió y anunció a los medios que había estado con el General, ¡pero donde estábamos no había entrado nunca! Había tenido que esperar en planta baja. Perón no lo había mandado llamar aunque sabía que estaba en casa. Allí intuí que Cámpora dejaría pronto su investidura. Y así fue. Viví la renuncia de Cámpora que, por precipitarse el 12 de julio de 1973, un día antes de lo pensado, provocó un apuro para que se fuera de viaje al extranjero el vicepresidente provisional del Senado, Alejandro Díaz Bialet, lo que permitió que Raúl Alberto Lastiri, hombre de confianza de Perón, yerno de López Rega, que presidía la Cámara de Diputados de la Nación, asumiera la presidencia".

La guardia médica de Perón

Perón aterrizó en la base aérea militar de Morón el 20 de junio. Al sexto día de los acontecimientos de Ezeiza se producía otro: el infarto agudo de miocardio de la cara lateral izquierda del ventrículo izquierdo del corazón del General. Difícil no relacionar temporalmente ambos acontecimientos, uno histórico y emocional con fuerte repercusión psicosocial, y el otro de orden médico, un infarto agudo de miocardio. El evento cardíaco agudo que diera lugar a la intervención del doctor Cossio bien pudo haber sido el último, ya que con la magnitud del mismo, según el cuadro clínico y los electrocardiogramas realizados por el Dr. Carena y el propio Cossio, bien podrían haber terminado el evento con un paro cardiorrespiratorio irreversible.

No fue así: aún complicando la evolución del paciente a las 48 horas siguientes con una pleuropericarditis, la evolución clínica de Perón fue buena a corto plazo. Sin embargo, todos los profesionales intervinientes sabían que la situación había sido muy seria. No obstante ello, se inicia un periodo casi asintomático de varios meses en el cual el estricto control médico y la medicación adecuada estabilizaron al paciente.

Perón es elegido Presidente por tercera vez el 12 de octubre de 1973. Todo iba bastante bien desde el punto de vista médico en general y cardiovascular en particular. Esto no significaba en absoluto que la enfermedad no avanzara en su historia natural. Perón seguía desarrollando sus actividades normales y fue así que a principios de noviembre realiza una visita oficial al portaaviones *25 de Mayo*, exponiéndose a cambios térmicos en la cubierta de la nave y frente al mar, lo que condicionó la aparición de un cuadro respiratorio febril de tipo infeccioso. Medicado con antibióticos y desoyendo las recomendaciones médicas, concurre a los pocos días a un acto del Estado Mayor del Ejército, al aire libre y en un día destemplado. Había cumplido con la Marina y no quería faltarle al Ejército. Sus médicos ajustaron la medicación. Así y todo, el 21 de noviembre sucede un nuevo evento cardiológico que complica la historia clínica. Perón, como presidente de la Nación, aún vivía en la casa de Gaspar Campos, en la localidad bonaerense de Vicente López.[6] Esa noche, al acostarse, presenta un cuadro clínico con un acceso de agitación y falta de aire con fuerte sensación de intranquilidad. La urgencia es atendida por Julio A. Luqui Lagleyse, un médico vecino de la residencia, que brinda los primeros auxilios a Perón inyectando aminofilina endovenosa y aplicando ligaduras rotativas en los miembros. La ligadura en los miembros no es más que la aplicación en la raíz de los mismos de una suerte de torniquete realizado con bandas de goma elástica cuyo objetivo es "retener" sangre venosa en brazos y piernas para disminuir la llegada de ésta al corazón por algunos minutos. Esta maniobra y la aplicación de aminofilina eran de rigor en un episodio de insuficiencia cardíaca aguda a falta de otros medicamentos, la posibilidad de hacer electrocardiogramas o contar con otros elementos de diagnóstico. El cuadro clínico de insuficiencia cardíaca con edema agudo de pulmón es típico y fácil de diagnosticar y el colega actuó en consecuencia y acertadamente.

Esto no era lo único que sucedía: afuera también estaban ocurriendo cosas. Fue cuando actuó el personal de seguridad del General Perón. A pocas cuadras de la casa de Gaspar Campos se encontraba, y aún está allí, la Clínica Olivos. En forma intempestiva, un médico —ex residente de cardiología del Hospital Rawson— fue "retirado" sin mayores explicaciones de la guardia de la clínica donde se encontraba trabajando para ser llevado a la residencia de Gaspar Campos. Fue así que el doctor Frías asiste a Perón, quien ya había comenzado a evidenciar mejoría clínica. El cuadro hiperagudo comenzaba a solucionarse. Al arribar al domicilio, el Dr. Pedro Cossio —quien había sido transportado a toda velocidad por un patrullero policial— diagnostica una taquicardia paroxística supraventricular. Ésta es una arritmia en la cual la frecuencia cardíaca a la cual late el corazón es muy alta y de hecho muy peligrosa en un paciente que a esa altura ya había presentado dos infartos y estaba saliendo de un cuadro de insuficiencia cardíaca con edema agudo de pulmón. La intervención médica oportuna del doctor Cossio, quien le masajeó el seno carotídeo, hizo que el paciente mejorara en pocos minutos. El masaje del seno carotídeo se realiza suavemente con los dedos sobre las arterias carótidas, ubicadas en el cuello a ambos lados de la nuez de Adán. Por un fenómeno reflejo, en ocasiones la taquicardia cede. El propio Perón le dijo a Cossio al momento de recuperarse: "Esta vez no estaba lista la guadaña, aunque la vi cerca". Al día siguiente y en el mismo sentido le dice al Dr. Cossio (h): "La pasé canuta anoche", en referencia al grave evento sufrido. Este episodio puso de manifiesto la necesidad de arbitrar los medios necesarios para atender a Perón en forma inmediata ante cualquier urgencia. Fue así que el doctor Domingo Liotta, jefe del servicio de cardiocirugía del Hospital Italiano de Buenos Aires y por entonces ministro de Salud Pública de Perón, organizó junto con el encargado del área de recuperación cardiovascular de dicho nosocomio, el Dr. Cermesoni, un equipo para la atención médica de emergencia. Perón contaba con una guardia de seguridad presidencial, pero a partir de ese momento contaría con lo que más iba a necesitar: una guardia médica. Fue así montada una suerte de Unidad Coronaria Domiciliaria con todo lo necesario para la atención de una complicación cardíaca: electrocardiógrafos, cardiodefibriladores, monitores de ritmo cardíaco, instrumental para intubación endotraqueal, marcapasos, medicamentos, etc. El recurso humano fue asimismo fundamental: Liotta y Cermesoni, con la anuencia de Cossio, seleccionaron un grupo de médicos residentes de cardiología del Hospital Italiano que reunían todos los requisitos profesionales exigidos. Aquellos médicos estarían por vivir días trascendentes en su vida cuidando médicamente al primer mandatario. Y esto fue así hasta el episodio final. A partir de entonces un grupo de médicos convivió y acompañó al paciente a todos lados, quedando así constituida la Guardia Médica del General Perón.

Seis meses de historia clínica con constantes novedades

La decisión de montar una guardia médica permanente con los recursos humanos y materiales como para cubrir cualquier emergencia médica, fue sin duda consecuencia de la complicación de salud sufrida por Perón el 21 de noviembre de 1973. El episodio de insuficiencia cardíaca con edema agudo de pulmón marcaría un antes y un después en el deterioro de la función cardiovascular del paciente. Era evidente que podía suceder nuevamente y a su vez era necesario recomendar al paciente moderación en la actividad diaria en busca de mayor tranquilidad. Esto no sería posible, ni por los acontecimientos que vendrían a corto plazo (entre ellos, los actos terroristas) ni por el temperamento del paciente, quien trabajaba intensamente todos los días desde las seis de la mañana. El doctor Pedro Ramón Cossio recuerda que su padre —y también Taiana— le aconsejaba disminuir su ritmo de actividad para así procurarse mayor tranquilidad, a lo que en varias oportunidades Perón le respondía: "Vea doctor, los políticos, si son políticos, nunca deben decir no. Y las damas, si son tales, nunca deben decir sí. Por lo tanto, yo no sé negarme". Queda claro que Perón aceptó la recomendación de Cossio y de Taiana, pero haría lo que creyese conveniente teniendo como única limitación su condición de salud.

La guardia médica permanente que se había montado a partir del 22 de noviembre estaba destinada a cubrir cualquier emergencia que se suscitara en Gaspar Campos —donde seguía viviendo el Presidente Perón—, en la Casa Rosada, en la Quinta de Olivos o en cualquier lugar donde estuviese. Desde entonces, como parte de la comitiva, a Perón siempre lo seguiría un segundo coche, donde viajaría el médico de guardia con todo el instrumental necesario para cubrir una urgencia médica.

La residencia de Gaspar Campos se unía con la casa trasera: ambas estaban conectadas a través de una puerta medianera. En esta otra casa residían los médicos de guardia, quienes compartían la vivienda con el personal de seguridad de Perón. Allí las únicas actividades posibles eran leer, estudiar, ver televisión y charlar. De esa intimidad diaria nos llega información a través del doctor Carlos Seara, ex residente de cardiología del Hospital Italiano que formaba parte del equipo médico de guardia del Presidente. Seara recuerda cuando integraba la comitiva de Perón y fue testigo de las "demostraciones de cariño y devoción" de la gente al paso de la caravana por las calles de Buenos Aires.

Perón se enteró de la existencia de la guardia médica de emergencia recién en la mañana del 1 de enero de 1974, iniciándose un periodo de seis meses de historia clínica con constantes novedades. Hacia la primera semana del mes de enero se realiza la mudanza: a partir de entonces Perón viviría en la Quinta de Olivos. Allí existía por entonces un servicio médico que pertenecía al Ministerio de Bienestar Social, que constaba de un consultorio y una sala de primeros auxilios donde se desempeñaba el Dr. Pastorenzi, quien trabó buenas relaciones con los ex residentes del Hospital Italiano. Los médicos de guardia se instalarían en la casa de huéspedes próxima al edificio principal.

La tensión política era creciente por entonces y la repercusión en la salud de Perón también. De acuerdo a Seara, un acontecimiento afectaría emocionalmente al Presidente Perón en forma clínicamente evidente. El 19 de enero, un grupo armado del ERP efectúa un ataque con intento de copamiento del Regimiento de la Guarnición Militar de Azul, donde muere el coronel Camilo Gay y su esposa, Hilda Cassaux de Gay. También es tomado prisionero el teniente coronel Jorge Roberto Ibarzábal, quien sería asesinado por sus captores diez meses más tarde. Este hecho impactaría fuertemente sobre el estado anímico de Perón, repercutiendo en su estado de salud.

Pero antes, durante el mismo mes de enero, Perón presentó algunos episodios cardiológicos que requirieron atención. Así, le avisó a Taiana que el sábado 5 tuvo una "molestia" leve en el pecho y abdomen. Uno de los médicos de emergencia, Guillermo Elizalde, le hizo un electrocardiograma. El trazado electrocardiográfico reveló un aumento en las extrasístoles ventriculares por encima de las normales. Las extrasístoles ventriculares son latidos cardíacos que se originan en lugares anormales del corazón, en este caso en el ventrículo, debido a la enfermedad coronaria del paciente. El registro mostraba 16 extrasístoles ventriculares por minuto, motivo por el cual fue medicado con un antiarrítmico inyectable (lidocaína).

El 10 de enero se presenta un nuevo episodio de arritmia cardíaca. Esta vez el diagnóstico fue una "taquicardia paroxística supraventricular", de iguales características a la evidenciada y tratada por el Dr. Cossio en el episodio de insuficiencia cardíaca y edema agudo de pulmón del 21 de noviembre del año anterior. Se ajustó la medicación antiarrítmica y se superó rápidamente la contingencia.

En ese crucial mes de enero trascendió que el cardiólogo René Favaloro había sido consultado sobre la salud del Presidente. Este rumor fue rápidamente desmentido por el mismo Favaloro en una carta enviada al director del diario *La Voz del Interior* desde el Departamento de Diagnóstico y Tratamiento de Enfermedades Torácicas y Cardiovasculares del Sanatorio Güemes, que por entonces dirigía. En ella aclara que "hubiera sido desleal y deshonesto de mi parte analizar la salud del Sr. Presidente a espaldas de quien respeto como colega y admiro por su alta capacidad profesional", en alusión a Cossio.

¿Era posible intervenir quirúrgicamente al General Perón? Hay que señalar que en ese entonces ya existía la cirugía de bypass aortocoronario desarrollada por Favaloro en la Cleveland Clinic de Estados Unidos. Sin embargo, la técnica de la época no la hacía recomendable para pacientes de la edad de Perón.

Entre enero y marzo aparece en forma esporádica el llamado síndrome del nódulo sinusal, consignado en la historia clínica por Pedro Cossio. ¿Qué es el síndrome del nódulo sinusal? El corazón tiene un "marcapaso" natural, llamado nódulo sinusal, que es el encargado de iniciar los latidos cardíacos. Cuando enferma —y en este caso seguramente es a consecuencia de la enfermedad coronaria—, no cumple bien su función. Como consecuencia, el ritmo cardíaco varía, haciéndose a veces más lento (bradicardia), alternando con periodos de aceleración de la frecuencia cardíaca (taquicardia). Sin duda era una complicación más de la función cardiovascular que marcaba la progresión de la enfermedad. Durante estos seis meses, Perón, como Presidente de la Nación, trabajaba intensamente. Uno puede hacerse una idea de la intensidad de su ritmo laboral teniendo en cuenta que los médicos de su guardia, que tenían alrededor de 30 años, referían cansancio al acompañarlo en las tareas diarias, yendo de un acto a otro y de una actividad a otra...

Tres episodios más serían emocional y físicamente intensos para Perón, en tanto eventos de estrés agudo. Uno fue el acto del 1° de Mayo. Fue un día de tensión, con una Plaza de Mayo llena y dividida entre dos sectores bien diferenciados. La convocatoria del gobierno tenía como objetivo celebrar "el día del trabajo y la unidad nacional". Las columnas de los Montoneros avanzaban cantando "¿Qué pasa, qué pasa General, que está lleno de gorilas el gobierno popular?" enfrentando a otro grupo, mayoritariamente integrado por la rama sindical peronista. Sin duda Perón se vio obligado a tomar una decisión en su discurso que tuvo un alto impacto emocional en su corazón con enfermedad coronaria frondosa. Perón llamó a los Montoneros "imberbes y estúpidos", provocando la retirada al menos de la mitad de la concurrencia. Imaginémonos a Perón hablando en el palco, desde el punto de vista médico: era un cardiópata con dos infartos cardíacos previos, insuficiencia cardíaca y antecedentes de edema agudo de pulmón. Es decir, era un paciente delicado sometido a una condición de estrés agudo intenso.

El segundo hecho que seguramente sometió al paciente a un esfuerzo psíquico y físico desproporcionado en relación a su estado de salud, fue el viaje que el 6 de junio realiza al Paraguay. El presidente Alfredo Stroessner, amigo de Perón, lo había invitado con motivo de agasajarlo. Recordemos que Stroessner había dado asilo político a Perón luego de ser derrocado en 1955. Esta vez, su cardiólogo de cabecera, Pedro Cossio, lo acompañaría en el viaje junto con el Dr. Carlos Seara. El día previo al viaje se había realizado el traspaso del mando a Isabel. El viaje fue muy largo y desgastante: partieron en avión desde Aeroparque hasta Formosa; allí Perón pasó revista a sus tropas en un día de mucho frío y llovizna; luego viajó en helicóptero a Puerto Pilcomayo, donde después de pasar revista a las tropas apostadas abordó el barreminas de la Armada *Neuquén*; finalmente llega a Asunción con 3° C de temperatura y Stroessner lo recibe con un discurso de bienvenida. ¡Fue como reeditar, casi veinte años después, el viaje que realizó cuando abandonó el país en una cañonera! La actividad protocolar en Asunción duró todo el día y finalizó a la noche en el Palacio López. Sin duda, fue un día por demás intenso para un cardiópata de 78 años de edad. Al día siguiente, Perón regresa en vuelo directo desde Asunción hasta Buenos Aires. El doctor Seara me relató que este agotador viaje significó un estrés psicofísico altamente perjudicial para la salud de Perón. Médicamente, los tiempos se aceleraban.

Un nuevo episodio de estrés emocional estaba por llegar. La Confederación General del Trabajo (CGT) había convocado a un acto en apoyo al gobierno para el 12 de junio en Plaza de Mayo. En ese acto el discurso de Perón fue interpretado por muchos como un discurso de despedida. Tal vez Perón, premonitoriamente, intuía su futuro. En su discurso, Perón advierte que se avecinaban tiempos difíciles y se despidió con estas palabras: "Llevo en mis oídos la más maravillosa música, que es para mí la palabra del pueblo argentino".

Juan Domingo Perón ya no volvería a hablar en un acto público.

Pero a lo largo de la evolución de esta historia clínica, un hombre intentó jugar un rol de orden médico. Es el momento oportuno, entonces, de reparar un instante en él...

José López Rega, "el Brujo"

El Brujo, como era conocido López Rega, ingresó en la policía en 1944 y fue nombrado como agente adscripto a la custodia presidencial en abril de 1950. Se ocupaba de la guardia de la entrada de la calle Agüero del entonces Palacio Unzué, la residencia presidencial de Austria y avenida Del Libertador, donde actualmente se levanta la Biblioteca Nacional, en la ciudad de Buenos Aires. Fue ahí donde conoció a Eva Perón. Por entonces combinaba su desempeño como suboficial de policía con el aprendizaje de canto lírico, que era una de sus pasiones. Desde aquel comienzo en que tomó contacto con figuras del poder, su ascenso fue vertiginoso y llamativo, pasando a ser el secretario privado de Perón en España y luego ministro de Bienestar Social de la Nación.

Pero es su interés por lo místico lo que aquí interesa. Desde muy joven la lectura y estudio de la temática esotérica ocupaban su tiempo y esperaba encontrar a su maestro espiritual. Y el momento llegó. En la Navidad de 1951 conoce en Paso de los Libres, Corrientes, a Victoria Montero. La conocida vidente ya había sido visitada por Eva Perón. En aquella primera oportunidad Montero reconoce en López Rega a su futuro discípulo. Al terminar aquel revelador encuentro, la "madre espiritual" le dijo:

> Escuche bien esto. Si usted trabaja, su espíritu podrá entrar en armonía con el universo y se convertirá en un ser puro. Sus fuerzas ocultas serán una bendición para los demás. Podrá curar enfermedades, aliviar dolores del cuerpo y del alma.

López Rega lo creyó y se retiró satisfecho. Cuenta Jorge Taiana que López Rega estaba convencido de sus poderes sobre la salud de las personas. Contradecía constantemente al doctor Pedro Cossio y al resto de los médicos de Perón. Discutía diagnósticos y tratamientos, criticaba el uso de diuréticos e indicaba vitaminas. Afirmaba poseer la capacidad de visualizar el interior de los cuerpos mejor que un cirujano o un anatomista ya que "podía ver las vísceras en funcionamiento". Aseguraba tener poderes curativos. María Estela Martínez de Perón mostraba interés por el espiritismo y tal vez fue ésa la clave de la influencia que ejerció López Rega sobre el matrimonio presidencial.

Emoción, estrés y corazón: donde el sufrimiento se hace carne

Vamos a intentar explicar de manera simple cuáles son los "puentes" biológicos que unen la emoción, el estrés y la salud cardiovascular. Comenzaremos describiendo el endotelio, que es una capa muy fina que recubre el interior de todos los vasos sanguíneos, ya sean arterias o venas. Sin embargo, es en las arterias donde adquiere relevancia a los efectos de lo que vamos a explicar. Cuando nacemos, los endotelios de las arterias son lisos, suaves y delicados. El tiempo hace que esto cambie, lenta pero inexorablemente. El endotelio se va modificando y su contextura natural va cambiando, instalándose sobre él un fenómeno llamado aterosclerosis. La aterosclerosis es un proceso impuesto por el desgaste vital, en el cual ese endotelio liso y suave con el paso del tiempo se transforma en rugoso y áspero. Esta rugosidad no es continua, ya que tiene exacerbaciones que aparecen de "a parches" en las arterias de mayor calibre. Estos parches se denominan "placas de ateroma". Estas placas de ateroma están constituidas por depósitos de sustancias y células entre las cuales podemos citar el colesterol, los triglicéridos, células tales como los monocitos y los macrófagos, células espumosas, restos de células muertas, calcio, etc. Como podemos imaginar, estas placas de ateroma disminuyen la luz del vaso arterial, dificultando el normal pasaje de la sangre. A esto debemos agregar que algunas veces las arterias se contraen, disminuyendo aún más su calibre interno. El tema no termina ahí. Estas placas de ateroma se encuentran a su vez cubiertas por una delgada capa que las mantienen firmes en su lugar. Cabe señalar que esa placa de ateroma se ve facilitada en su desarrollo por los llamados "factores de riesgo", entre los cuales debemos citar el colesterol elevado, el tabaquismo, la hipertensión arterial, la diabetes, la genética, el sobrepeso y el estrés, entre otros.

Pues bien, avancemos un poco más. Un infarto cardíaco se produce cuando una de las denominadas "arterias coronarias", que irrigan el corazón, se tapa u obstruye. Al no pasar sangre por la obstrucción, la porción de corazón que era irrigada por dicha arteria queda sin sangre y en consecuencia sin oxígeno, por lo tanto muere. Esto es lo que denominamos "infarto". Sucede que el mecanismo más frecuente por el cual una arteria coronaria se obstruye y produce como consecuencia un infarto es el llamado "accidente de placa". ¿Qué es un accidente de placa? Es simplemente la ruptura de la placa. Es decir, la placa de ateroma que estaba contenida por una cubierta a manera de cápsula, simplemente se rompe, liberando así su contenido dentro de la arteria coronaria, provocando un proceso de coagulación sanguínea dentro de la luz de la arteria que termina obstruyéndola produciéndose así un infarto. ¿Por qué se rompe la placa? La respuesta es que, entre otras causas, lo que produce la ruptura de la placa es el estrés y las emociones negativas que lo acompañan. Existe suficiente investigación científica que prueba que emociones negativas tales como la ira, el enojo, el miedo, la personalidad iracunda y la depresión condicionan la ruptura de la placa de aterosclerosis (accidente de placa) que produce el infarto.

No sólo las emociones básicas (ira, miedo, estrés) producen la ruptura de la placa de ateroma: las emociones más evolucionadas, tales como un ataque al honor o al orgullo, una crisis de culpa, de vergüenza o un desengaño amoroso, guardan relación con factores emocionales que tornan a la placa de ateroma "inestable", condicionando así su ruptura y en consecuencia el infarto.

Es en el endotelio —sobre todo el de las arterias coronarias— donde podríamos decir metafóricamente que "el sufrimiento se hace carne".

Veamos qué sucedió en los endotelios de las arterias coronarias de Perón.

Perón y los infartos

Hemos visto en el párrafo anterior de qué manera las circunstancias de estrés emocional pueden desencadenar un infarto agudo de miocardio.

En general, este evento cardiovascular se desarrolla en un terreno arterial coronario predispuesto por aterosclerosis. Vamos entonces en esta historia clínica que estamos desarrollando a relacionar los dos infartos agudos de miocardio que presentó el General Perón con los hechos históricos estresantes que le tocó vivir, ambos relacionados claramente con dos acontecimientos que representaron un estrés importante: el primer retorno al país en el vuelo charter de Alitalia el 17 de noviembre de 1972 y el posterior en el vuelo de Aerolíneas Argentinas el 20 de junio de 1973, cuando se produce la masacre de Ezeiza.

Veremos estos hechos médicamente estresantes por separado junto con sus correspondientes repercusiones en la salud del paciente.

Un charter histórico y el primer infarto

El presidente de facto Alejandro Agustín Lanusse había afirmado tres meses antes del arribo de Perón que a éste "no le daba el cuero" para volver al país. Contrariando su pronóstico, el vuelo charter del Boeing 707 de Alitalia que despegó de Roma el 17 de noviembre de 1972 traía a Juan Domingo Perón después de 12 años de exilio.

Perón ya había vivido un retorno frustrado el 2 de diciembre de 1964, cuando el avión que había despegado del aeropuerto de Barajas aterrizó en Río de Janeiro, interrumpiéndose su vuelo a Buenos Aires por pedido del gobierno argentino del Arturo Umberto Illia. Esta vez era diferente, pero no menos estresante.

Lanusse había decretado que el 17 de noviembre sería "no laborable" para así contrarrestar el paro de la CGT que planeaba darle la bienvenida a Perón. El despliegue militar, por su parte, buscaba desalentar la movilización popular. En ese vuelo, Perón iba acompañado por una nutrida comitiva. Con él viajaban 154 pasajeros, entre ellos María Estela Martínez de Perón, Héctor Cámpora, Carlos Saúl Menem, Raúl Lastiri, Antonio Cafiero, Guido Di Tella, José López Rega, Lorenzo Miguel, Leonardo Favio, Casildo Herrera, Jorge Taiana, Vicente Solano Lima, Ricardo Obregón Cano, el cura Carlos Mugica, Chunchuna Villafañe, José Francisco Sanfilippo, el neurocirujano Raúl Matera, Nilda Garré, el sindicalista José Rodríguez, Marilina Ross y Hugo del Carril. Podemos imaginar las condiciones tensionantes que rodearon a este retorno de Perón. También deberíamos agregar aquí que no le gustaba volar. De hecho, evitaba los vuelos siempre que podía. El solo hecho de viajar agregaba estrés emocional al vuelo charter citado.

Veamos ahora con qué elementos de diagnóstico contamos

de aquella época para agregar a nuestra historia clínica. Para reconstruir el pasado debemos valernos de la información médica que los médicos de Perón —Jorge Taiana y Pedro Cossio— recolectaron de los informes de los profesionales de la salud que atendían al General en España.

Taiana y Cossio recibieron una historia clínica resumida rubricada por el médico clínico y cardiólogo Francisco José Florez Tascón y el especialista en urología Antonio Puigvert, fechada en julio de 1973. Entre los elementos diagnósticos que los médicos argentinos lograron recolectar se encuentra un invalorable electrocardiograma que Florez Tascón le hizo el 8 de mayo de 1973. El electrocardiograma muestra una secuela de infarto diafragmático. ¿Qué significa una "secuela diafragmática"? Que el electrocardiograma muestra una "cicatriz" electrocardiográfica que revela que, tiempo antes, el paciente había presentado un infarto. Éste había evolucionado favorablemente sin mayores complicaciones, pero dejó una "lastimadura", "cicatriz" o "secuela". Según me dijo Pedro Ramón Cossio en una reunión en la cual analizamos los electrocardiogramas de Perón, su padre y Taiana sondearon exhaustivamente al General buscando un antecedente clínico o una sintomatología que hubiera sido compatible con un infarto de miocardio que diera lugar a esa "secuela" electrocardiográfica. Los doctores Cossio y Taiana llegaron a la conclusión de que, en noviembre de 1972, en ocasión del primer viaje de retorno de Perón, éste había presentado dolores de pecho típico (precordialgia) y de estómago intensos y prolongados, sin que el paciente se hubiera hecho atender. Muy posiblemente fue durante el vuelo o días previos a éste cuando se produjo el infarto agudo de miocardio.

Como conclusión clínica podemos asumir que muy probablemente el paciente presentó un infarto agudo de miocardio de cara inferior o diafragmática en noviembre de 1972, cuando se encontraba en una circunstancia de estrés en el vuelo de retorno a Buenos Aires. El infarto seguramente fue debido a los intensos acontecimientos emocionales que estaba viviendo. En otras palabras, el estrés condicionó el "accidente de placa" con ruptura de una placa de ateroma, provocándole un infarto agudo de miocardio de cara diafragmática. La relación causa-efecto, estrés e infarto, queda clara.

La masacre de Ezeiza y el segundo infarto

El vuelo de Aerolíneas Argentinas traía esta vez a Perón en una circunstancia que seguramente él ansiaba vivir como histórica, levantando las manos en su saludo clásico en el palco del puente 12 en la autopista Ricchieri y Ruta 205, Ezeiza. Ese 20 de junio de 1973 se esperaba una fiesta. En su lugar llegó la decepción para Perón y el inicio de años de violencia para el país.

Tuve la oportunidad de entrevistar al comandante Fernando Carlos Cebral, piloto a cargo del vuelo 707 de Aerolíneas Argentinas que traía a Perón desde Madrid. El avión cuya matrícula era LV-ISC, era uno de los tres Boeing 707 con que contaba Aerolíneas Argentinas. La nave había sido bautizada con el nombre de *Betelgeuse*, que es la estrella más brillante de la constelación de Orión. Cebral me contó que el vuelo se demoró dos horas en el Aeropuerto de Barajas debido a un retraso del general Francisco Franco, que quería despedir personalmente a Perón. El comandante Cebral decidió hacer una escala en las Islas Canarias para reabastecer combustible y así llegar a Ezeiza con más combustible de lo habitual por si debieran dirigirse por algún motivo a algún aeropuerto alternativo. Refiere Cebral que el vuelo fue normal hasta que, ya sobre el territorio uruguayo y cuando se encontraba en la cabina el presidente de la Nación Héctor Cámpora, con el navegante que establecía las comunicaciones, tomaron conocimiento de los acontecimientos que se estaban produciendo en Ezeiza. A esa altura debía iniciarse el descenso de la aeronave y dudó si debía aterrizar o no en Ezeiza. En ese instante ingresa a la cabina Perón, quien allí toma conocimiento sobre "algunos incidentes" que se estaban produciendo en Buenos Aires. El comandante Cebral le informa a Cámpora y a Perón que tiene combustible suficiente como para redireccionar el avión a Córdoba, Mendoza o Montevideo. Cebral señala que el General Perón lo miró y le dijo:

"¡Usted es el comandante y usted decide!" Fue el comandante Cebral quien decidió aterrizar en la VII Brigada Aérea con base en el Aeropuerto de Morón, en vistas de que era una base militar en la cual la seguridad estaba garantizada, además de que era un aeropuerto que conocía muy bien. No pude evitar ver en el escritorio del comandante Cebral una fotografía en la que él posaba junto al General Perón en la puerta de ingreso a la cabina del 707 cuando ya habían aterrizado en Morón. Perón se mostraba sonriente. Le pregunté a Cebral si Perón sabía que había muertos en Ezeiza y me contestó que creía que no.

Las horas pasaron y nuevamente Perón debió inundarse de emociones negativas y estrés que tuvieron un costo para su salud. Las cargas emocionales negativas se pagan hipotecariamente, antes o después. El 26 de junio, a escasos seis días de aterrizar en Morón y tras el estrés emocional de esos momentos, Perón presentó un segundo infarto de miocardio. El evento histórico de la masacre de Ezeiza también resultó ser un evento coronario: emoción y corazón van de la mano.

Una vez más y en el mismo paciente, podía correlacionarse un evento de estrés emocional negativo y una complicación coronaria. En el primer retorno de Perón en noviembre de 1972 se produjo el primer infarto, en el segundo retorno de Perón en junio de 1973 se produjo el segundo infarto. La correlación es clara.

Un discurso de despedida y el cuaderno Laprida

Motivado por no perder detalle en la relación temporal entre vivencia emocional negativa y aparición de síntomas en el General Perón, tuve la oportunidad de reunirme con el doctor Pedro Ramón Cossio, como indiqué más arriba. Destacado cardiólogo, heredó la virtud paterna de examinar clínicamente a los pacientes de manera exhaustiva.

Pedro Ramón integró, como médico permanente, el equipo de cuidado de Perón. Acompañó durante 12 días, de 10 a 22 horas, al General en la casa de Gaspar Campos. Luego de conversar largos minutos sobre aspectos médicos del paciente, me dijo que tenía algo para mostrarme que percibía me iba a emocionar. Y así fue: colocó sobre el escritorio un cuaderno de tapa dura marca Laprida de hojas rayadas donde estaba registrada la evolución clínica del paciente día por día, con la medicación, síntomas, estudios e indicaciones médicas correspondientes. En el cuaderno, las enfermeras Irma, Susana, Carmen, Delia, Norma y Giuditta anotaban todo dato médico de interés. Allí también estaban las anotaciones de su padre, el profesor Pedro Cossio.

Ahora el doctor Cossio vuelve a repasar día por día las anotaciones: recuerda todo muy bien. Nos focalizamos en las novedades clínicas del paciente, es decir, en los síntomas que presentó en dos fechas que se perciben como históricas por un lado, y de alto contenido emocional por el otro. Nos detenemos en el 1° de Mayo y en el 12 de junio de 1974.

Recordemos que el 1° de Mayo el gobierno convocó a un acto en la Plaza de Mayo con motivo del "Día del trabajo y la unidad nacional". Aquel día, en una plaza en la que se percibía tensión, con sectores políticos enfrentados, el Presidente Perón se refirió a los montoneros como "imberbes y estúpidos" y aproximadamente la mitad de la concurrencia abandonó la plaza. Durante las ocho semanas previas al 1° de Mayo la evolución —de acuerdo a la información contenida en el cuaderno Laprida— era asintomática. Para que no haya equívocos: Perón no tenía síntomas.

María Elisa Makara, conocida como "Susana", era una de las enfermeras del Hospital Italiano que estaba a cargo del paciente y firmaba la evolución clínica en el cuaderno Laprida. Susana me comentó que luego del acto en la Plaza de Mayo, a la noche Perón no pudo dormir. Y 48 horas después del acto, el paciente presentó malestar con dolor abdominal intenso que requirió el agregado de medicación, aunque no hubo cambios en el electrocardiograma ni en el laboratorio. No se produjeron cambios electrocardiográficos, pero evidentemente los acontecimientos acaecidos en la Plaza de Mayo habían roto con un periodo previo asintomático, manifestándose síntomas de tipo digestivo con dolor abdominal que también puede atribuirse a la condición emocional negativa que el paciente vivió por entonces.

De todos modos, cualquiera haya sido el origen real de la sintomatología de dolor abdominal —sea digestivo o coronario—, lo cierto es que se presentaron síntomas 48 horas después del 1° de Mayo, rompiendo así con un periodo asintomático de ocho semanas. La interpretación no cambia: cambios emocionales en relación a alteraciones en la salud. Pedro Ramón Cossio coincide en este razonamiento.

El segundo hecho que relaciona vivencia emocional y síntomas es la convocatoria a la Plaza de Mayo por parte de la CGT en apoyo del Presidente Perón el 12 de junio. Ya hemos señalado que en esa oportunidad Perón dirige un mensaje al pueblo argentino en el cual parece despedirse al decir "Yo llevo en mis oídos las más maravillosa música, que para mí es la palabra del pueblo argentino". Seguramente fue un momento muy emotivo para Perón.

Seis días más tarde, el 18 de junio, Perón presenta un fuerte dolor de pecho descrito en el cuaderno Laprida como "angina de pecho o precordialgia", que es tratado con medicación específica para el dolor coronario (isordil sublingual). Nuevamente se correlacionan emoción y repercusión en la salud.

Hemos visto, de acuerdo a la abundante bibliografía científica publicada, cómo eventos emocionales pueden desencadenar eventos cardiovasculares. Pero en el caso que nos ocupa cabe esta aclaración: los eventos emocionales fueron también hechos históricos.

La personalidad de Perón

No tenemos estudios sobre la personalidad del paciente, ya que no fueron realizados, pero contamos con el invalorable aporte del doctor Pedro Ramón Cossio. Como cardiólogo clínico, Cossio está habituado a "percibir" el estilo de personalidad de los pacientes. Es así que, en virtud de la relación médico-paciente que ha tenido con Perón, nos hace la siguiente descripción: "El Presidente dedicaba varias horas del día a la lectura, generalmente de carpetas con textos escritos a máquina, y a la tardecita le gustaba ver televisión, preferentemente algún noticiero. En esos días pude constatar la definida y clara lucidez del General, sus silencios, gestos y palabras justas, la magnitud de su personalidad, su astucia, su olfato y hasta el modo de expresar sus ideas, además de su necesidad de estar conectado e informado permanentemente. Esto demuestra el grado de atención y control que Perón solía poner sobre los tratamientos, monitoreos, medicamentos y procederes que permitía o no permitía que se hicieran sobre él".

Repasando una y otra vez ese cuaderno Laprida que contiene tantos detalles sobre la historia clínica del paciente, le pregunté al doctor Cossio cómo evaluaba la forma en que el paciente expresaba su emocionalidad. Me respondió que recordaba que le había hecho a Perón un electrocardiograma de control al día siguiente del intento de copamiento del Regimiento de Azul por parte del ERP. El ataque al regimiento había ocurrido a las 22.30 del sábado 19 de enero de 1974. Le consta que Perón estaba muy impactado por los hechos, pero que sin embargo, al terminar de realizar el registro electrocardiográfico y abriendo el diálogo con el paciente, le expresó su preocupación por los hechos, a lo que Perón, pasándose su mano derecha repetidamente por su negra cabellera, mirándolo fijo, le dijo: "Doctor Cossio, al toro no se lo enfrenta cuando embiste, se lo voltea cuando ya pasó". Le pregunté a Cossio cómo había evaluado la respuesta del paciente y me dijo que si bien estaba seguro del impacto que Perón había sufrido por el atentado de Azul, era evidente el control y la represión emocional en su expresión. En otras palabras, evaluaba que el paciente tenía un estilo represivo de emocionalidad que no dejaba ver con facilidad sus vivencias internas. Actualmente, hay investigadores que sostienen que la represión emocional es un factor de riesgo que aumenta la frecuencia de enfermedad cardiovascular.

En suma, la evaluación que el doctor Cossio hace de la personalidad del paciente que le tocó atender, es compatible con el estilo represivo y controlado de comunicación emocional.

Ambas características emocionales predisponen a la enfermedad coronaria que desarrolló. Estos datos clínicos aportados por Pedro Ramón Cossio forman parte de una información calificada que resulta de interés en la evaluación del paciente con relación a la patología cardiovascular que presentaba.

Las últimas semanas

En las últimas semanas de vida, Perón tuvo un control médico estricto. El profesor Pedro Cossio seguía el cumplimiento de la medicación en forma precisa. Como prueba de ello, podemos citar que había dejado en enfermería la indicación de aumentar la dosis de diurético en caso de que el paciente superara la barrera de los 80 kilos de peso. Aclaremos que por esos días Perón pesaba alrededor de 79 kilos y que una de las maneras de saber si la insuficiencia cardíaca empeoraba era porque el paciente "retenía" más líquido y más líquido es más "peso", por eso la evolución del peso es muy útil para el control de un paciente con insuficiencia cardíaca como Perón. Si el peso corporal aumentaba por retención de líquido como consecuencia de insuficiencia cardíaca, los diuréticos ayudan a aliviar la sobrecarga a la que está sometido el corazón. No obstante los cuidados, el doctor Carlos Seara cita claramente cómo el paciente "percibía" que su estado desmejoraba a partir del acto del 12 de junio en Plaza de Mayo. Los pacientes muchas veces "perciben" que empeoran aún antes de la aparición de síntomas que permitan afirmar la existencia de complicaciones clínicas. Éste era el caso y probablemente allí se encuentra el porqué y el tono de las palabras pronunciadas en su último discurso de Plaza de Mayo.

A partir del 12 de junio comienza a desarrollarse un cuadro bronquial con afectación de las vías aéreas superiores y producción de moco o catarro que está documentado en la historia clínica. Esta intercurrencia sería, posiblemente, poco importante en una persona sana. No era el caso. El paciente presentaba enfermedad coronaria, insuficiencia cardíaca, dos infartos previos, cierto grado de enfermedad pulmonar obstructiva crónica (EPOC) que es frecuente en fumadores, a lo que debemos agregar un cuadro leve de insuficiencia renal.

Los doctores Pedro Ramón Cossio y Carlos Seara, con quienes tuve la oportunidad de conversar largamente sobre los aspectos médicos del paciente, coinciden en que Perón rechazó el tratamiento de kinesiología respiratoria porque lo consideraba agresivo. El tratamiento consiste en aplicar golpes manuales en la espalda con la finalidad de movilizar las secreciones bronquiales. Seguramente la condición clínica y el humor del paciente hacían que se mostrara poco tolerante a estas maniobras.

A esa altura resultaba evidente que Perón empeoraba con el transcurso de los días. Las cosas se complicaron concretamente el 18 de junio con la aparición de intensos y repetidos dolores precordiales de origen coronario. La difícil situación era evidente para los médicos, pero también para todo el personal de la Quinta de Olivos que observaba la intensificación del tránsito de personalidades. Así, los médicos Taiana y Liotta aumentaban la frecuencia de sus visitas. Los médicos controlaban la función cardíaca con un monitor que estaba próximo a la cama de Perón, lo cual claramente lo incomodaba y disminuía su privacidad. Las cosas cambiaron en este sentido ya que por gestión del ministro de Hacienda, José Gelbard, se trajo al país el primer equipo de telemetría. Éste permitía controlar a distancia el funcionamiento cardíaco, es decir, el paciente tenía los electrodos colocados en su tórax y el equipo enviaba por señal de radio la información a un monitor ubicado en otra habitación donde los médicos podían monitorear la función cardíaca. Pedro Ramón Cossio me contó con gran detalle una anécdota relacionada con este equipo de telemetría. Resulta que en la noche del 26 de junio se intenta colocar el equipo de telemetría al General Perón, pero éste reacciona airadamente y se niega en forma rotunda a cooperar. Perón ordena a su jefe de Seguridad y hombre de confianza, el coronel Corral, que le saquen todo, incluso un micrófono de gran sensibilidad que tenía en la mesa de luz. Éste se encontraba ahí para que el paciente pudiera ser escuchado por médicos y enfermeras ante cualquier llamado de emergencia. Esta enérgica reacción del paciente fue motivada por una situación de estrés agudo debido a la percepción de invasión a su privacidad y al temor causado por tantos extraños que circulaban en la quinta presidencial de Olivos en circunstancias políticas difíciles para el país. Solamente por la intervención del profesor Cossio —quien tenía una gran influencia sobre Perón debido a una muy buena relación médico-paciente— fue que los dispositivos del equipo de telemetría pudieron colocársele al paciente al día siguiente.

Continuemos ahora con el relato de la historia clínica de Perón.

El doctor Seara recuerda que el viernes 28 de junio la frecuencia cardíaca, que habitualmente era de 70 a 75 latidos por minuto, aumentó a 88 en sólo 20 minutos. Seara comenta la situación al doctor Taiana y le informa que a su juicio podía ser el primer signo de un edema agudo de pulmón. Ante una posible eventualidad, se acondicionó la medicación y el instrumental necesario. Señala el doctor Seara que unos diez minutos más tarde Perón llamó a los médicos. Al ingresar a la habitación de Perón, Seara recuerda que Perón le dijo: "Me ahogo, doctor, me estoy ahogando, cada vez más". El diagnóstico era, sin lugar a dudas, edema agudo de pulmón. Seara canalizó al paciente. Con ayuda de algunas almohadas, entre varios colegas colocaron al enfermo en posición semisentada, ya que los pacientes con insuficiencia cardíaca respiran mejor así que en posición horizontal. El paciente respondió inicialmente al tratamiento. A la tarde trajeron una cama ortopédica que permitía levantar la cabecera para facilitar la posición semisentada de Perón. Instalaron la cama en la sala de recepción del primer piso de la residencia de Olivos y trasladaron ahí al paciente para atenderlo con más comodidad. Perón se recuperó del cuadro de edema agudo de pulmón, cuyo síntoma más angustiante para el enfermo es la falta de aire.

Hasta aquí el paciente permanecía consciente y lúcido. Al día siguiente, el sábado 29 de junio por la tarde, ya presentaba alteraciones en el estado de conciencia, permaneciendo la mayor parte del tiempo estuporoso, con un nivel de conciencia muy disminuido. El Dr. Seara recuerda que aún con Perón lúcido, el mediodía de ese sábado se realizó el traspaso del mando presidencial. A medida que las horas pasaban, el electrocardiograma empeoraba, ingresando el paciente en un estado de conciencia estuporoso, como de sueño profundo. A medida que transcurrían las horas del domingo 30 de junio, la peoría cardiológica era progresiva y Perón ya no se recuperaría del estado de estupor.

El cuadro clínico continuaría empeorando hasta que el lunes 1 de julio a las 10.20 el paciente presentó una arritmia severa, una fibrilación ventricular seguida de un paro cardíaco. Todos los médicos presentes de aquel equipo de emergencia médica montado el 22 de noviembre del año anterior trabajaron activamente en maniobras de resucitación. Como primera medida, colocaron al paciente en el piso para que, de este modo, el masaje cardíaco fuera más efectivo ya que la espalda se encontraba sobre una superficie rígida, facilitándose de esta manera el masaje cardíaco manual. Adicionalmente, se realizaron todos los procedimientos médicos disponibles en la época. Así, el paciente recibió masaje cardíaco externo, inicialmente eficaz, se le colocó un marcapaso para intentar que el corazón reanudara su función de bomba, lo cardiodefibrilaron con descargas eléctricas en varias oportunidades y le administraron la medicación correspondiente. Los esfuerzos fueron intensos.

El doctor Seara recuerda una anécdota que viene a cuento. En uno de los intermedios en que Seara era reemplazado por un colega en el masaje cardíaco, López Rega lo lleva a una habitación aparte y, poniéndole una mano en el hombro, le dice: "Si lo sacás, te hago conde". Seara sabía a esa altura de las circunstancias que la recuperación del paciente era prácticamente imposible y le contestó: "Ministro, estamos haciendo todo lo que podemos, esto es muy pero muy grave y complejo". Seara continuó con las tareas de resucitación cardiopulmonar y hace notar que no fue testigo de ningún "rito esotérico, ni plegarias, ni prácticas extraordinarias" de parte de López Rega, desmintiendo así muchas versiones al respecto. Sí recuerda el característico aroma a incienso que se quemaba en las habitaciones próximas a las de Perón, pero remarca que López Rega no se acercó al paciente en ningún momento durante las maniobras de resucitación cardiopulmonar.

Volvamos a los últimos instantes de la vida de Perón.

En determinado momento de ese dramático lunes, los médicos comenzaron a cruzar miradas, como buscando en los otros la confirmación de que ya no quedaba nada por hacer. Las pupilas del paciente ya no se contraían ante el estímulo de la luz, signo de que se había producido la muerte cerebral. Los cruces de miradas confirmaban la convicción de que médicamente ya habían hecho todo lo posible. Respirando incienso y tras tres horas de esfuerzo, los médicos vieron morir a Juan Domingo Perón.

Hasta aquí la historia clínica, en adelante la Historia.

Historia argentina e historia clínica: el General Perón, estrés y enfermedad

Estamos ahora en condiciones de realizar una síntesis basándonos en el análisis retrospectivo de los datos clínicos, los electrocardiogramas y los informes hechos por los médicos Florez Tazcón, Pedro Cossio, Pedro Ramón Cossio y Carlos Seara. La reconstrucción y vinculación entre los hechos históricos y la historia clínica se enriquece por el aporte invalorable del viejo cuaderno Laprida que aporta datos que permiten enlazar en tiempo y espacio hechos y síntomas.

Con el material disponible, podemos relacionar los siguientes hechos de la historia argentina con las vivencias emocionales del paciente descritos en esta historia clínica. Veamos:

17 de noviembre de 1972, vuelo charter	→	Infarto agudo de miocardio de cara diafragmática
20 de junio de 1973, vuelo 707 de Aerolíneas Argentinas	→	Infarto agudo de cara anterolateral (26 de junio)

1° de Mayo de 1974, Plaza de Mayo	→	Nueva sintomatología luego de un periodo de ocho semanas sin síntomas.
12 de junio 1974, Plaza de Mayo	→	Angor pectoris (dolor cardíaco), uso de vasodilatadores coronarios.

Podemos concluir que se evidencia la correlación entre los hechos de la historia argentina y la historia clínica del paciente.

El último latido de Perón

El cuaderno Laprida de tapa dura y hojas amarillentas informaba la evolución clínica del paciente día por día, con síntomas y medicación administrada. Pero tal vez fue en el análisis de los electrocardiogramas donde más tiempo nos detuvimos con el Dr. Pedro Ramón Cossio. Sobre todo en un trazado muy especial: la llamada "tira de monitoreo" que se le efectuó a Perón durante el procedimiento de resucitación cardiopulmonar del 1 de julio de 1974.

Cuando los médicos aplican masaje cardíaco y respiración artificial en un intento por restablecer las funciones cardíacas del paciente, simultáneamente se lleva a cabo un monitoreo electrocardiográfico. Éste consiste en un registro de la actividad electrocardiográfica en un monitor que también queda registrado en el papel. Así, pues, sobre la mesa teníamos los electrocardiogramas y también la "tira de monitoreo" realizada en aquellos últimos minutos de vida de Perón, cuando los médicos intervinientes trataban de revertir la realidad de los hechos: el paro cardíaco.

En esa "tira de monitoreo" podían analizarse muchos eventos cardiológicos, tales como extrasístoles, salvas de taquicardia y otras arritmias. Pero lo más impresionante fue lo que se observaba en los últimos centímetros de electrocardiograma, cuando ya casi no había actividad cardíaca. En medio del trazado de electrocardiograma en el que ya no se mostraba actividad cardíaca, aparece un último latido. Un latido único. El resto del trazado del electrocardiograma ya no mostraría actividad alguna.

Ése había sido el último latido cardíaco de Perón y estaba registrado. Luego llegaría el momento en que los médicos, tras los esfuerzos realizados, mirarían sus relojes para acordar que a las 13.15 del lunes 1 de julio de 1974 había muerto Juan Domingo Perón.

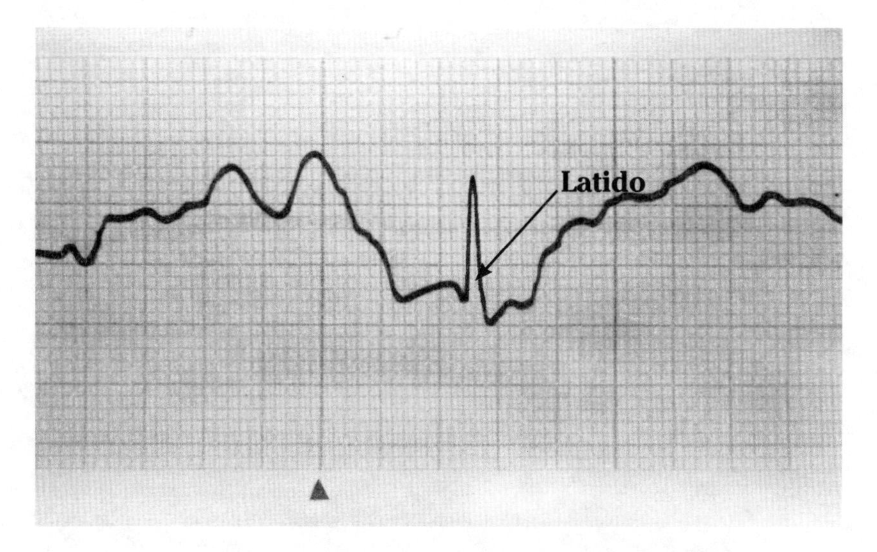

Registro electrocardiográfico que señala el último latido cardíaco de Juan Domingo Perón. Gentileza del Dr. Pedro Ramón Cossio.

Jesús: un martirio prolongado

Analizaremos aquí las causas médicas que determinaron la muerte de Jesús en la cruz. Asimismo evaluaremos las circunstancias estresantes que vivió en los días previos a la crucifixión y que le provocaron un sufrimiento mayor al imaginado. Esto se debe a que el tiempo de suplicio fue más prolongado del que se desprende de una lectura "literal" de los hechos bíblicos.

Aclaramos que, para no herir susceptibilidades religiosas, se hará referencia a Jesús en tanto personaje de la Historia, es decir, en su condición humana, como los demás protagonistas de este libro. Haremos un diagnóstico retrospectivo de las causas médicas que determinaron la muerte de Jesús y nos referiremos al estrés padecido antes de ser crucificado.

Antes de comenzar el análisis de la condición clínica de Jesús en el momento de la crucifixión, conviene repasar la cronología de los hechos.

La última cena

Tomó el pan, pronunció la bendición, lo partió y lo dio a sus discípulos diciendo: tomen y coman, éste es mi cuerpo. Después tomó la copa, dio gracias y se la entregó diciendo:

"beban todos de ella, porque ésta es mi sangre, la sangre de la alianza, que se derrama por muchos para la remisión de los pecados..."

MATEO (26, 26-28)

De acuerdo a la tradición católica, la cena con los discípulos, que resultó ser la última, tuvo lugar el Jueves Santo, ya que al día siguiente, viernes, Jesús moría en la cruz. Ahora bien, la Biblia no es un libro de historia ni pretende serlo: la cronología de los hechos importa en un estudio histórico y las consideraciones religiosas circulan por otro carril.

Aquí nos interesa la sucesión de hechos: ¿la cena pascual fue la noche anterior a la crucifixión? Como el tiempo transcurrido entre su detención y la crucifixión tiene repercusión psicofísica, es decisiva la respuesta al interrogante. El periodo durante el cual se sufre de estrés tiene importancia y trascendencia clínica. Por lo tanto, será lo primero que analizaremos para formular una historia clínica.

Los Evangelios describen una serie de hechos entre la última cena y la crucifixión. Jesús instaura la eucaristía en la última cena siguiendo su costumbre de compartir la mesa, es decir, la comensalia. Más tarde llegará el momento en que será entregado por Judas Iscariote, uno de los suyos. Si fue una traición o no, es un tema de discusión.[7] Lo cierto, según los Evangelios, es que Judas entrega a Jesús. Luego de la cena, Jesús se dirige a orar al Monte de los Olivos o Getsemaní. Más tarde, es arrestado por los romanos. Los soldados llevan luego a Jesús frente a Anás, ex sumo sacerdote de la época de Herodes el Grande y suegro de Caifás. Posteriormente es llevado ante la presencia del sumo sacerdote Caifás. Fue así sometido a juicio en el Sanedrín, supremo tribunal compuesto por 71 miembros, donde se lo condena. De allí lo llevan frente al procurador Poncio Pilato, un ex oficial de caballería agresivo y descarnado.[8] Sin embargo, en principio, Pilato no encontró que Jesús haya actuado contra los intereses del Imperio. Pilato decide enviárselo a Herodes Antipas para que éste tome una determinación sobre su futuro, teniendo en cuenta que Jesús era galileo y como tal era súbdito natural de

Herodes. Éste tampoco toma una decisión y se lo envía nuevamente a Poncio Pilato para que finalmente decida. Entonces la Biblia cita el episodio de Barrabás, cuando el procurador decide que sea el pueblo quien decida quién sería liberado y quién no. Jesús queda así condenado.

Más allá de los detalles la pregunta es: ¿pudieron, como dicen los evangelios, haber ocurrido efectivamente los hechos narrados desde la cena del jueves hasta las nueve de la mañana del viernes en que Jesús fue crucificado, es decir, la última cena, la oración en el Monte de los Olivos, su arresto, los sucesivos interrogatorios —de Anás, Caifás, Pilato, Herodes Antipas y nuevamente Pilato—, el posterior "plebiscito" y finalmente la crucifixión? ¿Todo sucedió en menos de medio día? Parece poco probable. Entonces, la última cena, ¿pudo haberse celebrado la noche anterior a la crucifixión?

El calendario según los católicos y los judíos

La última cena fue el jueves y a la mañana siguiente, aproximadamente a las nueve, Jesús es crucificado. Estuvo crucificado durante seis horas y murió aproximadamente a las tres de la tarde. Esta información surge de los evangelios. Ahora bien, si esta cronología fuera literal, Jesús sufrió estrés agudo durante aproximadamente 12 horas: desde el momento de su detención hasta su crucifixión. Sin embargo, es improbable que los hechos descritos en los evangelios hubieran acontecido en sólo diez o doce horas. Así, hay que asumir que Jesús sufrió aún mucho más tiempo el calvario que le tocó vivir. Esto, claro está, expone a Jesús a un estrés y a un sometimiento psicofísico más prolongado que si asumiéramos literalmente los tiempos bíblicos. Para despejar este punto con respecto a la cronología de los hechos en la formulación de una historia clínica que permita evaluar la magnitud del sufrimiento al que Jesús fue sometido, necesariamente nos tenemos que introducir en algunos aspectos de orden histórico de los evangelios.

La palabra evangelio proviene del latín *evangelium* y del

griego *evaggélion*: *ev*, bien, y *aggéllein*, anunciar o "buena nueva". Los Evangelios son cuatro: Mateo, Marcos, Lucas y Juan. Los primeros tres son muy similares entre sí, de tal suerte que constituyen un conjunto sinóptico, de ahí que se los denomine "evangelios sinópticos". Al leerlos, notaremos fácilmente que son muy parecidos. Los estudiosos del tema sostienen que debieron surgir de un documento original que se perdió. Los especialistas en la interpretación y estudio de las escrituras (exégetas) asumen que el primer evangelio escrito fue el de Marcos. Al evangelio de Marcos debieron acudir, entre otras fuentes, Mateo y Lucas, ya que al plasmar su narrativa se observan descripciones similares. A su vez, hay descripciones comunes y coincidentes entre Mateo y Lucas, pero que llamativamente no se encuentran en Marcos. Los estudiosos interpretan que debió existir una fuente o documento común que se denominó "Documento Q", de *"Quelle"* o fuente en idioma alemán. Este "documento Q" fue probablemente el que dio origen final a los evangelios de Mateo, Marcos y Lucas. Hay especialistas que lo denominan "evangelio Q", documento que nunca se encontró. Es por eso que los evangelios de Mateo, Marcos y Lucas se asemejan tanto, ya que parten de un mismo relato original. Estos tres evangelios aportan datos sobre la "humanidad" de Jesús, mientras que el último evangelio, el de Juan, hace referencia principalmente a lo relacionado con la divinidad de Jesús. Los especialistas afirman que probablemente el evangelio de Marcos fue escrito hacia el año 65, el de Mateo hacia el año 70 u 80 y el último de los sinópticos, el de Lucas, entre los años 80 a 85. El evangelio de Juan es el más tardío y dataría aproximadamente del año 110. Puede desprenderse en consecuencia que ninguno de los evangelistas conoció personalmente a Jesús. Los escritos resultan de la transmisión oral de quienes conocieron a Jesús: discípulos y apóstoles.

Ahora bien, ¿cuál es la aparente disidencia entre los evangelios que debiéramos despejar para establecer la cronología de los hechos relativa a la última cena y la posterior crucifixión de Jesús? Comencemos por el evangelio de Juan:

Era el día de la preparación de la Pascua. Los judíos pidieron a Pilato que hiciera quebrar las piernas de los crucificados y mandara quitar sus cuerpos para que no quedaran en la cruz durante el sábado, porque ese sábado era muy solemne.

Juan 19,31

De la interpretación literal de este párrafo del evangelio de Juan surge que la pascua judía de ese año correspondía al día sábado. Aquí cabe aclarar algo muy importante para interpretar los hechos cronológicos: Jesús era judío. Para los judíos, el día no comienza a la cero hora sino el día anterior con la salida de la primera estrella del firmamento, es decir, al anochecer. Así, el sábado judío comienza el día anterior, es decir, el viernes a la tarde. Esto significa que si ahora interpretamos el contenido del párrafo del evangelio de Juan, notaremos que es el que da origen a la cronología de la festividad católica. Juan dice que era el día de la preparación de Pascua, es decir, el día anterior a la Pascua, viernes, ya que la pascua era el sábado, que para los judíos comienza el viernes a la noche. Agrega el evangelio de Juan que mandaron a retirar los cuerpos de los crucificados para que los mismos no estuvieran expuestos el sábado santo. Los cuerpos debían ser retirados antes del sábado judío, es decir, de acuerdo a los horarios de nuestra contemporaneidad, antes del viernes a la noche. La conclusión de la interpretación del evangelio de Juan, según los católicos, es que Jesús cenó el jueves a la noche y el viernes fue crucificado; que los cuerpos fueron retirados el viernes a la tarde, antes de que se hiciera la noche y comenzara el sábado judío, día santo y en esa oportunidad solemne porque se iniciaba la pascua. Entonces, según el evangelio de Juan, Jesús cena con sus discípulos en la última cena el jueves a la noche, es crucificado y muere el viernes y mandan a retirar los cuerpos de los crucificados antes de la pascua judía, ese sábado santo. En resumen, según esta interpretación del evangelio de Juan, desde que fue arrestado por los soldados romanos, Jesús sufrió aproximadamente diez a doce horas.

Ahora pasemos a los evangelios sinópticos. Mateo, Marcos y Lucas también coinciden con Juan en que Jesús muere un viernes (cfr. Mt 7,57-61; Mc 15,42-43; Lc 23,50-55). Pero hay una diferencia importante. Para ellos, cuando se lleva a cabo la última cena ya era Pascua; era, de hecho, la cena de Pascua. Entonces, ¿cuál de los cuatro evangelios indica la realidad? La aclaración de este asunto, ¿nos provee una cronología diferente de los hechos? Y en consecuencia, ¿puede haber una formulación distinta de la historia clínica?

La respuesta está al norte del Mar Muerto.

Qumrán

Jesús nació en tiempos de Herodes I o Herodes el Grande, rey judío del siglo I a. C. Fue crucificado cuando Herodes Antipas, hijo de Herodes el Grande, era príncipe de Galilea y Persia y Poncio Pilato, procurador romano en Judea. La dominación romana toleraba las costumbres y religión judías pero vigilaba celosamente que éstas no perjudicasen los intereses del Imperio. Mucha de la información histórica de la época se la debemos a Flavio Josefo.[9] En su autobiografía, Flavio Josefo nos relata sobre las tres sectas judías de aquel momento: los fariseos, los saduceos y la secta de los esenios.

Los fariseos eran hombres piadosos que dominaban la ley y seguían las reglas precisas de la Torá, que es la enseñanza o revelación que se desprende de los primeros cinco libros de la Biblia: Génesis, Éxodo, Levítico, Números y Deuteronomio. Les interesaba particularmente la formación y práctica religiosa del pueblo. Los saduceos eran descendientes de la aristocracia macabea y de las clases sacerdotales. Tenían fuerte injerencia en la vida política del país y estaban muy emparentados con el sumo sacerdote —por entonces Caifás— y con el Sanedrín. Pero lo que nos va a dar información privilegiada para resolver el problema respecto de la cronología de los hechos está vinculado con la secta de los esenios. Se trataba de hombres dogmáticos, aferrados a las reglas de pureza y fuertes seguidores de la tradición. Fueron perseguidos por los macabeos y se refugiaron en el desierto, al norte del Mar Muerto en la región de Qumrán. La historia se retoma en 1947, cuando unos pastores beduinos descubrieron por casualidad los llamados "Rollos del Mar Muerto". Se trata de unos escritos hallados en relativo buen estado de conservación, en unas jarras o vasijas en cuevas de la región de Qumrán. Estos escritos fueron preservados en esas vasijas por los esenios y contienen importante información histórica y religiosa de la época. Entre 1947 y 1956 fueron descubiertas en total once cuevas con vasijas que contenían estos documentos que se suponen fueron escondidos de ese modo por los esenios para preservarlos de las luchas entre los judíos y los romanos. Y ahora llega lo más importante para nuestra "historia clínica".

En los escritos del Mar Muerto se cita la existencia de dos calendarios diferentes que coexistían en la época de Jesús. El primero de ellos, y más antiguo, era un calendario "solar" en el cual el año estaba integrado por 364 días. En ese calendario se hacían coincidir las fiestas religiosas más importantes siempre los días miércoles: año nuevo, la fiesta de los tabernáculos y la Pascua. ¿Por qué los judíos hacían coincidir las fiestas importantes, como la Pascua, en los días miércoles? Para responder a esta pregunta debemos recurrir al primer libro del antiguo testamento, el Génesis:

> Dios dijo: "Que haya astros en el firmamento para distinguir el día de la noche, que ellos señalen las fiestas, los días y los años y que estén como lámparas en el firmamento del cielo para iluminar la tierra" y así sucedió. Dios hizo los dos grandes astros —el astro mayor para presidir el día y el menor para presidir la noche— y también hizo las estrellas. Y los puso en el firmamento del cielo para iluminar la tierra, para presidir el día y la noche y para separar la luz de las tinieblas, y Dios vio que era bueno. Así hubo una tarde y una mañana: éste fue el cuarto día.
>
> *Génesis 1, 14-19*

En este párrafo se señala el nacimiento del sol, que fue el cuarto día, el miércoles para los judíos. Es por eso que en el calendario antiguo las fiestas importantes coincidían siempre en miércoles. El día en que nació el Sol.

A su vez, los esenios revelan en los rollos del Mar Muerto que existía simultáneamente otro calendario. Era mucho más nuevo y por entonces llevaba doscientos años de uso. Este calendario era más exacto, constaba de 365 días y tomaba como referencia al sol y la luna. Fue impuesto por los sacerdotes del templo. Lo que resulta de interés es que en este calendario la Pascua podía coincidir con cualquier día de la semana.

Vale decir que en la época de Jesús se usaban dos calendarios, uno antiguo, que era el usado por el pueblo, y otro nuevo, utilizado por los sacerdotes y las capas sociales más acomodadas.

¿Cuándo fue la última cena?

Jesús era pobre. Vivía en virtud de los más humildes y necesitados. Por lo tanto, cabe asumir que la cena pascual ocurrió según el calendario usado por el pueblo, es decir, el antiguo. En consecuencia, la Pascua de Jesús fue un miércoles, que como hemos dicho, para los judíos comienza al anochecer el día anterior, es decir, el martes. Podemos asumir entonces que la última cena, según nuestros horarios, comenzó la noche del martes. Así, Jesús fue detenido el martes a la noche y crucificado el viernes a la mañana. En otras palabras: entre la detención de Jesús y su calvario posterior pasaron al menos sesenta horas, tiempo suficiente para que sucedieran los acontecimientos bíblicos relatados. Jesús pasó así tres noches en una cárcel romana.

Una vez establecido que los acontecimientos son compatibles con el tiempo transcurrido, la cronología resulta verosímil. Queda también despejada la aparente contradicción entre los evangelios, ya que los sinópticos tomaron en cuenta el calendario antiguo y consideraron que la última cena ocurrió un miércoles de Pascua (martes a la noche), mientras que el de Juan consideró el calendario nuevo u oficial, donde la Pascua habría sido un sábado. A su vez, todos los evangelios coinciden en que Jesús murió un viernes.

Podemos concluir que Jesús sufrió mucho durante un prolongado lapso de tiempo. De este modo, al fenómeno de estrés agudo producido por la detención se agregan los efectos del estrés crónico tras sesenta horas de sufrimiento.

La crucifixión

> *Cuando llegaron al lugar llamado "del Cráneo", lo crucificaron junto con otros dos malhechores, uno a su derecha y el otro a su izquierda. Jesús decía: "Padre, perdónalos, porque no saben lo que hacen". Después se repartieron sus vestiduras, sorteándolas entre ellos.*
>
> LUCAS 23 -33-34

¿Por qué simplemente dice: "lo crucificaron"? Cuando en la historia se hace referencia a un fusilamiento, se analizan todas las causas históricas y políticas que rodean a ese "fusilamiento", cualquiera sea. Puede entonces abrirse un fuerte debate sobre las condiciones sociales y políticas que rodearon el hecho. Lo que resulta evidente es que nada se aclara respecto al procedimiento del fusilamiento y esto es así porque es un método históricamente frecuente de ejecución y por todos comprendido. Cuando todos los evangelios hacen referencia al calvario y ejecución de Jesús, respecto a la aplicación de la pena máxima, simplemente dicen "lo crucificaron". Y no agregan más detalles. Del mismo modo, cuando el historiador Flavio Josefo hace referencia a Jesús, dice que tenía "seguidores", y sobre el episodio de su muerte simplemente agrega que murió en la cruz. Como en el caso del fusilamiento, la crucifixión no requiere mayores explicaciones ¿Por qué? Simplemente porque la crucifixión era una forma de ejecución muy habitual en la antigüedad. Los evangelistas, como los historiadores, simplemente decían "fue crucificado".

Posiblemente con origen en Persia, Asia Menor, la crucifixión fue muy utilizada por los romanos en Judea. Flavio Josefo cita que en Jerusalén se llegó a ejecutar por crucifixión hasta 500 judíos por día. Era, como podemos imaginar, una muerte terrible. Pero, además, esta práctica que resultaba ser vergonzante y humillante al exponer los cuerpos desnudos de los crucificados buscaba ser ejemplificadora hacia aquellos que desafiasen los intereses del Imperio. Recién en el año 311 Constantino aboliría esta forma de ejecución.

La imagen que en general se tiene de una cruz utilizada para crucificar es la de las pinturas del Renacimiento, pero en realidad se realizaban crucifixiones en cruces de distintos tipos e incluso directamente sobre árboles. La típica cruz de los romanos estaba constituida por dos piezas. El llamado *stipes crucis* y el *patibulum*. El *stipes crucis* era la porción vertical de la cruz y estaba clavada en la tierra. La pieza horizontal de la cruz, el *patibulum* o patíbulo, podía estar ubicada en el extremo de la pieza vertical de la cruz, es decir, formando una suerte de T, o cruzando el mismo, configurando la imagen clásica de una cruz. Las cruces, a su vez, podían ser altas o bajas, denominadas *sublimis* o *humilis*, respectivamente. La *humilis* o baja es la que se encuentra prácticamente al nivel de la tierra. Se asume que las ejecuciones por crucifixión eran tan frecuentes que en Jerusalén llegó a faltar madera. Por lo tanto, las cruces eran utilizadas muchas veces para múltiples crucifixiones. La pieza horizontal era usualmente cargada por el condenado a muerte hasta llegar al lugar de la crucifixión. Su peso aproximado oscilaba entre 30 y 50 kg. Las investigaciones sugieren que la cruz romana de por entonces tenía forma de T. El ajusticiado era "clavado" en el *patibulum* y luego alzado hasta encastrarse con el extremo de la pieza vertical de la cruz, de ahí el conocido término "subir a la cruz". En el cementerio de Giv'Atha-Mitvar, en la región de la antigua Judea, se ha descubierto recientemente un esqueleto en el cual un clavo atraviesa el hueso calcáneo (talón del pie) y presenta, además, lesiones en las muñecas; las astillas de madera encontradas son de árbol de olivo, que abundaban en esa región por aquella época.

No cabe duda de que la muerte por crucifixión supone una agonía lenta y un sufrimiento extremo. A continuación describiremos las causas médicas por las que murió Jesús en la cruz.

¿Por qué muere Jesús?

Ya hemos analizado la cronología de los hechos que sucedieron entre la última cena y el momento en el cual Jesús es crucificado. Sobre la base de los dos calendarios utilizados en Jerusalén hemos llegado a la conclusión de que su sufrimiento, cronológicamente hablando, fue mucho más prolongado de lo que inicialmente podíamos suponer y se extiende desde la cena del martes (miércoles para los judíos) hasta las nueve de la mañana del viernes, en que es crucificado. De esta manera, nos podemos hacer a la idea de que el sufrimiento y el miedo que Jesús habría padecido durante ese periodo fueron no sólo intensos sino también mucho más prolongados.

Pero hay otro elemento que no podemos pasar por alto en la descripción de los hechos clínicos que sufrió Jesús antes de la llegada del momento en que "fue subido a la cruz". Nos referimos a los traumatismos a los cuales fue sometido por los soldados romanos antes de ser crucificado, la flagelación de los latigazos y la fijación de la corona de espinas en su cabeza.

Los latigazos y las espinas

La crucifixión romana —decidida en este caso por el procurador Poncio Pilato—, era precedida por un intenso suplicio: los azotes del látigo. Una antigua ley judía, citada en Deuteronomio 25, limitaba el número de azotes a un máximo de 40 para evitar el daño exagerado al reo. Esta ley no contaba para los verdugos romanos, quienes sólo limitaban los castigos ante el riesgo de muerte, para así permitir que el ajusticiado llegara vivo a la cruz.

El azote de los romanos era realizado con lo que por entonces se conocía como *flagrum*. Se trata de un instrumento de tortura constituido por un mango forrado en cuero, con un número variable de tiras de cuero en su extremo. Las tiras de cuero, en general dos o tres, tenían en sus extremos bolas de plomo o huesos de algún animal. Se ha descrito la utilización de astrágalos de cordero, que es un hueso de la pata del animal. De manera que el *flagrum* romano fue concebido para lastimar. El efecto del látigo de las tiras de cuero producía cortes en la piel. Por su parte, las bolas de plomo o huesos de los extremos laceraban los tejidos en profundidad, aumentando así el daño, lesionando no sólo la piel y el tejido o panículo adiposo que se encuentra debajo de ella, sino también el músculo y su cubierta tendinosa, llamada aponeurosis. El *flagrum*, como podrá comprenderse, produce un dolor intenso. Pero además debemos asumir la disminución de la presión arterial y el aumento de la frecuencia cardíaca que se produce como consecuencia directa del dolor. Además, a esa altura del suplicio, comienza la pérdida de sangre, que a su vez produce taquicardia y disminución de la presión arterial.

Otra lesión más importante de lo que se supone es la fijación de una corona de espinas en la cabeza. El cuero cabelludo es una zona que se encuentra abundantemente irrigada e inervada, es decir, se encuentra en ella gran cantidad de vasos sanguíneos y nervios. Si asumimos que una corona de espinas debe estar bien fijada al cuero cabelludo como para que se mantenga en su posición, debemos también aceptar que las espinas deben ser muchas y estar profundamente insertas. Cualquiera que se haya lastimado la cabeza recordará la fuerte hemorragia que se produce. Esto es debido a que los vasos sanguíneos lesionados, sean arterias o venas, tienden a sangrar mucho debido a que casi no hay tejido que los rodee y detenga la hemorragia por efecto de "compresión". Asimismo, en el cuero cabelludo se encuentra una gran cantidad de filetes nerviosos que conducen estímulos dolorosos. La parte anterior del cuero cabelludo se encuentra inervada por filetes nerviosos que resultan ser ramas del nervio trigémino. Éste es un nervio muy sensible. Para darnos una idea de su intensidad: el dolor de muelas, oído y córnea son transmitidos a través del trigémino. La parte posterior del cuero cabelludo no se queda atrás, ya que está inervada por el nervio occipital, cuyo estímulo resulta ser muy doloroso.

Como consecuencia, la incrustación y posterior portación de una corona de espinas le habrán provocado a Jesús un dolor y una hemorragia importantes.

La subida a la cruz

Hemos visto que luego de los días de detención y enjuiciamiento, momentos en que seguramente vivió un intenso estrés, fue sometido a latigazos y se le fijó una corona de espinas. Es decir, a la crucifixión llega en muy malas condiciones físicas. Aquí hay una serie de detalles anatómicos y de procedimiento relacionados con la ejecución que merecen comentarse. Describiremos en consecuencia el acto de la crucifixión según los conocimientos históricos del procedimiento y la información médica con la que contamos actualmente.

Los romanos debieron primeramente extender los brazos de Jesús sobre el *patibulum* cuando todavía estaba en el suelo y luego lo clavaron al madero. Es aquí donde debemos señalar detalles y diferencias con la idea tradicional que se tiene de Jesús en la cruz. Las esculturas, las pinturas y la iconografía tradicional señalan que los clavos atravesaban las palmas de Jesús para luego clavarse en la madera del *patibulum*. Esto no fue así. Los primeros estudios realizados por el médico Pierre Barbet a principios del siglo pasado —confirmados posteriormente— demuestran que un clavo que traspasase la palma de la mano de un crucificado no podría sostener el peso del cuerpo. Los tejidos se desgarrarían, ya que en la palma de la mano no hay anclaje óseo suficiente para sostener el peso del cuerpo. El clavo usado por los romanos debió tener una longitud aproximada de entre 15 y 20 centímetros, y para fijar el cuerpo de Jesús debió pasar a la altura de las muñecas. La maniobra que los verdugos realizaron habrá sido la siguiente: con los brazos extendidos de Jesús sobre la madera del *patibulum* debieron flexionar su mano sobre su antebrazo en un ángulo de casi 90°. Cuando se hace esto, se forman unos pliegues entre el antebrazo y la palma de la mano, a la altura de lo que comúnmente se denomina muñeca: es justo en el centro de esos pliegues donde se apoya el clavo que es golpeado por la maza o martillo. Un clavo que pase por esa región anatómica (llamada "carpo") tendría anclaje suficiente como para sostener el peso de Jesús en la cruz.

El clavo que atraviese esa región destruirá o lesionará un nervio que pasa por allí, el llamado nervio "mediano". La destrucción, corte o lesión de este importante nervio produce dos consecuencias importantes: una hacia el cuerpo y otra hacia la mano. Hacia el cuerpo se produce la transmisión del estímulo doloroso. Éste es un dolor intensísimo. El nervio mediano es algo parecido a un hilo de los usados para atar paquetes, es un nervio grueso y muy doloroso. El sufrimiento tiene características de dolor neurálgico, intenso, eléctrico y sostenido. Si usted alguna vez se lastimó un dedo con una puerta o con un martillo probablemente habrá sentido un dolor intenso y además una sensación de disminución de la presión arterial. Esto es porque el dolor produce, por un mecanismo reflejo, una disminución de la presión. ¡Imagine si la lesión que provoca ese dolor es la destrucción del nervio mediano de la muñeca atravesado por un clavo de aproximadamente un centímetro de diámetro y 15 de largo! Y a ese martirio hay que adicionarle el incremento del dolor que se produce con cada movimiento del brazo y con el esfuerzo al sostener el peso del cuerpo. La segunda consecuencia de la destrucción del nervio mediano es hacia la mano. Este segundo fenómeno puede figurarse del siguiente modo. Mírese la palma de su mano con los dedos extendidos. La parte de la palma de la mano que se encuentra justo por debajo del dedo gordo se encuentra ligeramente sobreelevada respecto al resto de la palma. Esta eminencia o región se denomina "eminencia tenar": son músculos que cuando se contraen llevan el dedo pulgar hacia la palma de la mano. Trate usted de mirar la palma de su mano y llevar el pulgar hacia el centro de la palma de la mano. Así verá usted su pulgar sobre la palma de la mano y los restantes cuatro dedos extendidos. Así debió haber tenido Jesús su mano al estar clavado en la cruz. Esto significa, en consecuencia, que el brazo se fija al *patibulum* con un clavo que pasa por la muñeca y la contracción de los músculos del pulgar lleva a éste sobre la palma.

Pero hay otro complemento que merece destacarse: el Santo Sudario. Se trata, para los creyentes, de la sábana con la cual fue envuelto Jesús luego de la muerte. El evangelio de Juan (Juan 19, 38-40) dice que fue José de Arimatea, discípulo de Jesús, quien con Nicodemo envolvió a Jesús en la sábana usando una mezcla de mirra y aloe, agregándole perfumes, según la costumbre de sepultura de los judíos de la época. La sábana, conservada en Turín, es una pieza de lienzo de color pálido de 4,4 metros de largo y 1,9 de ancho. En ella se observan dos imágenes, que corresponden al cuerpo de un hombre con barba. Una de las imágenes es del plano anterior y otras del posterior del cuerpo. Las imágenes se unen por la cabeza, de tal suerte que se concluye que la tela cubría el cuerpo por delante y por detrás. Numerosos han sido los estudios realizados sobre este lienzo y de hecho es un tema muy controversial. Lo cierto es que tres grandes centros del mundo han estudiado su antigüedad con el método de datación de Carbono 14 (C-14). Estos centros de primer nivel internacional fueron el de la Universidad de Arizona en Tucson, el del Instituto Federal de Tecnología de Zurich y el de Oxford Research Laboratory. El 13 de octubre de 1988 se revelaron oficialmente los resultados de los ensayos. Éstos fueron concluyentes y coincidentes: las muestras de lienzo analizadas tienen una antigüedad que puede corresponder desde el año 1260 al 1390. Es decir, no eran del siglo I y por lo tanto no cubrieron a Jesús. Lo que llama la atención es un detalle que tiene que ver con lo que estamos analizando con respecto a la crucifixión de Jesús: las lesiones en las manos pasan por las muñecas y no por las palmas; además, no se observan los pulgares porque se encuentran contraídos y ocultos por detrás de la palma de ambas manos. Es decir, coincide con la realidad anatómica y funcional que hoy conocemos y que acabamos de describir. Aparentemente el Santo Sudario en cuestión es del periodo del Renacimiento y no sería extraño que quien decidiera hacerlo hubiera utilizado un lienzo viejo para hacerlo pasar por antiguo. Los detalles técnicos del Santo Sudario, lo mismo que los anatómicos, llaman la atención. Parece haber sido desarrollado por una tecnología fotográfica que no existía en el Renacimiento: quien lo haya hecho debió haber dominado la anatomía, la fisiología, además de otras técnicas, como para haber reproducido tal imagen en el lienzo. Aún hoy no se sabe con certeza cómo fue realizado y hay quienes proponen a Leonardo Da Vinci como autor. Lo cierto es que el Santo Sudario tiene aún mucho de misterio y el detalle relativo a la lesión traumática en las muñecas y la oposición del dedo pulgar sobre las palmas coincide con la realidad sobre la crucifixión que conocemos.

Una vez que los romanos clavaron los brazos de Jesús en el patíbulo debieron subirlo al estipe. Luego llegaría el momento de clavar sus pies a la pieza vertical de la cruz. Aquí se utilizaba un solo clavo, que atravesaba ambos talones para fijarlos a la madera. El clavo serviría así de punto de apoyo, soportando el peso del cuerpo de Jesús. Debemos imaginar el intenso dolor al momento de ser atravesado por el clavo y el suplicio en todo el cuerpo. Aquí aparece otro detalle de interés que tiene importancia clínica: las autoridades romanas querían que Jesús sufriera. No querían que muriese rápidamente, querían que el martirio de la crucifixión matase lentamente a Jesús. Lo lograron. Jesús no murió rápidamente. ¿Cómo hicieron que esto sucediera? Expertos en crucifixión, los romanos clavaron los pies de Jesús tomando la precaución de que las piernas quedaran ligeramente flexionadas.

De este modo Jesús podría respirar apoyándose sobre el clavo de los pies en cada movimiento respiratorio. Si las piernas hubiesen permanecido extendidas o incluso si no se hubiesen clavado los pies en la pieza vertical de la cruz, la persona habría muerto rápidamente ya que, al estar con el cuerpo colgado sostenido sólo de los brazos, no podría haber respirado (asfixia). Cuando los romanos querían que un crucificado muriese rápidamente no tenían más que quebrar sus piernas, así el cuerpo, suspendido, no podría haber resistido más allá de algunos minutos.

La muerte de Jesús

Jesús, luego de los días de detención, es sometido al suplicio de los latigazos y la corona de espinas. Su condición clínica ya era crítica. Sin embargo, lo peor sucedió ese viernes a las nueve de la mañana, cuando lo crucificaron.

La condición clínica de una persona crucificada es cardiovascularmente comprometida. Por un lado, el intenso dolor del suplicio y la crucifixión producen disminución refleja de la presión arterial. A su vez, la pérdida de sangre por las lesiones de los latigazos, las espinas y el trauma de los clavos en ambas muñecas y pies condiciona también una disminución de la presión arterial por hemorragia. El corazón presenta un incremento en los latidos. Esta taquicardia busca compensar la disminución de la presión arterial. Este cuadro de hemorragia, disminución de la presión arterial y taquicardia condiciona el llamado "shock hemorrágico". Se trata de una insuficiencia circulatoria en la cual la llegada de sangre oxigenada a los distintos órganos y tejidos se encuentra muy comprometida. De tal modo, los órganos nobles —tales como el cerebro, los riñones, el hígado y el propio corazón— reciben poca sangre y en consecuencia poco oxígeno, con lo cual se dificulta su funcionamiento. Este "shock hemorrágico" se asocia también a un "shock neurogénico". En este último, los vasos sanguíneos, principalmente las arterias, se dilatan por un fenómeno nervioso reflejo provocado por el intenso dolor de la crucifixión. Como consecuencia directa, la presión arterial baja. En este estado de colapso cardiovascular la piel se encuentra pálida, fría y sudorosa. La disminución de la presión arterial impide que los riñones funcionen correctamente, por lo que pierden su capacidad para filtrar la sangre produciendo una insuficiencia renal aguda. Como consecuencia, se acumulan sustancias tóxicas en la sangre. El shock circulatorio, asociado a la acumulación de sustancias tóxicas en la sangre, produce alteraciones neurológicas con modificación del estado de la conciencia (estupor, mareos y adormecimiento). A todo esto, el esfuerzo por respirar es intenso y dificultoso. Jesús debía "literalmente" pararse sobre el clavo de sus pies para poder respirar. La frecuencia respiratoria normal es de 12 a 14 respiraciones por minuto. Jesús, a esta altura de la condición clínica, debía respirar 30 o 40 veces por minuto en un intento por compensar la falta de aire y la insuficiencia circulatoria. Los movimientos respiratorios eran rápidos pero muy superficiales. Claramente la respiración era insuficiente. Como resultado, la cantidad de oxígeno en sangre era baja y como contrapartida aumentaba la concentración de anhídrido carbónico (CO_2). Esta acumulación de CO_2 es muy tóxica y da un color azul-violáceo a los labios y a los extremos de los dedos. La entrada de aire a los pulmones era cada vez más dificultosa hasta hacerse mínima. A esta altura también se presentaban problemas metabólicos. La acumulación de anhídrido carbónico y la insuficiencia renal y respiratoria terminan por producir "acidosis metabólica" (acumulación de ácido en la sangre).

La asociación de la hemorragia, el colapso circulatorio y neurogénico, la disminución de la presión arterial, la insuficiencia renal aguda, la acidosis metabólica y, en última instancia, la asfixia por falta de oxigenación de la sangre y la incapacidad de eliminación del anhídrido carbónico de la insuficiencia respiratoria, termina en arritmias cardíacas severas, que condicionan el paro cardiorrespiratorio.

Así murió Jesús hace más de 2.000 años, a las tres de la tarde de un viernes.

CERTIFICADO DE DEFUNCIÓN

PACIENTE: Jesús
SEXO: Masculino
EDAD: 33 años
LUGAR DE FALLECIMIENTO: Jerusalén
AÑO: 0[10]
DÍA: viernes
HORA: 3 de la tarde
MOTIVO DEL FALLECIMIENTO: Paro cardiorrespiratorio traumático
CAUSA: Asfixia por crucifixión

Aquel día comenzó un nuevo calendario para la historia universal, un antes y un después de Cristo. Para los creyentes también comenzó una era de fe.

Ernesto "Che" Guevara: tantas veces me mataron, tantas veces me morí

Quizás ésa fue la primera vez que tuve planteado prácticamente ante mí el dilema de mi dedicación a la medicina o a mi deber de soldado revolucionario. Tenía delante una mochila de medicamentos y una caja de balas. Las dos eran mucho peso para transportarlas juntas; tomé la caja de balas, dejando la mochila para cruzar el claro que me separaba de las cañas.

ERNESTO GUEVARA

La abuela, Ana Isabel Lynch, junto con la tía, Ercilia Guevara Lynch, viajaron de urgencia para auxiliar a la madre primeriza. Celia de la Serna había dado a luz 40 días antes de tiempo a Ernesto Guevara de la Serna. El recién nacido presentaba un episodio de "bronconeumonía aguda" muy grave. Los médicos no eran optimistas. El cuadro era serio, tanto como para que el padre, Ernesto Guevara Lynch, avisara de la situación a Buenos Aires.

El primogénito del matrimonio habría nacido el 14 de junio de 1928 en Rosario.[11] Ese día hacía frío y enfermó. A los pocos días la evolución de la bronconeumonía fue favorable. Poco después viajan a Buenos Aires para que el resto de la familia conozca al recién nacido.

El padre, Ernesto Guevara Lynch, pertenecía a una familia de antecedentes aristocráticos aunque, a esta altura, lo era más histórica que económicamente. La madre, Celia de la Serna, de familia acomodada, era la menor de siete hermanos, cuyos padres habían fallecido cuando ella era chica. Ernesto y Celia se habían casado en 1927, un año antes de que naciera Ernesto. Como tenía el mismo nombre que su padre, para no confundirlo, lo llamaban Ernestito y los más allegados, Teté.

Ernesto Che Guevara sería asmático durante toda su vida. Si bien, como su propio padre lo describiría, el primer episodio de asma se presentaría a los dos años de edad, la historia clínica del paciente debería comenzar aquí con la "bronconeumonía" que presentó a las pocas semanas de nacer. ¿Por qué? Veamos.

El cuadro clínico del paciente debió, ante todo, ser de importancia. Así está descrito en las crónicas, que motivó el viaje de familiares desde Buenos Aires. Una bronconeumonía a los 40 días de nacer se encuentra dentro de lo que habitualmente se clasifica como "bronconeumonía del lactante". Estas bronconeumonías son un cuadro grave, ya que el recién nacido no tiene buenas defensas contra las infecciones. Las causas de infección más frecuentes son las producidas por bacterias y virus. Las bacterias que más comúnmente son responsables de estos cuadros en bebés son el estreptococo pneumoniae, el estafilococo aureus, el haemophilus influenza tipo B, micoplasmas y chlamydias.

Las neumonías bacterianas, en general, son graves en los lactantes. Se acompañan de fiebre alta, expectoración purulenta y un alto compromiso y afectación de bronquios, pulmones y del estado en general. Es posible que el cuadro del cual nos llega noticia hubiera correspondido a una infección bacteriana. Sin embargo, en este caso, habría que asumir que tuvo muy buena evolución y que respondió muy bien al tratamiento. No obstante, podemos considerar este origen bacteriano como causa de la bronconeumonía que el Che presentó a los 40 días de vida. Sin embargo, y de acuerdo al cuadro clínico descrito de "bronconeumonía" y a la buena evolución de la afección en poco tiempo, deberíamos pensar en un posible origen viral. En verdad, la evolución clínica hace pensar en una enfermedad viral que respondió favorablemente.

Pero más interesante aún sería pensar en otra enfermedad bronquial producida por virus y compatible con el cuadro clínico que presentó el paciente: bronquiolitis. Se da con mayor frecuencia en chicos de menos de seis meses y es tanto aún más frecuente en menores de dos meses, aunque puede darse en niños de hasta dos años o más: Guevara tenía menos de dos meses. El cuadro clínico es compatible con una bronconeumonía típica, con falta de aire, dificultad respiratoria, producción de moco, aumento de la frecuencia respiratoria, fiebre, alteración del sueño, pérdida de apetito: coincide con el cuadro que nos llegó del paciente. Es decir: si el paciente presentó un cuadro de bronconeumonía a los 40 días de vida, deberíamos pensar en bronquiolitis. ¿Por qué bronquiolitis? Por cuatro motivos a considerar:

1) Coincide con el cuadro descrito.

2) Predomina en invierno y la infección debió producirse en junio o julio de 1927 con temperaturas promedio de 9 o 10º C.

3) Presentó buena evolución clínica en pocos días y esto es común en las bronquiolitis.

4) Entre un 25 a 30% de los chicos que presentan bronquiolitis terminan desarrollando asma.

La predisposición genética al asma bien pudo manifestarse con este primer episodio clínico que ya señalaba una mucosa bronquial sensible o predispuesta. En cualquier caso, la historia clínica del paciente, con foco en el sistema respiratorio, comienza a los 40 días de edad. No podemos pasar por alto este antecedente.

Dos años más tarde

El matrimonio, después de un rápido pasaje por Buenos Aires con el bebé recuperado, regresa embarcado por el río Paraná a Caraguatay. En esa localidad misionera Guevara Lynch explotaba, por contrato de alquiler, una plantación de yerba mate. Ernesto Guevara Lynch y Celia de la Serna se habían conocido en Buenos Aires. La familia de ella no aprobaba la relación, pero eso no impidió que se casaran. Ernesto ya conocía Caraguatay y le atraía lo inhóspito del lugar y el desafío que implicaba la colonización. Hacia allí fueron, pasaron la luna de miel y se quedaron.

Para Celia, acostumbrada a las comodidades, fue sin duda un cambio importante. Recuerda su esposo Ernesto que Celia fue "perdiendo poco a poco lo adquirido en el Colegio Sagrado Corazón, donde se educara. Cuando se casó conmigo decididamente tomó la senda del socialismo". Fue en el húmedo clima de Caraguatay donde el matrimonio concibió a su primer hijo y meses después bajó a la ciudad de Rosario para el momento del parto.

Ernesto Guevara de la Serna vivió así sus primeros casi dos años en Caraguatay. Pero algo estaba por cambiar. Guevara Lynch era uno de los propietarios en Buenos Aires del astillero Río de la Plata. Uno de los socios de la empresa se había separado y Ernesto viajó para asumir funciones que en principio serían transitorias. El astillero se encontraba en San Fernando y Guevara Lynch lo tenía en sociedad con su pariente y amigo de la infancia Germán Frers. Por entonces, Ernesto tenía la intención de instalar un molino yerbatero en Rosario. De este modo podría cerrar el ciclo de producción de la yerba mate. Pero el costo era alto y la inversión excedía sus capacidades económicas. Fue así que, dada la imposibilidad de llevar a cabo tal inversión, el escaso rendimiento que por entonces tenía la explotación yerbatera en Misiones y la oportunidad de trabajar en el astillero, la familia se muda a Buenos Aires.

En la localidad de San Isidro, provincia de Buenos Aires, la familia alquila una pequeña casa, propiedad de Martín Martínez Castro, cuñado de Ernesto. La parte trasera de la casa de los Guevara Lynch se conectaba con el fondo de la propiedad que habitaba Martínez Castro, un extenso y frondoso parque que era disfrutado por ambas familias. Celia y Ernesto habían contratado, un tiempo antes de la mudanza, a Carmen Arias, una nodriza gallega para ayudar en la crianza del primogénito y de la hermana que pronto nacería, ya que Celia estaba embarazada. Carmen se quedaría con la familia por ocho años y fue ella quien apodó a Ernestito "Teté", que era la palabra bisílaba con la que el niño reclamaba su chupete.

La familia disfrutaba los baños en el río y durante el verano iban casi a diario a las playas del club náutico San Isidro. Es aquí donde continúa la historia clínica, cuando faltaban pocos días para que Ernesto cumpliese dos años. Ocurrió el 2 de mayo de 1930 y Ernesto Guevara Lynch lo cuenta así: "Una fría mañana del mes de mayo, y además con mucho viento, mi mujer fue a bañarse al río con nuestro hijo Ernesto. Llegué al club en su busca para llevarlos a almorzar y encontré al pequeño en traje de baño, ya fuera del agua y tiritando. Celia no tenía experiencia y no advirtió que el cambio de tiempo era peligroso en esa época del año. Cuando llegamos a casa ya no andaba bien Ernesto y esa noche comenzó a toser. Yo nunca había presenciado un ataque de asma y cuando lo noté con bronquitis y fatigado llamé a un viejo vecino nuestro —el doctor Pestaña— quien no le dio demasiada importancia a la enfermedad y diagnosticó bronquitis asmática sin complicaciones, conectando este ataque con una vieja neumonía que Ernesto había contraído en la ciudad de Rosario, a los pocos días de nacer. Dos años después, tal vez el frío había desatado el ataque. Le recetó lo corriente en aquella época: calor, jarabes con adrenalina, cataplasmas y otros paliativos. Ernesto mejoró, pero el asma, aunque aliviada, no desapareció. Este ataque le duró varios días. El doctor Pestaña comenzó a preocuparse por su persistencia. Por fin mejoró bastante, pero en cuanto se lo descuidaba en el abrigo, o por cualquier otro motivo, le volvían los ataques asmáticos".

El asma, la enfermedad que sufrió el Che durante el resto de su vida, es una afección crónica del sistema respiratorio en la cual en forma intermitente y reversible se produce una contracción de los músculos de los bronquios más delgados, produciendo lo que se denomina "broncoconstricción". Las crisis asmáticas pueden producirse por la intercurrencia de variadas circunstancias que desencadenan o "gatillan" la crisis. Estos factores son sumamente variables. Puede ser debido a cambios de clima (frío, humedad), al tomar contacto con sustancias a las cuales la persona presenta alergia, por hacer actividad física, por estrés, por cambios emocionales, por infecciones, por resfríos, por cambios de estación climática, por contaminación ambiental, por la incidencia del humo, por fumar, etc. En definitiva, los factores desencadenantes pueden ser muy variados.

Vamos ahora a analizar la referencia que Ernesto Guevara Lynch hace sobre aquel primer episodio de asma que toda la familia recordaría por el resto de su vida, aquel 2 de mayo de

1931. Del testimonio de Ernesto Guevara Lynch pueden extraerse cuatro elementos de interés.

Dice el papá de Ernesto: "Llegué al club y encontré al pequeño en traje de baño, ya fuera del agua y tiritando. Celia no tenía experiencia y no advirtió que el cambio de tiempo era peligroso". Aquí vemos dos puntos de interés. El primero es el hecho de que, como suele suceder, un "factor desencadenante" da lugar a la aparición de la crisis o ataque asmático. En este caso fue el cambio de temperatura, el agua fría y las condiciones ambientales. El otro punto que quiero señalar es que de la lectura literal del párrafo pareciera recaer la responsabilidad sobre Celia. De hecho, la madre del paciente vivió siempre con culpa esta circunstancia. Tal vez sea éste uno de los motivos por los cuales se forjó una muy fuerte relación entre madre e hijo a través de los años. Él amaría intensamente a su madre y, claro está, ella a su hijo. Es más, la madre fue fundamental en el desarrollo del futuro de Ernesto tanto emocional como culturalmente. Otra circunstancia debería considerarse: Ernesto era el primogénito y esto siempre agrega un elemento adicional en muchas mujeres, ya que con él aprendió a ser madre.

Continuemos: "Llamé a un viejo vecino nuestro —el doctor Pestaña— quien no le dio demasiada importancia a la enfermedad y diagnosticó bronquitis asmática (...) conectando este ataque con una vieja neumonía que Ernesto había contraído en la ciudad de Rosario". Aquí queda claro el diagnóstico: asma. ¿Por qué decimos queda claro? Porque no era simplemente un cuadro bronquial, era asmático. El doctor Pestaña no deja espacio para la duda y aquel 2 de mayo de 1930 sería la primera crisis asmática del Che. También tenemos que destacar que Pestaña ya había relacionado la crisis asmática con un primer evento que se había producido a los 40 días de vida del paciente. El doctor Pestaña realizó un muy buen diagnóstico si consideramos que fue hecho en 1930.

Sigamos: "Ernesto mejoró, pero el asma, aunque aliviada, no desapareció. Este ataque le duró varios días. El doctor Pestaña comenzó a preocuparse por su persistencia". Aquí hay otro elemento clínico que habla de la gravedad del cuadro, ya que el broncoespasmo duró varios días. No sin razón, Pestaña comenzó a preocuparse cuando el cuadro inicial de "bronquitis asmática" no cesaba. Es lo peor que podía suceder. El peor comienzo. Es lo que con más precisión se denomina "ataque asmático" y significa que el episodio puede durar varios días y es tremendo. Las "crisis asmáticas", en cambio, son de corta duración.

Por último consideremos el párrafo final de la descripción de Ernesto Guevara Lynch: "Por fin mejoró bastante, pero en cuanto se lo descuidaba en el abrigo, o por cualquier otro motivo, le volvían los ataques asmáticos". Aquí hay otro elemento de gravedad. El paciente resultó ser muy sensible a diferentes estímulos desencadenantes: "cualquier motivo" decía su padre. Veamos ahora las repercusiones que una infancia con crisis y ataques asmáticos pueden producir en la personalidad y el carácter.

Aprender a morir

Ahora es el momento de hacer una consideración de las repercusiones que un cuadro clínico de asma severa, como la del paciente que estamos examinando, ejerce sobre el desarrollo de su personalidad.

La personalidad es una construcción psíquica que resulta de los condicionamientos genéticos, es decir, los traídos al nacer. Es lo que se denomina habitualmente "temperamento", que se desarrolla en interacción con las experiencias de vida, sobre todo las de la infancia. Estamos en presencia de un cuadro de asma grave en un chico de dos años de edad. Intentemos apenas por unos instantes respirar por la nariz y con la boca cerrada, pero tapando la nariz con los dedos de manera que disminuya el pasaje de aire en aproximadamente un 50%... ¡en pocos minutos comprenderá de qué se trata! La falta de aire genera una sensación de angustia y ansiedad difícil de describir. De hecho, es una forma de tortura. La falta de aire produce una sensación real de ahogo y va acompañada de un agotamiento muscular debido al esfuerzo respiratorio. A este cuadro debemos agregar la taquicardia y el sudor frío. Aún falta algo más. Muchos de los medicamentos que se utilizan, y sobre todo los empleados en aquella época, tenían como efecto colateral la producción de taquicardia, nerviosismo y ansiedad, agregado al que ya existe por la propia enfermedad. Por último, algo que describen los pacientes con cuadros de ataque asmático de importancia, es la sensación de "muerte inminente" o "miedo a morir" y, de hecho, algunas veces se produce la muerte aun con la utilización de los medios terapéuticos actuales.

Debemos recordar que las crisis o los ataques de asma son episodios transitorios. Esto significa que entre una crisis y otra el paciente se encuentra en condiciones normales. Esto es así hasta que se produce un nuevo ataque, del que no se sabe cuán grave va a resultar. Por lo tanto, en cada crisis se vuelven a vivenciar los síntomas descritos y esa sensación de muerte posible, de "muerte inminente". Podríamos decir que en determinadas condiciones genéticas y ambientales, como podría ser el caso del paciente, la construcción de la estructura de la personalidad incluye la percepción consciente de la posibilidad de muerte inminente. Una suerte de estar "acostumbrado a morir". Esta circunstancia seguramente influyó en la formación de su personalidad y condicionaría la capacidad para enfrentar los sucesos que estarían por venir.

Historia clínica del asma

No todos los pacientes asmáticos presentan iguales características, ya que es una enfermedad muy variable. Hay casos verdaderamente leves y los hay muy graves. El estudiado en esta historia clínica es grave. El propio padre del paciente afirmó que "todos los médicos que lo vieron dijeron que muy pocas veces habían atendido un enfermo con un asma tan aguda y algunos dijeron que jamás lo habían visto en un niño. (...) Celia pasaba las noches espiando su respiración. Yo lo acostaba sobre mi abdomen para que pudiera respirar mejor y, por consiguiente, yo dormía poco o nada".

El padre también relata que "cuando Ernesto comenzaba a balbucear alguna que otra palabra, decía «papito inyección»", justo cuando el asma se le acentuaba. Las inyecciones tenían efecto farmacológico intenso, produciendo broncodilatación y una mejoría clínica. Debemos tener presente la seriedad del cuadro como para que un chico pidiera una inyección. Cuenta el padre que, por entonces, acudieron a todos los medicamentos posibles: jarabes, inyecciones, tónicos, vitaminas... Una noche, los padres del niño quemaron en el dormitorio los llamados "papelitos del Dr. Andreu". Se trata de un medicamento que era muy usado en la época y que desde hace muchos años ya no existe. Eran los "papeles fumigatorios azoados" del Dr. Andreu (marca registrada). Eran papeles impregnados de extractos de plantas de la familia de las solanáceas. Se suponía que esas plantas tenían un efecto estimulante respiratorio y sedativo para el sistema nervioso. Pues bien, se llenó la habitación de humo pero tampoco funcionó.

La humedad del Río de la Plata no era lo más aconsejable para un paciente asmático y el cuadro no mejoraba. Para alejarse algo del río, la familia se mudó a un departamento en Capital, sobre la calle Bustamante esquina Peña. Continuaron el cambio de médicos y medicamentos, pero el niño no mejoraba. Cuando podían, la familia llevaba a sus hijos a una quinta en Morón, la de la familia Gamas, amigos de Celia. Ahí, Ernesto disfrutaba del aire libre y del sol. Pero la mejoría no se dejaba ver y las esperanzas desaparecían. Escucharon y siguieron el consejo del médico y amigo de la familia Mario O'Donnell de buscar un clima mejor para Ernesto.

Fue así que tomaron una decisión radical. Se mudarían a las montañas en busca de un clima seco, que era el recomendado por los médicos para las enfermedades pulmonares. Pensaron en Tandil, Mendoza y Córdoba. Éste último fue el lugar elegido. Tomaron el tren y se alojaron en el Hotel Plaza, frente a la plaza San Martín de la ciudad de Córdoba. La familia se ilusionó ya que el aire del lugar alivió al paciente. Pero la mejoría no fue continua. Luego de un corto retorno a Buenos Aires, el empeoramiento de Ernesto fue importante. Otro distinguido médico de Buenos Aires, Soria, les insiste sobre la conveniencia de que se mudaran a Córdoba. Es así que regresaron a la provincia mediterránea y se instalaron en una casa de la localidad de Argüello. Allí nuevamente el asma se reagudizó y decidieron mudarse nuevamente. Por sugerencia de otro médico amigo, Fernando Peña, se radicaron en la localidad cordobesa de Alta Gracia, cerca de las sierras chicas, donde habitarían durante los próximos once años. Allí vivirían Ernesto y Celia junto con sus cinco hijos: Ernesto, Celia, Roberto, Ana María y Juan Martín. Los ataques de asma persistieron, pero el clima permitía periodos asintomáticos. En Alta Gracia alquilan la casa Villa Chiquita y más tarde, cuando la economía familiar se complicó, alquilaron otra más vieja, Villa Nydia, que fue la vivienda que quedó en la memoria familiar.

Ernesto, producto de su asma, no podía asistir a la escuela San Martín como sí lo hacían sus hermanos. La educación y la primera enseñanza quedó entonces a cargo de su madre, quien le enseñó a leer y escribir, forlaleciéndose aún más la estrecha relación que tenía con su hijo. Ernesto sólo cursó regularmente segundo y tercer grado de la escuela primaria: cuarto, quinto y sexto los hizo muy irregularmente, ayudado por sus hermanos, quienes le traían los deberes a la casa.

A los nueve años, presenta una enfermedad que también ataca a las vías aéreas: la tos convulsa o coqueluche, llamada por entonces tos ferina. Se trata de una enfermedad contagiosa aguda producida por una bacteria denominada *Bordatella Pertussis*. El asma obligó al paciente a pasar largos periodos en reposo y tal vez eso —además de contar con un ambiente familiar estimulante— hizo que Ernesto se hiciera un gran lector. El niño leía a Stevenson, a Julio Verne y a Alejandro Dumas.

En la búsqueda del "factor desencadenante del asma", los padres llevaban un diario donde registraban todas las actividades del hijo, con la esperanza de poder relacionar algún evento que desencadenara una crisis asmática y así, al indentificarlo, poder evitarlo. Anotan minuciosamente las actividades del niño: qué comía, la ropa que usaba, la humedad, otros factores climáticos como la presión atmosférica y la temperatura, las actividades físicas que hacía, etc. Cambian ropa, colchones, sábanas, almohadones, evitan el contacto con todo tipo de animal... Prueban todo lo que pueden imaginar, pero nada resulta. Cierta vez, le dijeron al padre que un gato en la cama podía tener un efecto beneficioso. Hace la prueba... ¡pero el gato murió asfixiado y Ernesto no mejoró! Otra vez, la madre tomó una decisión importante, tal vez convencida de que ningún esfuerzo, ningún medicamento y ningún cuidado excesivo cambiarían la historia natural de la terrible enfermedad que intermitentemente dejaba sin aire y literalmente "ahogaba" a su hijo. Desafiando el esquema terapéutico, Celia decidió que a partir de ese momento dejaría a Ernesto en total libertad de acción. Comprendió que sería mejor que su hijo viviera la vida lo más normalmente posible. Así, le permitió que saliera a jugar, a correr, a caminar, a hacer las largas caminatas que tanto le gustaban. En fin, que Ernesto combatiera por sí mismo cada ataque de asma.

El cuadro clínico no cambió, es decir, no mejoró. Pero sucedió algo muy importante: tampoco empeoró, lo que en definitiva resultó muy beneficioso para el paciente, ya que comenzó a dar rienda suelta a sus necesidades vitales. Por otro lado, comenzó a batallar con su enfermedad y a convivir con ella sin que ésta disminuyera la iniciativa del niño para emprender cualquier actividad, solamente teniendo presente la limitación que impone el riesgo de que aparezca una nueva crisis asmática.

Un certificado médico, emitido por el médico Galán, eximía a Ernesto de realizar cualquier actividad física en la escuela. Sin embargo, el niño no disminuyó la actividad física que realizaba a diario. Con la sola precaución de tomar los medicamentos específicos para el asma y tener siempre en su bolsillo los inhaladores para el tratamiento del broncoespasmo, el paciente tenía actividad normal. No sólo normal: era habitual que hiciera frente a cualquier desafío físico, ya sean largas caminatas, jugar al fútbol o al rugby, correr o tirarse al río desde la mayor altura posible. Todo ello no significaba que no administrara su esfuerzo, ya que justamente se trataba de aprender a convivir con la enfermedad llevando una vida normal. Así, por ejemplo, cuando jugaba al fútbol lo hacía habitualmente como arquero, evitando sobreesfuerzos que desencadenasen un ataque asmático. Cuando más adelante jugara al rugby, ocuparía un puesto en el que la relación costo-beneficio de la administración del esfuerzo resultaba óptimo. El paciente jugaba al rugby en el equipo de primera división del club Estudiantes de Córdoba como medio-*scrum*. Este puesto es estratégicamente importante, ya que interactúa con el ataque y con la defensa y exige liderazgo. La clave del medio-*scrum* está en el hábil manejo de las manos, donde ya estaba entrenado como arquero de fútbol, y no tanto en la velocidad de piernas. De esta manera, en rugby también administraba una adecuada relación costo-beneficio entre su capacidad y sus limitaciones físicas.

Con el paso del tiempo, el paciente practicó una gran variedad de deportes, como fútbol, rugby, tenis, equitación, boxeo, esgrima, natación, golf, alpinismo, tenis de mesa y ciclismo, entre otros. En natación, por ejemplo, practicó con brío mariposa, un estilo que supone un mayor esfuerzo que otros. Este deporte, junto con el tenis y el golf, Ernesto los ejercitó en el Lawn Tennis Club de Córdoba, lugar donde conocería a los hermanos Tomás y Alberto Granado. Con ambos mantendría una relación central: con Tomás en la adolescencia —tenían la misma edad— y más adelante con Alberto, quien era seis años mayor.

Me contó Alberto Granado —quien en 1952 realizara con Ernesto su primer viaje latinoamericano y que posteriormente daría lugar a la película *Diarios de motocicleta* — que el Che usaba con frecuencia broncodilatadores en aerosol. Según Granado —que también fuera entrenador del Che en el equipo de rugby de Estudiantes de Córdoba—, el paciente usaba "asmopul", un inhalador compuesto por adrenalina, sulfato de atropina y tintura de beleño. Era frecuente que al comenzar un episodio de asma el paciente sacara de su bolsillo el asmopul y lo inhalara, lo que el Che llamaba un "bombazo". Los bombazos, según Granado, eran muy frecuentes y, luego de aplicárselo, la mayoría de las veces seguía jugando. Granado agrega que siempre padecía fuertes dolores de cabeza inmediatamente después de cada crisis asmática.

La actividad física controlada está recomendada en pacientes con asma, pero Ernesto realizaba todos los deportes posibles y con la mayor intensidad esperable. Sin duda, era un desafío personal. Las crisis de espasmo bronquial eran el único motivo que obligaba al paciente a permanecer en reposo, que aprovechaba para leer. Las crónicas dan testimonio de otras dos aficiones: el ajedrez y la aviación. Siempre disfrutó del ajedrez, seguramente como desafío y ejercitación de la estrategia. Y con su tío, Jorge de la Serna, se iniciaría en el aprendizaje de la aviación, tomando clases en el Aeródromo de Merlo. Sería en Cuba, mucho tiempo después, donde completaría su capacitación como piloto, pero esta vez manejando aviones Cessna.

Una vida con asma

El asma nunca lo abandonó. Tal vez la única vez que podría decirse que la enfermedad le resultó útil, fue en el examen de aptitud para el ingreso al servicio militar. Según Alberto Granado "se duchó con agua helada antes de ser examinado por la comisión médica, desatando un ataque de asma que le valió ser declarado inhabilitado para el servicio militar". La junta médica del ejército determinó que el paciente no serviría como soldado y el tiempo haría de este hecho una paradoja.

Podemos relacionar con el asma dos hábitos del paciente que merecen ser considerados: el mate y el cigarro cubano. ¿Qué relación médica podemos establecer? El mate tiene un efecto psicoactivo o estimulante sobre el sistema nervioso central, generando así un estado de activación mental o alerta. Esto por sí solo produce una estimulación del sistema nervioso neurovegetativo simpático que inerva y controla la función bronquial, condicionando la broncodilatación. Éste es un efecto positivo en un paciente con broncoespasmo o asma. Además, la ingesta de mate estimula los centros nerviosos que controlan la respiración y la función cardiovascular. Ambos efectos, conjugados, favorecen al paciente con asma, de ahí que un alto consumo de mate resulta beneficioso para prevenir y eventualmente disminuir un ataque asmático. El otro hábito a considerar es el de fumar habanos. En Cuba, Guevara vivió algunos periodos en los que no dejó registro escrito de ataques de asma. Llegó a afirmar que la falta de crisis asmáticas se debía a los efectos "beneficiosos" de los habanos que fumaba continuamente. ¿Hace bien fumar? No. El tabaco es en sí mismo un irritante de las vías aéreas y produce inflamación sobre la mucosa de los bronquios. Sin embargo, la afirmación del Che de que el cigarro tenía efectos beneficiosos sobre su cuadro asmático no deja de resultar interesante en un sentido. Una vez establecido que ningún humo hace bien a los bronquios, podemos especular que fumar cigarros no le hacía particularmente mal. Esto significa que el humo del habano no representaba para el Che un "factor desencadenante": si lo hubiera sido, simplemente no podría haber fumado. Refiere Alberto Granado que el Che no fumaba mucho y que solía decir que también fumaba habanos para ahuyentar mosquitos durante las campañas.

Otro aspecto de interés en la evolución del cuadro asmático y la aparición de las crisis de broncoespasmo es la influencia de los estados emocionales vivenciados en el estrés del combate, evento que fue frecuente. En este sentido, resulta interesante el siguiente relato de Efigenio Ameijeiras, quien junto con Fidel Castro, Raúl Castro, Ernesto Guevara, Camilo Cienfuegos y otros se embarcó en el yate *Granma*: "Todo había comenzado aquel mediodía del mes de marzo de 1957 por causa de la enfermedad que tenía el «Che», que le impedía prácticamente caminar, lo que dio lugar a que nos retardáramos varias horas en salir de aquel caserío conocido por «la Damajuana», el cual no ofrecía mucha seguridad por conocerse nuestra presencia allí. Cada vez que Fidel daba la orden de salir, había que detener la marcha por cuenta de la enfermedad del «Che»; en esos trajines nos ocupábamos cuando el compañero Luis Crespo descubrió a los soldados de la tiranía que se disponían a rodearnos. Cuando sonaron los primeros morterazos y ráfagas de ametralladoras, fue como un bálsamo vitalizador para el maltrecho «Che» y se puede decir que de todos los que allí corrimos, el «Che» nada tenía que envidiarle a su compatriota Fangio. Luego él mismo confesaba que el mejor antídoto para su enfermedad era la presencia de los soldados enemigos. Pero a pesar de su esfuerzo, la «gasolina» le duró al «Che» unos pocos kilómetros y luego, ya de noche, en la madrugada, tuvimos que dejarlo abandonado a su suerte en espera de medicinas, en una zona infectada por los guardias; le dejamos un compañero que no le serviría ni para abrocharle los cordones de sus botas. Unos con un abrazo y otros con un apretón de manos, y todos con una gran pena, nos despedimos del compañero".[12]

El relato de Ameijeiras sobre el estrés de combate del Che es médicamente interesante y hace a la evolución clínica de la enfermedad. En un paciente asmático, el estrés emocional actúa sobre la reactividad bronquial. Ahora bien, esta acción puede ser de dos tipos: por un lado puede ser desencadenante, es decir, que el factor emocional puede aumentar la reactividad bronquial produciendo inflamación y broncoespasmo; por el otro, un alto y agudo nivel de estrés eleva la adrenalina en sangre, que es la hormona del estrés segregada por las glándulas suprarrenales y que produce una estimulación del sistema nervioso simpático que inerva los bronquios. Como consecuencia de estos dos fenómenos se produce broncodilatación, mejorándose así la respiración. El resultado neto del estrés agudo sobre la función bronquial, en un paciente asmático, depende del balance de ambos efectos en un momento dado. En la descripción resulta claro que el estrés inicial que el combate provoca produce broncodilatación con una mejoría en la oxigenación. Como resultado, el paciente puede aumentar su eficiencia física. Claro está, luego esta estimulación cae y como en todo estrés llega una etapa de agotamiento que se pone de manifiesto más tarde: es el momento en el cual el Che, después de aumentar su rendimiento físico inicial, empeora al llegar la madrugada, debiendo guardar reposo en espera de mejoría y medicamentos que, evidentemente, le faltaban. La descripción comentada no sólo es útil para señalar los efectos del estrés del combate y su influencia sobre el cuadro asmático del paciente, sino también para establecer la evolución, la frecuencia y la intensidad de los ataques de asma. Son por demás numerosos los registros que señalan las intensas crisis asmáticas del Che. Veamos algunos casos.

El 25 de noviembre de 1956, el *Granma* partió de México rumbo a Cuba con sus 82 hombres y armamento. La travesía duraría cuatro días, pero las cosas se complicaron: la navegación no fue muy precisa y los vientos del golfo de México se ensañaron con la embarcación. A los siete días de navegación y al momento de llegar a destino, el paciente presentaba un severo ataque de asma. Avistan la costa pero al llegar, ya de noche, encallan en un banco de arena. Desembarcaron como pudieron y sólo bajaron lo indispensable: el paciente olvidaría sus medicamentos en el *Granma*. El Che, irónicamente, dirá que "más que un desembarco fue un naufragio".

En 1957, durante la marcha a la cima del Turquino, el pico más alto de Cuba, el paciente presentó un ataque de broncoespasmo intenso que lo obligó a quedarse en la retaguardia. Cedió la ametralladora Thompson para alivianar su peso y facilitar la marcha, pero de todos modos se atrasó y se perdió. Tres días más tarde, ayudado por su brújula, reencontraría la columna.

Gracias a la costumbre del paciente de anotar diariamente las novedades durante las campañas, es que tenemos muchas precisiones sobre cuestiones de interés médico que pueden extraerse del diario del Che en Bolivia. En él se registró la evolución de las operaciones y combates desde el 7 de noviembre de 1966, día en que el Che llegó a Ñancahuazú, hasta el 7 de octubre de 1967, víspera del combate de la Quebrada del Churo. Para comenzar digamos que las crisis asmáticas, por lo menos las de mayor importancia clínica anotadas en su diario, comenzaron el 23 de junio, es decir, al séptimo mes de los once que duró la campaña y que culminó con el fusilamiento del Che. Estas crisis, en principio, pueden relacionarse con la tensión, el estrés en aumento y el desgaste que durante las operaciones iba sufriendo el paciente. La lectura del diario del Che revela cómo, a partir de los últimos meses, la situación se complicaba. Y esto seguramente le causó un fuerte estrés, desencadenando ataques asmáticos cada vez más importantes. El 23 de junio el Che anota en su diario que "la noche de San Juan no fue tan fría como podría creerse de acuerdo a la fama. El asma me está amenazando seriamente y hay muy poca reserva de medicamentos". El 3 de julio anota: "Mi asma sigue dando guerra"; y el 7 del mismo mes indica que el asma "está en aumento". Un cuadro de asma puede durar días. En consecuencia, el desgaste físico y psicológico es importante: el asma, cuando es continua, no permite dormir ni descansar. De ahí que, al día siguiente, el cuadro clínico haya empeorado: "Me inyecté varias veces para poder seguir usando al final una solución de adrenalina al 1.900 preparada para colirio. Si Paulino no ha cumplido su misión tendremos que retornar al Ñancahuazú a buscar medicamentos para mi asma".

En el diario del Che en Bolivia, además de los aspectos relacionados con su enfermedad, se consignan otros datos relacionados con su salud, como el acecho de mosquitos y garrapatas, cuadros febriles —posible paludismo—, parasitosis, cuadros gastrointestinales agudos, heridas de combate, traumatismos, cólicos abdominales, complicaciones odontológicas, infecciones, abscesos y la falta de medicamentos adecuados. A todo esto debe agregarse que el cerco que el ejército montaba contra el Che incluía vaciar de medicamentos para el asma a las farmacias de los pueblos para así dificultar la provisión del guerrillero.

Los hechos hasta aquí narrados y analizados develan que el cuadro infeccioso broncopulmonar que el paciente presentó a los 40 días de haber nacido y que a los dos años de edad se manifestó como crisis asmática, se consolidó en tanto cuadro asmático severo. El asma acompañó al paciente durante toda su vida.

Los últimos minutos

Como lo había hecho desde el comienzo de la actividad guerrillera en Bolivia, el Che describe en su diario los detalles de los instantes finales que terminaron con el último enfrentamiento armado, su detención y posterior fusilamiento.

Por entonces, la situación de salud era crítica para todos los guerrilleros. La falta de agua y alimentos, los combates, las heridas y las infecciones habían minado la integridad física de los sobrevivientes. El 7 de octubre de 1967, un día antes de ser capturado, el Che escribe en su diario de campaña: "Se cumplieron los 11 meses de nuestra inauguración guerrillera sin complicaciones, bucólicamente; hasta las 12.30 horas en que una vieja pastoreando sus chivas entró en el cañón en que habíamos acampado y hubo que apresarla. La mujer no ha dado ninguna noticia fidedigna sobre los soldados contestando a todo que no sabe, que hace tiempo que no va por allí; sólo dio información sobre los caminos. Del resultado del informe de la vieja se desprende que estamos aproximadamente a una legua de Higueras, otra de Jaguey y unas dos de Pucará. A las 17:30, Inti, Aniceto y Pablito fueron a la casa de la vieja que tiene una hija postrada y una media enana; se le dieron 50 pesos con el encargo de que no fuera a hablar ni una palabra pero con pocas esperanzas de que cumpla a pesar de sus promesas. Salimos los 17 con una luna muy pequeña y la marcha fue muy fatigosa y dejando muchos rastros por el cañón donde estábamos, que no tiene casas cerca, pero sí sembradíos de papas, regados por acequias del mismo arroyo. A las dos paramos para descansar pues ya era inútil seguir avanzando". No fue la mujer pastora la que comunicó al ejército la posición de los guerrilleros sino el campesino Pedro Peña, que en la madrugada, mientras regaba un sembrado de papas en la Quebrada de Churo, vio pasar durante la noche a un grupo de 17 hombres que luego habían acampado en las cercanías. El campesino cuenta esta novedad al ejército a las 6.30 del 8 de octubre. Esto precipitaría los hechos. El ejército había rodeado la quebrada y los hombres del Che intentarían ascender y cortar el cerco para así salir sin ser alcanzados. El primer intento de ruptura del cerco provocó un intercambio de disparos y el Che es herido en la pantorrilla derecha, se destruye su carabina M-1 y una bala perfora la boina negra que llevaba puesta. A esta altura de los combates ya había bajas de ambos lados. El Che, herido en la pierna, es ayudado por su compañero Willy y juntos trepan una suerte de chimenea lateral de la quebrada del Churo sin percatarse de que son observados por dos soldados, quienes los dejan avanzar hasta que, a escasos metros, son sorprendidos e intimados a entregarse. Los soldados dan aviso a su superior Gary Prado, quien estaba al mando de las operaciones en la quebrada del Churo y era el capitán de los Rangers, el equipo especial del ejército boliviano que había recibido instrucción antiguerrillera de parte de militares norteamericanos. Prado les pide identificación y uno contesta "Willy", mientras el otro, respirando con dificultad, dice "soy el Che Guevara". El capitán Prado, sorprendido, compara la fisonomía del Che con una copia con dibujos de rostros y comprueba el parecido. Luego le indica que extienda la mano izquierda, donde en su dorso constata una cicatriz que el ejército sabía que tenía Guevara.[13] Así, habían capturado al Che el 8 de octubre de 1967.

Mientras continuaban los combates entre el ejército y los escasos guerrilleros, al caer la tarde Gary Prado decide trasladar a los prisioneros a La Higuera, distante a dos kilómetros. Cual procesión, ingresan al pueblo ante la mirada de los pobladores. La escuela del lugar, de adobe y techo de paja, es improvisada como cárcel para alojar a los prisioneros y para depositar a los muertos. El Che es aislado en una de las dos habitaciones de la escuela, separadas una de otra por un simple tabique de madera. En la otra habitación estaban Willy y otros guerrilleros junto a los cuerpos de compañeros muertos. Era domingo. Esa misma noche, el presidente René Barrientos, en La Paz, convoca a una reunión con los más altos mandos militares. La pena de muerte no existía en Bolivia, pero Barrientos decide la muerte del Che. A las siete de la mañana del día siguiente llega a La Higuera en helicóptero el coronel Joaquín Zenteno Anaya, procedente de Vallegrande. Zenteno traía personalmente la orden de matar al Che. Convoca a sargentos y suboficiales. El sargento Mario Terán es designado el encargado de asesinar al jefe guerrillero, con la indicación de disparar del cuello para abajo: debía parecer que murió en combate. Cuentan que Terán entra y sale de la habitación varias veces sin animarse a tirar. El Che, de pie, le dice "dispara, vas a matar a un hombre". Terán dispara la primera ráfaga y el Che cae al suelo. Sangrando y aún vivo, Terán dispara una segunda ráfaga. Ernesto Guevara murió a las 13.10 del 9 de octubre de 1967.

Post-mortem

En Vallegrande, a 30 minutos de helicóptero de La Higuera, el coronel Zenteno improvisa una conferencia de prensa en el Hotel Santa Teresa. Eran las 13.45 del lunes 9 de octubre. Allí anuncia que el "el Che Guevara ha muerto ayer en combate". La noticia recorre el mundo en minutos pero la mentira del coronel no resistió mucho tiempo: eran muchos los que habían visto al Che ingresar herido, pero vivo, en La Higuera la tarde anterior.

A las 17 de ese mismo día, atado al patín del helicóptero, llega el cuerpo del Che. Más tarde el cuerpo es expuesto a la prensa y a los pobladores de Vallegrande en la lavandería del Hospital de Malta, pudiéndose apreciar que sus ojos estaban abiertos.

El cuerpo del Che, al momento de llegar a Vallegrande, aún no tenía la característica propia del *rigor mortis*, es decir, la llamada "rigidez cadavérica". Ésta se produce aproximadamente a las tres o cuatro horas de la muerte clínica y es completa alrededor de las doce horas. Al momento de llegar a Vallegrande, el cuerpo de Guevara tendría aproximadamente entre cinco y seis horas desde el momento de la muerte clínica, por lo cual también resultaba evidente que no había muerto en combate el día anterior. La rigidez cadavérica es un proceso químico muscular que aporta dureza y consistencia a los músculos. Esta circunstancia dificulta el movimiento de los miembros y el tronco, que pierden la natural flexibilidad, y dificulta la manipulación del cadáver. De acuerdo a la información histórica, el cuerpo del Che se podía movilizar con facilidad al llegar a Vallegrande.

Otro dato interesante a considerar es el de los "ojos abiertos". Seguramente Guevara murió con los ojos abiertos y así quedaron. Hay referencia de que un sacerdote se los cerró en La Higuera. La verdad es que si se los hubiesen cerrado deberían haber permanecido cerrados. Así que debieron estar abiertos desde el momento de la muerte e incluso el frío al que fue expuesto el cuerpo en el exterior del helicóptero a 3.000 metros de altura debió haber consolidado esta situación. El gobierno, por su parte, estaba interesado en mostrar claramente al guerrillero muerto: todos debían saber que el ejército boliviano había matado al Che, por lo tanto la exposición del cuerpo para ser fotografiado facilitaría la difusión a través de la prensa internacional. Para garantizar las condiciones de presentación del cuerpo, el doctor José Martínez Casso y la enfermera Susana Osinaga le inyectan formol al cuerpo, para así retrasar el natural proceso de descomposición. Sólo después de este recaudo son autorizados los fotoperiodistas a retratar al guerrillero muerto.

Más tarde llegaría el momento de arbitrar los medios para una identificación fehaciente del cuerpo. Se esperaba a la delegación argentina para la confrontación de las huellas digitales cuando el teniente coronel Roberto Quintanilla recibe la instrucción de llevar la cabeza del Che y sus manos a La Paz. Finalmente sólo le cortan las manos por encima del nivel de las muñecas.

El gobierno boliviano había solicitado la cooperación del gobierno argentino para la identificación del guerrillero muerto. Es así que llegan a Bolivia tres técnicos de la Policía Federal Argentina, dos expertos en dactiloscopia y uno en scopometría. Los primeros determinan, luego de examinar las manos ya separadas del cuerpo del Che, que se trataba efectivamente de Ernesto Guevara de la Serna. A su vez, el técnico en scopometría realizó el peritaje caligráfico comparando la letra del diario de campaña con la de algunos documentos manuscritos de Guevara que traían desde Buenos Aires, ratificando su identidad.

Sólo quedaba una cosa cuando se iniciaba el proceso de descomposición del cuerpo: la autopsia.

Autopsia

Todo había sido rápido e improvisado. Así como se quiso hacer creer que el Che había sido abatido en combate, ahora se trataba de falsificar la autopsia. La responsabilidad de realizarla cayó en el director del Hospital de Malta de Vallegrande, doctor Moisés Abraham Baptista —quien había amputado las manos del Che—, y en José Martínez Casso, médico interno del mencionado hospital. Así, la orden era que no debía dejarse constancia de dos hechos: el día y hora posible de defunción y no mencionar que al cuerpo le faltaban las manos. Transcribimos ahora el protocolo de autopsia y el certificado de defunción:

Protocolo de autopsia
Ernesto Guevara
10 de octubre 1967

Edad: aproximadamente 40 años
Raza: blanca
Estatura: 1,73 aproximadamente
Cabellos: castaños rizados, bigote y barba crecidos, igualmente rizados, cejas pobladas.
Nariz: recta
Labios: delgados, boca entreabierta en buen estado, con huellas de nicotina, faltando el premolar inferior izquierdo.
Ojos: ligeramente azules
Constitución: regular
Extremidades: pies y manos bien conservados, cicatriz que abarca casi todo el dorso de la mano izquierda.
Al examen general presenta las siguientes lesiones:

- Herida de bala en región clavicular izquierda, con salida en región escapular del mismo lado
- Herida de bala en región clavicular derecha, con fractura de la misma sin salida
- Herida de bala en región costal derecha, sin salida
- Dos heridas de bala en región costal lateral izquierda con salidas en región dorsal
- Herida de bala en región pectoral izquierda entre las costillas novena y décima con salida en región lateral del mismo lado
- Herida de bala en tercio medio de pierna derecha
- Herida de bala en tercio medio del muslo izquierdo en sedal
- Herida de bala en tercio inferior de antebrazo derecho, con fractura de cúbito

Abierta la cavidad torácica, se evidenció que la primera herida lesionó ligeramente el vértice del pulmón izquierdo, la segunda lesionó los vasos subclavios, encontrándose el proyectil en el cuerpo de la segunda vértebra dorsal.

La tercera atravesó el pulmón derecho, incrustándose en la articulación costovertebral de la misma costilla.

La herida señalada en el punto 5 atravesó el pulmón izquierdo en una trayectoria tangencial.

Las cavidades torácicas, sobre todo la derecha, presentaban abundante colección sanguínea.

Abierto el abdomen, no se constató ninguna lesión traumática, encontrándose únicamente distensión de intestinos por gas y líquido citrino.

La causa de muerte fueron las heridas del tórax y la hemorragia consecuente.

Dr. Moisés Abraham Baptista - Dr. José Martínez Casso.

Comentario

Una vez repasado el protocolo de autopsia conviene formular algunas aclaraciones.

Los médicos describen una "cicatriz que abarca casi todo el dorso de la mano izquierda", porque sabían que así era, ya que resultaba ser una de las características físicas de identificación del Che. Pero no aclaran que al momento de la autopsia las manos ya no estaban en el cuerpo. Puntualicemos además que se señalan en la autopsia nueve heridas de bala, seis de ellas en el tórax. Las lesiones de bala en las que se indica "sin salida" hacen referencia a que el proyectil quedó alojado en el cuerpo. La séptima herida, consignada como en "sedal", significa que el proyectil ingresó en el muslo en un lugar determinado y salió por otro, constituyendo una especie de túnel. Resultan evidentes las múltiples lesiones torácicas con daño severo a vasos arteriales y venosos y a los pulmones. Habría que suponer, ya que en la autopsia no se señala, que "el corazón no fue alcanzado por ningún proyectil", puesto que no se describe lesión alguna en dicho órgano. La herida de bala número cinco, en la región pectoral izquierda, entre la costilla novena y décima, es la que señala un militar en una fotografía típica del Che tendido en la lavandería del Hospital de Malta. Dicha lesión se corresponde con un orificio de salida en región lateral del mismo lado: el recorrido del proyectil es compatible con la hipótesis de que en su trayecto no lesionara el corazón.

La muerte, en consecuencia, debió producirse por hemorragia, por lo cual es probable que la agonía se haya prolongado por algunos minutos.

Certificado de defunción

Transcribimos el certificado de defunción:

Los médicos que suscriben, director del hospital "Señor de Malta" y médico interno, certifican:

que el día lunes 9 del presente, a las horas 5:30, fue traído el cadáver de un individuo que las autoridades militares dijeron pertenecer a Ernesto Guevara, de aproximadamente 40 años de edad, habiéndose constatado que su fallecimiento se debió a múltiples heridas de bala en tórax y extremidades.

Vallegrande, 10 de octubre de 1967
Dr. Moisés Abraham Baptista
Dr. José Martínez Casso

El día después...

Ya se había hecho casi todo: se había capturado al Che; se intentó hacer creer que murió en combate; fue sometido a una ejecución sumaria; se presentó el cadáver a la prensa internacional, a los pobladores y a los campesinos; le inyectaron formol para preservar el cadáver unas horas más y le cortaron las manos para identificarlo y como prueba de su muerte. Pero quedaba algo más. ¿Qué debía hacerse con el cadáver? Decidieron que debería desaparecer. El Che no debía tener tumba ni mausoleo donde se lo recordara. Se consideró la cremación, pero no existían crematorios; además, en Bolivia, la fe católica es profunda y por entonces no se estilaba la cremación. Por otra parte, de haberse intentado cremar el cadáver, esto hubiera sido visible para los pobladores. Entonces, en lo profundo de la noche, el cadáver, simplemente, desapareció. La enfermera Susana Osinaga, que había ayudado al Dr. Martínez Casso a inyectar formol en el cuerpo del Che, declaró que el cadáver fue retirado por militares la noche del 10 al 11 de octubre.

...y 30 años después

Fue en 1995 cuando un general boliviano que había combatido contra el Che quebró el largo silencio que se había extendido desde aquella ráfaga en la escuela de La Higuera. El general Mario Vargas Salinas le reveló al periodista estadounidense Jon Lee Anderson que él había sido uno de los oficiales que enterraron al Che junto con otros guerrilleros. "Está enterrado bajo la pista de aterrizaje de Vallegrande", le informó.

Luego del lógico revuelo causado por la revelación, el presidente boliviano Gonzalo Sánchez de Losada acepta que un equipo de trabajo inicie la búsqueda en los alrededores de la pista de aterrizaje de Vallegrande. Los trabajos comenzaron el 29 de noviembre de 1995. El grupo de científicos estaba conformado por geólogos y médicos forenses cubanos y por antropólogos del Equipo Argentino de Antropología Forense (EAAF).

Tras un largo trabajo aparecen los resultados. El 28 de junio de 1996 fue hallada una fosa común con restos óseos pertenecientes a siete cuerpos. Los esqueletos fueron numerados según el orden de aparición. El esqueleto número dos, denominado E-2, estaba boca abajo, con el cráneo intacto, con una campera militar color verde oliva que le cubría el cráneo y la parte superior del tórax. Se encontraba también un cinturón de cuero oscuro, la hebilla del cinturón y botones del pantalón. Y un detalle más: le faltaban las manos.

El sábado 5 de julio concluía la exhumación de los esqueletos, que fueron transportados esa misma noche a la morgue del

Hospital Japonés de Santa Cruz de la Sierra, distante a unos 200 km de la fosa común de la pista de Vallegrande. Entre el 6 y el 11 de julio trabajaron ahí sin descanso los científicos del equipo cubano, liderado por el médico forense Jorge González, director del Instituto de Medicina Legal de la Habana, y los miembros del Equipo Argentino de Antropología Forense formado por los antropólogos Alejandro Inchaurregui, Patricia Bernardi y Carlos Oliviana. Fue en medio de la presión de la prensa y el tenso control de las autoridades militares que los científicos procedieron a realizar las pericias técnicas, acondicionamiento de piezas óseas, reconstrucción y rotulado. El esqueleto Nº 2 era el único cuyo cráneo se encontraba intacto. El cráneo estaba intacto porque las lesiones de bala debían impactar del cuello para abajo, ya que así, supuestamente, había muerto en combate. El resto de los cráneos se encontraban multifragmentados por proyectiles que mataron o remataron a las víctimas o por la presión del enterramiento. Se identificaron los siete esqueletos. El Nº 2 fue el de más fácil identificación: le faltaban las manos pero estaban intactos los huesos del antebrazo, el cúbito y el radio, como si el corte y la desarticulación la hubiera realizado un médico. El estudio de las piezas óseas arrojó las siguientes observaciones: fractura en la parte del omóplato derecho; fractura en la clavícula derecha; fractura en la segunda y tercera costilla izquierda; fractura de la décima costilla derecha; fractura completa del cúbito derecho y fractura de la segunda, tercera, cuarta, quinta y sexta vértebra dorsal. También se observó lesión en "sacabocado" en el fémur derecho, a la altura de la cadera. El esqueleto fue sometido a rayos X, revelando la radiología restos metálicos de proyectiles en la segunda costilla izquierda y en el cúbito del antebrazo derecho. El cráneo del esqueleto E-2 fue estudiado con la técnica de superposición craneofotográfica computarizada, en la cual los detalles anatómicos del cráneo se comparan con las fotografías de los rostros en vida de los supuestos desaparecidos y que son objeto del peritaje forense. Las eminencias frontales supraorbitarias del cráneo eran compatibles con el padecimiento de sinusitis crónica. Asimismo, la identificación odontológica fue positiva: la observación y el análisis del examen radiológico coincidían con los dos juegos de fichas odontológicas con las que se contaba del supuesto desaparecido. Al maxilar le faltaba el segundo premolar superior izquierdo pero el resto de las piezas dentarias coincidían; el molde odontológico de yeso realizado en Cuba para la preparación de una prótesis dental para cambiar su fisonomía y así pasar el servicio de migraciones del aeropuerto de Bolivia sin ser reconocido también concordaba. Además, las lesiones óseas eran coincidentes con las descritas en la autopsia realizada en el Hospital de Vallegrande 30 años antes. El peritaje forense era contundente, no dejaba margen de duda y no requería otros estudios.

A los efectos de obtener más datos y cotejar el informe de la autopsia de Vallegrande con los hallazgos de los restos óseos, tomé contacto con la antropóloga Patricia Bernardi del Equipo Argentino de Antropología Forense. Bernardi fue uno de los tres antropólogos argentinos que trabajaron en la exhumación de los restos óseos del Che en la fosa de Vallegrande y en la posterior identificación de aquéllos en la morgue del Hospital Japonés de Santa Cruz de la Sierra. La conversación, que se realizó en la sede del EAAF en Buenos Aires, resultó por demás enriquecedora.

Después de intercambiar algunas generalidades sobre el tema, entramos de lleno en los detalles del hallazgo y de la identificación de los restos óseos. Para comenzar, resultó de interés el ámbito y las circunstancias que rodearon a los días de la exhumación de los esqueletos. La antropóloga hizo hincapié en la expectativa y el clima de tensión que rodeaba el campamento en Vallegrande, donde las tareas fueron realizadas en medio de periodistas, disparos de cámaras fotográficas, cámaras de filmación y un murmullo constante. Todo el perímetro de la fosa se encontraba custodiado por personal militar, protección que no cedería hasta la finalización total de los trabajos, que se extendieron durante 14 días. La primera semana transcurrió haciendo trabajo de campo en la fosa, mientras que la segunda fue en la morgue del hospital. La especialista remarcó la profundidad a la que fueron encontrados los cuerpos: a aproximadamente dos metros. Le pregunté qué profundidad era habitual, señalando que la mayoría de los enterramientos se encuentran a aproximadamente 70 u 80 centímetros de la superficie. La fosa fue realizada con el auxilio de una pala mecánica. La experimentada antropóloga resaltó que la tierra estaba sumamente compactada y que requirió un cuidadoso trabajo manual con cincel para aislar las piezas óseas. Aclara asimismo que varias piezas fueron trasladadas en "bloque", para ser individualizadas más tarde en la morgue. El interés y la trascendencia del hallazgo determinó que las medidas de seguridad para preservar los esqueletos fueran extremas. De hecho, Bernardi comentó que los miembros del equipo cubano y argentino se turnaban para dormir en la fosa... ¡dormían ahí para custodiar y preservar las piezas óseas encontradas! Bajo todo punto de vista, se trataba de evitar el robo del material hallado. La antropóloga señaló que el cráneo se encontraba en perfecto estado, es decir, íntegro. Al ser consultada sobre la coincidencia de las fichas odontológicas con el cráneo, indicó que, debido a que éste se encontraba intacto, fue posible también realizar una radiología odontológica panorámica. Es más, fue ella misma la que trasladó el cráneo hasta el servicio de radiología del hospital, que se encontraba en el mismo piso de la morgue. La coincidencia odontológica, como una suerte de modelo llave-cerradura, fue total. Luego de que comentáramos la autopsia realizada al Che treinta años antes y los descubrimientos del equipo científico que integró, resulta revelador el aporte que a la identificación de desaparecidos hace la antropología forense actual. Al respecto, Patricia Bernardi me dijo una frase que no podré olvidar: "Los grandes avances de la antropología forense están relacionados con los grandes desastres de la humanidad".

Cerramos así la historia clínica y un capítulo más de la historia: treinta años después de su muerte, los restos del Che Guevara descansan en el Mausoleo de Santa Clara, Cuba.

Alejandro Magno: el Gran Conquistador

Alejandro Magno nació con dos destinos asegurados: conquistar un gran Imperio y morir misteriosamente.

Ocurrió el 20 de julio de 356 a.C., en la ciudad de Pela, capital de Macedonia, donde Olimpia dio a luz.

Su padre, el rey Filipo II, orgulloso de su hijo, se encargó de que recibiera la mejor formación posible. Así fue que un reconocido maestro, Leónidas, resultó ser el responsable de su educación hasta los trece años y, de allí en adelante, su tutor fue uno de los filósofos más importantes de la historia: Aristóteles. El futuro conquistador no pudo tener mejor maestro ni mayor privilegio…

El historiador griego Plutarco cuenta que desde chico Alejandro mostró sus dotes de líder. Entre otras hazañas, Plutarco relata que a los 9 años Alejandro domó un caballo brioso al que nadie podía montar: el niño había notado que al equino lo enloquecía su propia sombra, de ahí que giró su cabeza hacia el sol y, enceguecióndolo, lo montó con facilidad. En ese mismo momento, Filipo pronunció la famosa sentencia: "Hijo, búscate un reino que iguale a tu grandeza, porque Macedonia es pequeña para ti". De ahí en más, Bucéfalo se convertiría en uno de los caballos más célebres de la historia.

Hacia el año 336 a.C., Filipo fue asesinado por un capitán de su guardia llamado Pausanias y Alejandro, a los 20 años de edad, heredó el reino de su padre. La tranquilidad no duró mucho. Al poco tiempo, las polis griegas se sublevaron esperando encontrar a un rey débil. Nada más alejado: Alejandro reprimió rápidamente los levantamientos e inició así una carrera de conquista casi sin fin. Así, conquistó el Imperio Persa, incluyendo Anatolia, Siria, Judea, Fenicia, Gaza, Egipto, Bactriana (actual Afganistán) y la Mesopotamia, llegando hasta la región de Punjab, en India. Alejandro quería globalizar el Imperio fusionando razas y culturas, promoviendo para este fin que sus tropas formaran familias con mujeres de otras regiones y difundiendo el idioma griego en todo su reino.

En la progresión de sus conquistas, que dieron lugar a la fundación de más de 70 ciudades, se encuentra inscripta la leyenda del "Nudo gordiano", que nos da una idea del temperamento atribuido a Alejandro. La leyenda cuenta que un campesino de la ciudad de Gordion, actual Anatolia, en Turquía, tenía sus bueyes atados al yugo de su carro con un complicado nudo que nadie podía desatar. Quien pudiera desatarlo sería quien conquistara Oriente. Cuando Alejandro se dirigía a conquistar el Imperio Persa, se enfrentó con el dilema del nudo gordiano y lo solucionó muy rápidamente: lo cortó con su espada. Esa noche se produjo una tormenta de rayos y el Conquistador interpretó que Zeus, el rey de los dioses del Olimpo, estaba de acuerdo con él.

Cuando Alejandro cumplió 32 años, su poderoso Imperio llegaba al valle del Indo por el este y a Egipto por el oeste, donde Alejandro fundó la ciudad de Alejandría.

Al regresar del Indo luego de su campaña de conquista, el ejército de Alejandro enfrentó a las belicosas tribus de los malios, situadas en el sur de Asia. Allí Alejandro fue alcanzado por una flecha en su pecho, lesionándole gravemente su pulmón.

Tal como sucede hoy, los ejércitos incluían en su personal a médicos para pudieran atender a los heridos en combate. Ésa fue la ocasión en la cual el médico cirujano Critodemo de Cos salvó la vida de Alejandro. Es de suponer que el médico de Alejandro, Critodemo,poseía conocimientos de medicina gracias a la escuela médica de la isla griega de Cos, donde en el año 460 a.C. había nacido el padre de la medicina, Hipócrates. La escuela hipocrática suponía un aprendizaje disciplinado y metódico de la medicina.

Esta vez la medicina había alcanzado para curar a Alejandro...

De repente, una muerte misteriosa

Alejandro tenía 32 y en poco más de un mes cumpliría años: el 2 de junio de 323 a.C., en un banquete ofrecido en el Palacio de Nabucodonosor II, en Babilonia, bebió copiosamente y al poco tiempo se sintió enfermo. Los asesinatos eran frecuentes en la época y probablemente había más de un motivo por el cual alguien quisiera verlo muerto. En este sentido, la hipótesis de envenenamiento fue sostenida por los historiadores Justino y Curcio. Ellos afirmaban que Casandro, hijo de Antípatro, regente de Grecia, transportó el veneno a Babiliona. El copero real de Alejandro, Yolas, hermano de Casandro y amante de Medio de Larisa, se lo administró. ¿Los motivos? Difíciles de asegurar.

Otras fuentes históricas especulan que una de sus esposas, Roxana, lo habría envenenado. El asesinato también pudo haber sido planeado por algunos generales para así repartir sus territorios.

Igualmente, otros historiadores como Plutarco y Arriano sostenían que Alejandro murió por muerte natural, tal vez por enfermedades comunes en la Babilonia de la época, como la malaria o la fiebre tifoidea. Si en la actualidad en ocasiones resulta complejo establecer las causas de una muerte, imaginemos las dificultades que se suscitan cuando se trata de una persona tan importante como Alejandro Magno, de quien no se conservan los restos, ya que nunca fueron encontrados. Sólo nos queda pensar en las posibilidades y evaluarlas con criterio y lógica.

Comencemos por el cuadro clínico. Plutarco cita que Alejandro comenzó agudamente con unas "calenturas" que lo obligaron a tomar un baño y buscar reposo. Claramente debemos entender por "calenturas" un cuadro febril agudo. Plutarco refiere que mejoró momentáneamente y que, al siguiente día, se sintió mejor y volvió a tomar vino. El cuadro se repite y Alejandro, en los accesos de "calentura", se instala en el cuarto de baño. Las sucesivas "calenturas" hacen temblar su cuerpo y los médicos determinan que se traslade a la zona de la piscina. Sus hombres de confianza se mantienen a su lado mientras pasan los días y su salud empeora, permaneciendo mudo y con los ojos cerrados. El día 13 de junio del 323 a.C., Alejandro se despide de su reino en la Tierra. Once días transcurrieron desde el inicio de los síntomas hasta el momento de su muerte.

Con los conocimientos actuales, ¿qué conclusión podemos extraer de la descripción clínica de Plutarco? Comencemos por la hipótesis policial: "envenenamiento".

Cátedra de Toxicología, Facultad de Medicina, Universidad de Buenos Aires, 2.333 años después

La hipótesis del envenenamiento es tentadora y no sólo porque la propusieron los historiadores Justino y Curcio. Estamos hablando de un paciente especial, un rey guerrero que conquistó casi todo el mundo conocido en la época. En consecuencia, a Alejandro Magno no le debieron faltar enemigos. Recordemos que sólo contamos con la descripción clínica del cuadro que llevó al fallecimiento de Alejandro, pero la verdad es que, si nos ajustamos a la descripción de los síntomas, veremos que basándonos en ellos podemos arribar a un diagnóstico posible. En realidad, aunque parezca que la descripción de los síntomas hecha por Arriano y Plutarco es insuficiente, alcanza como para acercarse a resolver el enigma.

Tomemos entonces la hipótesis del homicidio por envenenamiento. Los envenenamientos eran un método frecuente para dirimir problemas y además los venenos no eran difíciles de conseguir en un medio no controlado como lo era en esa época.

Habiendo puntualizado los síntomas descritos durante los once días de agonía, decidí consultar a un especialista. Fue así que me puse en contacto con el Dr. Carlos F. Damin, profesor titular de la primera cátedra de Toxicología de la Facultad de Medicina de la Universidad de Buenos Aires, a quien había conocido por motivos profesionales unos años antes. Llegué al octavo piso de la Facultad de Medicina una tarde de abril. Rodeado de anaqueles con libros y un microscopio antiguo perteneciente a la cátedra de Toxicología, Damin me esperaba con un café que compartimos en su despacho. Después de intercambiar algunas palabras sobre temas médicos de común interés llegó el momento del diagnóstico diferencial y expuse sobre el escritorio la secuencia de síntomas clínicos del paciente. El Dr. Damin, como especialista en toxicología, está muy acostumbrado a tratar con cuadros de intoxicación y envenenamiento. En su actividad hospitalaria es habitual toparse casi a diario con intoxicaciones producidas por el alcohol, los ansiolíticos, la marihuana, la cocaína, el paco y diversas drogas de diseño. Pero este caso era completamente diferente: se trataba de un protagonista fundamental de la Historia Antigua de quien no teníamos el cadáver en la mesa de autopsia porque su cuerpo había desaparecido 2.333 años antes.

Conocedor de los venenos de la época, Damin comenzó analizando la estricnina, un alcaloide que se halla en la planta *nux vomica*. Resaltó que la muerte por estricnina es muy típica y presenta síntomas llamativos, "a toda orquesta", ya que el cuadro está constituido por convulsiones y contracturas musculares que llaman poderosamente la atención a los observadores. Damin enfatizó que de haber sido estricnina el veneno usado, el cuadro clínico hubiera sido distinto al que le había descrito. Además agregó que el paciente hubiese muerto en pocas horas y no en días como los datos históricos relatan. Por otro lado, en el envenenamiento por estricnina no hay fiebre, excepto la que eventualmente pudiera producirse por efecto de las contracciones musculares, pero aun en esta circunstancia hubiera sido poco manifiesta y no hubiese dominado el cuadro, concluyó Damin. Plutarco había descrito "calenturas" que requirieron tratamiento por inmersión en agua fría. La estricnina, en consecuencia, no fue el veneno usado.

Inmediatamente, el Dr. Damin hizo referencia a una planta venenosa muy extendida en Asia —lo que en principio se ajustaba a la geografía— y en el mediterráneo europeo: el extracto de eleboro. Este veneno deriva de una planta, el *Helleborus phetidus*. Aquí los síntomas dominantes son las náuseas, los vómitos, la diarrea, dolores de cabeza, confusión mental y muerte por paro cardíaco. Alejandro Magno no presentó síntomas digestivos, náuseas, vómitos ni diarrea. Además, como en el caso de la estricnina, en el envenenamiento por extracto de eleboro no hay fiebre como la que se citaba en el cuadro clínico del paciente.

Luego Damin se refirió al último veneno posible en la Babilonia de entonces, el arsénico. El colega hace aquí una descripción aterradora, ya que es la peor muerte por envenenamiento que uno pueda imaginar. El sulfuro de arsénico, extraído de las minas de oro y plata, produce el deceso luego de sufrir muchísimo. El cuadro clínico de muerte por envenenamiento de arsénico es muy nutrido: dolor abdominal, náuseas, vómitos y diarrea, que puede ser sanguinolenta; además, no produce fiebre y la muerte es rápida. Luego de un instante de silencio resultaba evidente que los síntomas descritos por Plutarco no coincidían con los tres venenos analizados.

Terminábamos el café y el Dr. Damin concluyó que el paciente, cuya historia clínica se encontraba en el escritorio, no había muerto envenenado. Luego nos levantamos y caminamos por las aulas pensando en el paciente sobre el cual habíamos discutido la posible causa de muerte. Los alumnos de medicina tomaban clases de toxicología cuando nos despedimos en el hall de ingreso de la cátedra.

La causa del magnicidio

Probablemente el matador de Alejandro Magno fue un ser viviente extremadamente pequeño, pero... ¿cuál fue?

Alejandro murió durante la primavera de Babilonia, a orillas del río Éufrates, a unos 90 kilómetros de la actual Bagdad, en una zona pletórica de pantanos, vegetación, pájaros y artrópodos. La flora, fauna y las condiciones ambientales de la región favorecen la emergencia de enfermedades endémicas. Podríamos pensar en diferentes padecimientos: peste bubónica, leishamaniasis, cuadros febriles hemorrágicos, etc. Sin embargo, los síntomas no nos hacen pensar en estas enfermedades. Tampoco podemos pensar en epidemias, ya que no tenemos noticias de que alguna enfermedad afectara a sus tropas ni a la población local. En ese caso, el diagnóstico sería más fácil. También podría pensarse en alguna enfermedad no infecciosa, incluso intoxicación alcohólica. Pero para formular un diagnóstico mejor comencemos por la "historia clínica" de Alejandro Magno.

Vamos a preparar una historia clínica tal como se confecciona actualmente. Para esto tomaremos como referencia las circunstancias y la sintomatología descrita por Plutarco y aplicaremos la información histórica disponible, intentando hacer un diagnóstico retrospectivo por exclusión de distintas enfermedades potenciales.

Historia Clínica

Paciente: Alejandro Magno
Sexo: Masculino
Edad: 32 años
Lugar de nacimiento: Pela, Macedonia
Fecha de nacimiento: 20 de julio de 356 a.C.
Ocupación: Militar en actividad
Motivo de consulta: Fiebre, decaimiento, postración y dolor abdominal.
Enfermedad actual: Tras una jornada asintomática y en buen estado general, no presentando ningún síntoma los días previos, el paciente, luego de un banquete con importante ingesta alcohólica, manifiesta dolores generalizados, decaimiento y fiebre. Al día siguiente, y luego de pasar una noche con malestar general, el enfermo vuelve a ingerir vino. Poco más tarde, reaparece el dolor abdominal, dolores musculares, malestar general y fiebre. No refiere náuseas, vómitos ni diarrea. La fie-

bre va acompañada de escalofríos, temblores y transpiración. El paciente alivia la sintomatología febril con baños de agua fría. Comienza a alternar periodos febriles de mayor y menor intensidad tratados con baños y compresas con agua fría en tórax y frente. Hacia la semana de comenzados los primeros síntomas, continúa con fiebre alta, deshidratación, pérdida de apetito, debilidad generalizada, escalofríos y temblores; progresivamente perdió la capacidad de hablar, prácticamente no se movía y solamente hacía movimientos leves con sus manos y ojos. Hacia el decimoprimer día de enfermedad, la respiración se hizo más rápida y superficial, paulatinamente perdió el estado de conciencia y finalmente falleció.

Antecedentes familiares:

Padre: falleció por asesinato
Madre: viva y sana
Hermano (por parte del padre): vivo y sano

Antecedentes personales: Previamente sano, sin enfermedades crónicas y con vida activa.

Antecedente de herida traumática punzante severa en el tórax producida en combate, posiblemente complicada con hemoneumotórax. Viajó desde Egipto hasta la India. Era bisexual. Tomaba grandes cantidades de alcohol en forma intermitente.

Examen físico: Hombre joven, buen desarrollo físico. Luce severamente enfermo. Dificultad respiratoria, taquipnea, responde escasamente al interrogatorio. Se observa cicatriz en el tórax. No se observan lesiones en la piel ni alteraciones en el color de la misma. No se citan otros signos ni síntomas de interés clínico.

¿Qué haría el Dr. House?

Del análisis del cuadro clínico descrito y de la bibliografía disponible vamos a hacer lo que en medicina se llama “diagnóstico diferencial”. El diagnóstico diferencial consiste en enunciar las distintas posibilidades diagnósticas —es decir, las diferentes enfermedades— y evaluar, según el caso, qué elementos clínicos permiten afirmar que se trata de una o de otra enfermedad para así llegar al diagnóstico más probable.

Probablemente usted haya visto alguna vez la serie *Dr. House*. En la serie, los médicos escriben en una pizarra las distintas enfermedades o diagnósticos posibles y los van descartando o afirmando según los síntomas y los estudios diagnósticos realizados. En nuestro caso, claro está, no tenemos análisis de laboratorio, biopsias ni tomografías computadas, sólo contamos con la descripción del cuadro clínico y con nuestra capacidad de razonamiento médico. Entonces, vamos a pensar los distintos diagnósticos diferenciales tal cual haríamos en el hospital. Veamos:

√ Envenenamiento
√ Hepatitis aguda
√ Pancreatitis aguda
√ Enfermedades de vías biliares con obstrucción aguda
√ Úlcera gástrica o duodenal perforada
√ Leptospirosis
√ Esquistosomiasis aguda
√ Fiebre amarilla
√ Malaria
√ Fiebre tifoidea
√ Encefalitis por el virus del Nilo

¿Cuál es el diagnóstico? Respecto de la posibilidad de envenenamiento ya hemos dicho que es muy poco probable, básicamente porque en un envenenamiento la persona fallece rápidamente: por lo menos así debería haber sido teniendo en cuenta los venenos disponibles en la época.

Por otro lado, las medidas de seguridad que debieron ser tomadas hacen poco probable la administración de sucesivas dosis de veneno. La posibilidad de envenenamiento ya la analizamos con el Dr. Carlos Damin y queda descartada de plano.

Analicemos los distintos diagnósticos que nos quedan. La hepatitis aguda es un diagnóstico a considerar. Se trata de un proceso inflamatorio que puede ser producido generalmente por virus o por causas tóxicas. En el caso de que consideremos a los virus como causa de una hepatitis aguda fulminante, el paciente debería haber presentado ictericia, es decir, un color de piel amarillo por acumulación de bilirrubina a causa de la insuficiencia hepática aguda. La descripción del paciente no indica alteración del color de la piel, tanto en la descripción de Plutarco como en la de Arriano[14] y otros historiadores. Creo firmemente que con la medicina de la escuela griega de Hipócrates este elemento clínico, la ictericia, no hubiera pasado inadvertido. La otra causa que debemos considerar es la hepatitis aguda fulminante tóxica por ingestión de alcohol. La descripción de las horas previas a la aparición de la enfermedad indica la ingesta copiosa de alcohol en un banquete. Podría ser, pero aquí también falta la ictericia, no encaja.

La pancreatitis aguda es un diagnóstico posible, sobre todo la forma llamada necrotizante. Ésta, al igual que la hepatitis, puede ser desencadenada por el consumo de alcohol en grandes cantidades. En estas enfermedades hay dolor, y cuando avanzan, aparece fiebre por sepsis, es decir, por infección. En este caso el cuadro fue diferente. La fiebre aparece desde el comienzo y con un desmejoramiento que lleva más de diez días, por lo que no es típico de esta forma de pancreatitis.

Un diagnóstico posible a considerar es alguna enfermedad de vías biliares con obstrucción aguda. Aquí la obstrucción de los conductos hepáticos puede dar un cuadro compatible con los síntomas de Alejandro Magno, pero las causas más comunes que originan esa obstrucción son cálculos, tumores o complicaciones por parásitos. El buen estado previo del paciente, la edad y la falta de ictericia también van en contra del diagnóstico.

Otro cuadro clínico que podríamos considerar, sobre todo en la época, es la úlcera gástrica o duodenal perforada. La perforación de una úlcera gástrica o duodenal generalmente complica el cuadro con peritonitis, provocando dolor y fiebre. Sin embargo, aquí tampoco creo posible este diagnóstico ya que, en general, el paciente debería tener antecedentes digestivos y el deterioro y la evolución tampoco coinciden.

La leptospirosis es una enfermedad rara, producida por una bacteria (*leptospira interrogans*) que infecta al hombre cuando el agua contaminada por la orina de algún animal infectado toma contacto con alguna lesión en la piel, ojos o mucosas. El cuadro puede eventualmente presentar síntomas de fiebre y dolor abdominal. Sin embargo, tampoco me inclino por este diagnóstico. En general, esta enfermedad comienza con un cuadro gripal y se complica con náuseas, vómitos, hemorragias, síntomas meníngeos, etc. Además, la evolución es más lenta.

La esquistosomiasis es una enfermedad producida por un parásito del género "esquistosoma". Algunos tipos de equistosomiasis producen fiebre y dolor abdominal y por otro lado es una enfermedad que se presentaba en Medio Oriente. Sin embargo acompañan al cuadro muchos otros síntomas que no están descritos en el cuadro del paciente, la evolución es mucho más lenta y rara vez es mortal.

La fiebre amarilla es producida por un virus que es transmitido por la picadura del mosquito *Aedes Aegypti*. Si bien el cuadro clínico incluye fiebre y puede haber dolor abdominal, lo característico es que se produzca un brote epidémico, es decir, que mucha gente hubiera sido afectada y no tenemos referencia de una epidemia entre sus tropas o en la población civil de Babilonia. Por otro lado, el cuadro clínico incluye náuseas, vómitos, ictericia, hemorragias nasales y de encías y vómitos de sangre coagulada; es decir, con coágulos de sangre oscura, de ahí el nombre que también recibe la fiebre amarilla: "vómito negro". Este cuadro clínico tampoco coincide con los síntomas de Alejandro Magno.

Otro diagnóstico anotado en la pizarra es el paludismo. También llamada malaria, esta enfermedad es producida por distintos tipos de parásitos del género *plasmodium*. La enfermedad se adquiere al ser picado por un mosquito *Anopheles* que se encuentra infectado. Así, el parásito pasa a la sangre del paciente y se produce la enfermedad. El cuadro clínico incluye fiebre y eventualmente dolor abdominal. Si bien esta enfermedad existía en Babilonia 300 años a. C., pasa lo mismo que para el caso de fiebre amarilla, es decir, no hay evidencia de otros casos en la población local y, lo más importante, en general va acompañado de otros síntomas no descritos en Alejandro Magno, tales como ictericia, dolor de cabeza, náuseas y vómitos.

Como podemos ver, el diagnóstico no es fácil debido a la escasez de información, el tiempo transcurrido y, claro está, la falta de análisis y estudios diagnósticos. Sin embargo, con la información disponible nos acercamos al posible diagnóstico al considerar las siguientes dos enfermedades que hemos escrito en nuestro pizarrón de diagnósticos posibles. Debemos considerar ahora la fiebre tifoidea y la encefalitis por el virus del Nilo. Veamos.

La fiebre tifoidea es una infección intestinal provocada por una bacteria del tipo de la *Salmonella Typhi* u otras parecidas. La bacteria se transmite a través de agua o alimentos contaminados. Llega así al intestino para luego pasar a la sangre y complicar distintos órganos al liberar sustancias tóxicas denominadas endotoxinas. El cuadro clínico incluye dolor abdominal y fiebre. Si bien es cierto que también presenta diarrea, se han publicado estudios estadísticos que indican que un número significativo de pacientes con fiebre tifoidea no presentan diarrea. Hasta acá, bien puede coincidir con el cuadro clínico de Alejandro Magno. También es necesario mencionar que en casos no tratados con antibióticos es posible que el cuadro se complique con perforación intestinal. De este modo, se produce una infección del peritoneo o peritonitis. Ésta es una complicación grave que aumenta el dolor abdominal y la fiebre. Cuando la peritonitis avanza, la infección compromete el funcionamiento del sistema cardiovascular y la respiración se torna superficial e ineficiente. La descripción de las últimas horas de vida del gran conquistador indica en forma bastante clara que fue perdiendo las fuerzas y que al final casi no se movía, reconociendo a sus soldados con un ligero movimiento de ojos y boca. Este síntoma es frecuente en un síndrome de parálisis neurológica progresiva o síndrome de Guillian Barre. En este cuadro neurológico el paciente va perdiendo la fuerza en todo su cuerpo. Lo interesante es que este síndrome es relativamente común en infecciones de este tipo, por lo que el diagnóstico posible de la muerte de

Alejandro Magno puede ser el de fiebre tifoidea con perforación intestinal y complicada con síndrome de Guillian Barre. Como dato agregado hay que decir que su amante, el comandante de caballería Hefestion, había muerto meses antes por un cuadro febril posiblemente similar al de Alejandro.

Mucho se ha escrito sobre las posibles causas de muerte de Alejandro Magno. Sin duda, es un enigma en la historia de este fascinante personaje. Hemos repasado las distintas posibilidades en nuestra pizarra diagnóstica, al mejor estilo Doctor House. Pero claro, siempre surge nueva información. Una de las últimas teorías sobre la posible causa de muerte de Alejandro Magno nace de una relectura detallada de las crónicas de Plutarco que en un momento señala: "Cuando Alejandro llega, en las murallas de la ciudad se veían muchos cuervos picándose unos a otros, multitud yacían muertos y otros caían a su paso". Alejandro murió en Babilonia con un cuadro clínico de fiebre, dolor abdominal agudo, delirio, paulatina pérdida de fuerzas y disminución progresiva del estado de conciencia. Este cuadro clínico es compatible con nuestro último posible diagnóstico: encefalitis por virus del Nilo. Ésta es una enfermedad febril aguda que es producida por un virus, cuyo reservorio natural son las aves, entre ellas, los cuervos descritos por Plutarco. Las aves transmiten la enfermedad en sus migraciones y enferman de encefalitis generando cambios de conducta: se pican entre ellas y muchas mueren. Claramente esta enfermedad de los pájaros nos hace recordar la descripción de Plutarco. Cuando las aves infectadas son picadas por mosquitos, éstos también se infectan y luego, al picar al hombre, transmiten el virus y así enferman a las personas. Se ha podido determinar que esta enfermedad es endémica en el actual Irak y no hay motivo alguno para descartar que no lo haya sido entonces. La sintomatología y la evolución de la enfermedad de Alejandro Magno coinciden con el cuadro clínico de encefalitis por virus del Nilo, es decir, pudo haber sido la causa de su muerte.

Ahora sí, estamos en condiciones de completar el certificado de defunción del Gran Conquistador.

Certificado de defunción

Paciente: Alejandro Magno
Sexo: Masculino
Edad: 32 años
Lugar de fallecimiento: Babilonia
Fecha: 13 de junio de 323 a.C.
Motivo de fallecimiento: Paro cardiorrespiratorio no traumático
Causas posibles:

A. Fiebre tifoidea con perforación intestinal asociada a síndrome de Guillian Barre
B. Encefalitis por virus del Nilo

Fue así como, a la joven edad de 32 años, uno de los más grandes conquistadores de la Historia dejó su legado. El diagnóstico retrospectivo por exclusión, es decir, un estudio médico realizado hacia atrás en el tiempo y excluyendo según los síntomas los distintos diagnósticos diferenciales, es lo que nos ha permitido evaluar la historia clínica de Alejandro Magno. Es posible que a la luz de nuevos conocimientos o a través del hallazgo de nueva información este diagnóstico pueda variar. Sin embargo, es poco probable debido al tiempo transcurrido —¡2.333 años!— y a la inexistencia del cuerpo.

Eva Duarte de Perón: actriz de reparto de su propio drama

La historia comienza el 7 de mayo de 1919 en Los Toldos, provincia de Buenos Aires.

La historia clínica de María Eva Duarte comienza 31 años después, el 9 de enero de 1950.

Los primeros síntomas se hicieron sentir cuando Evita asistió a la inauguración del nuevo edificio del Sindicato de Conductores de Taxi en Puerto Nuevo, ciudad de Buenos Aires. Era un día de calor y ya no se sentía bien al asistir al acto. Un dolor en la región inguinal hizo que acortara las palabras en el acto inaugural. La acompañaba el ministro de Educación, Oscar Ivanissevich, médico cirujano y profesor de la Facultad de Medicina de la Universidad de Buenos Aires. Sintiéndose mal, regresa a la residencia presidencial de la calle Austria, en el Palacio Unzué, lugar donde hoy se levanta la Biblioteca Nacional. Allí se produce el primer acto médico de la historia clínica de Eva Perón.

Primer examen médico

En la residencia presidencial, los médicos Oscar Ivanissevich y Carlos Puig examinan a la paciente. Diagnostican apendicitis. Se indica medicación analgésica y antitérmica y preparan la cirugía para el día siguiente. Todo diagnóstico de patología abdominal puede confundir y requiere aún hoy de métodos sofisticados para el diagnóstico adecuado, tales como ecografía, tomografía computada, resonancia magnética nuclear, laparoscopia, ninguno de los cuales estaban disponibles por entonces. Por otro lado, en cualquier cuadro abdominal en una mujer hay que pensar en patologías ginecológicas, tales como embarazo ectópico, endometriosis, patología tumoral, etcétera.

La paciente se interna al día siguiente del inicio de los síntomas en el Instituto Argentino de Diagnóstico y Tratamiento. A las 11.30 es operada por los doctores Ivanissevich y Carlos Puig. El presidente Perón estuvo presente en la cirugía. La operación se realizó con el diagnóstico de apendicitis y lo que el cirujano esperaba encontrar era justamente eso, un apéndice inflamado, extirparlo y terminar el asunto. No fue así. Uno, como médico, sabe lo que pensó el cirujano: al ver el apéndice normal comprendió rápidamente que los síntomas del día anterior no eran por apendicitis. Ivanissevich había errado su diagnóstico. Debía existir otra causa, así que podemos imaginarnos que miró a Puig y procedió a explorar con su mano el interior del abdomen y la región pélvica de la paciente. Lo que palpa le hace pensar en cáncer y recuerda cuando hacía dos años había operado a Juana, la madre de Eva. Ningún detalle de la cirugía iba a salir del quirófano: había entrado con apendicitis y la operación había sido un éxito. Y así lo anunciaban el primero y el segundo parte médico:

> La esposa del primer mandatario, doña María Eva Duarte de Perón, fue sometida a una operación de apendicitis aguda sin complicaciones. Su estado general es satisfactorio.
>
> Es satisfactorio el estado de la esposa del Excmo. Señor Presidente de la República, Señora María Eva Duarte de Perón, luego de la intervención quirúrgica a la que fue sometida hoy a las 11.30 hs. Su pulso es normal y no hay temperatura.

Evita es dada de alta el día 14 y a las dos semanas, con toda su energía y entusiasmo, reinicia su actividad habitual. Quince años después, Ivanissevich revelaba en un reportaje periodístico:

> Le pedí que se sometiera a una nueva revisación y una vez establecido el mal, sugerí una operación de matriz (útero). No quiso saber nada y se puso furiosa conmigo.
> —Es la misma operación que le hice a su madre.
> —Usted a mí no me toca, porque yo no tengo nada. Lo que pasa es que me quieren eliminar para que no me meta en política... ¡Y no lo van a conseguir! —le contestó gritando Evita.

El futuro inmediato de Ivanissevich no fue bueno. Fue maltratado por Evita en numerosas oportunidades ante la insistencia de éste para que siguiera el tratamiento. Se cita incluso un carterazo en pleno rostro que recibió quien más adelante sería hombre de López Rega.[15] Ivanissevich renuncia al Ministerio de Educación y Evita no sigue las recomendaciones médicas perdiendo así una oportunidad terapéutica vital.

Las etapas del dolor

Ante una situación de dolor emocional en aquellas circunstancias en las que uno no puede modificar la realidad que se nos da impuesta, las emociones transcurren por etapas diferentes que han sido evaluadas por distintos especialistas. La doctora Elizabeth Kübler-Ross —especialista en duelo, enfermedades terminales y cuidados paliativos— describió cinco etapas. Éstas, en general, se dan en mayor o menor medida y con variables en todas las personas ante una situación vital extrema como la enfermedad o la muerte de un ser querido. Las cinco etapas son: negación, ira, negociación, depresión y aceptación. No utilicemos la expresión "enfermedad terminal", porque el concepto ha variado muchísimo y en la actualidad numerosas enfermedades graves se superan con diagnóstico precoz y adecuado tratamiento. Por otro lado, todos somos terminales y más de un paciente mal llamado "terminal" hoy sobrevive a su médico. Pero supongamos que a una persona se le diagnostica una enfermedad grave. Las etapas emocionales serían más o menos las enumeradas. Primero es probable que niegue la realidad, buscando amortiguar el impacto inicial ante el diagnóstico. Luego la negación es reemplazada por la ira y el paciente se pregunta "¿por qué a mí?" Y reacciona con enojo ante su entorno, hacia la vida, hacia Dios. La etapa siguiente es la negociación. La persona aquí piensa, racionaliza, intelectualiza, "negocia" con la realidad buscando un equilibrio entre sus opciones y posibilidades, buscando conformidad. Enseguida sigue la depresión, dado su estado de tristeza por la situación que vive. Por último, y en caso que se den todas las etapas, sobreviene la "aceptación" de la realidad.

Como médico, a Ivanissevich le tocó vivir la emoción de negación e ira de Evita. A él le costó el Ministerio, a ella la posibilidad de curación. La pregunta es obligatoria: siguiendo el consejo de los médicos, ¿Evita se hubiera curado? No se puede responder con certeza, pero muy probablemente sí. De hecho la madre, Juana, fue sometida a histerectomía por el mismo diagnóstico y sobrevivió. Posiblemente si en ese momento Evita hubiera aceptado someterse a estudios y tratamientos, esta historia clínica terminaría aquí.

La historia clínica continúa

Son notables las distintas relaciones que establecen las personas con la salud, la medicina y los médicos. Los médicos lo sabemos. Un caso particular es el que se da en algunas personas poderosas, famosas o influyentes. Son pacientes que, en ocasiones, adoptan una postura de autosuficiencia en la que menosprecian la necesidad de los cuidados en la salud como así también las recomendaciones y el desempeño del médico. No es una conducta malintencionada, es una consecuencia del propio temperamento que les hace creer que el mismo poder que ejercen sobre terceros lo pueden ejercer sobre su salud y sus células. El tiempo se encarga de hacerles entender que se equivocan y eso siempre es lamentable. Fue el caso de Evita, que ni siquiera permitió que le hicieran un examen ginecológico luego de la operación de apendicectomía, pero también el de Perón, que conociendo el posible diagnóstico de su esposa desde el comienzo, tampoco intercedió para que su mujer aceptara las recomendaciones médicas. La falta de un médico de cabecera con buena relación médico-paciente y un ámbito donde habitaba el poder y el conflicto de intereses imposibilitaron una oportunidad de tratamiento.

Mientras esto sucedía, Eva Perón trabajaba en la Fundación Eva Perón, en el edificio de Paseo Colón 850 que la "Revolución Libertadora" luego entregaría a la Universidad de Buenos Aires. Funciona ahí, desde entonces, la Facultad de Ingeniería.

Secreto de Estado

21 de septiembre de 1951. El coche ministerial en el que viaja el doctor Armando Méndez San Martín, ministro de Educación, pasa a buscar por su domicilio a otro médico, Jorge Albertelli. Prestigioso ginecólogo, Albertelli había sido alertado horas antes por el ministro de que lo recogería para notificarlo de un tema que no podía ser hablado por teléfono. Así fue que a las tres de la tarde de ese día el doctor Albertelli se encontraba en el coche ministerial. Méndez San Martín le comunicó que la esposa del Presidente estaba enferma y que necesitaban de su ayuda. Se dirigieron entonces a Casa de Gobierno, donde el Dr. Raúl Mendé, ministro de Asuntos Técnicos, le enseñaría la biopsia de Eva para que diera su opinión. Estos datos y los que veremos a continuación son de primera mano. El propio Albertelli decidió escribir el relato de su intervención casi 40 años después de atender a Eva Perón, relevado del secreto médico habida cuenta de que la paciente y sus familiares más directos ya habían fallecido. Al llegar a la Casa de Gobierno y atravesado el famoso Patio de las Palmeras, sostuvo una reunión con los doctores Méndez San Martín y Mendé. Ambos ministros eran médicos —uno urólogo y el otro clínico—, pero como es fre-

cuente en aquellos que se dedican a la actividad política o trabajan como funcionarios, ya no ejercían la profesión. Entre los dos se planteaba una competencia por la influencia o gravitación en las alturas del poder, esto es, sobre Eva y Juan Domingo Perón. En esa reunión, Mendé le reclamó a Albertelli la más rigurosa discreción, haciéndole entender que iba a ser depositario de un "secreto de Estado". Albertelli aceptó dando su palabra y haciendo referencia al juramento hipocrático que los tres habían realizado alguna vez. Entonces Mendé le entrega el protocolo de una biopsia de cuello de útero de nombre supuesto pero que sabía era de Evita. Albertelli recuerda que decía lo siguiente:

MEMBRETE: INSTITUTO ARGENTINO DE DIAGNÓSTICO Y TRATAMIENTO

INFORME: Epitelioma espino-celular con acentuada inflamación del estroma. Se observan células con activas mitosis y en los vasos del tumor múltiples embolias de células neoplásicas.
PATÓLOGO: J. C. Lascano González
MÉDICO REMITENTE: Dr. Humberto Dionisi

El Dr. Lascano González era un prestigioso patólogo y el Dr. Dionisi, quien enviaba la biopsia para analizar, era profesor titular de Ginecología de la Universidad de Córdoba. Ambos eran conocidos y respetados por Albertelli. Mendé le explica a Albertelli que a Dionisi, dada su alejada residencia, le sería imposible atender a la enferma e inmediatamente le solicita a Albertelli que la atienda.

Vamos a la biopsia: "epitelioma espinocelular" es un tipo de células malignas —de hecho son de las más comunes— que produce cáncer de cuello de útero. Este tipo de células tumorales tiene tendencia a producir metástasis a distancia, viajando a través de los vasos linfáticos o sanguíneos. El informe hace referencia a la "acentuada inflamación del estroma". Esto significa que buena parte del tejido que forma la pieza que se envió a analizar presenta fenómenos inflamatorios, dando una noción de afectación celular más avanzada. En cuanto a la presencia de "células con activas mitosis" significa que las células malignas se están reproduciendo a ritmo acelerado, lo cual ilustra la gravedad del proceso. Lo mismo sucede cuando el patólogo informa que en los vasos del tumor se observan "múltiples embolias de células neoplásicas": en los vasos sanguíneos ya se han instalado células malignas. Albertelli comprendió inmediatamente la gravedad del caso. El informe de la biopsia era a nombre supuesto, pero los tres sabían que era de la esposa del presidente Juan Domingo Perón... era un "secreto de Estado".

Los cien días

El doctor Albertelli escribe sus memorias bajo el título de *Los "cien días" de Eva Perón* y lo hace de ese modo porque fueron aproximadamente tres meses los que vivió en la residencia presidencial, lapso que abarca desde el comienzo de la relación médico-paciente hasta poco después de la cirugía a la que Eva Perón sería sometida en el Hospital de Avellaneda.

El colega traza una suerte de paralelismo con los "cien días" de Napoleón. Recordemos que ése fue el lapso en que el político y militar francés es rescatado del exilio en la isla de Elba, llega a su patria con la ovación de su pueblo y organiza el ejército para combatir contra los enemigos. Napoleón, finalmente, fue vencido en Waterloo. Como Napoleón, Albertelli también entiende que Eva Perón luchó durante esos cien días contra un enemigo no externo sino íntimo e igualmente poderoso: el cáncer. Albertelli lo expresa así:

> Eva Perón, surgida de la nada, mujer de pueblo, rescatada por el príncipe encantado, libró batalla y ganó. Pero sucede algo trágico: en el pináculo de la vida, así como ésta bruscamente le ha otorgado amor, fortuna y poder, de la misma manera se lo quita, tendiéndole una celada artera. Una cruel y mortal enfermedad trata de abatirla, pero ella, desesperada, estoica y valientemente, combate... El ene-

migo vence y paradójicamente, Eva Perón, la Dama de la Esperanza, muere en el momento oportuno, si es que hay un momento oportuno de morir. Pasa a la Historia. Son los cien días de Eva Perón.

Después de la primera visita a la residencia presidencial, más social que médica, se decide que Albertelli y Dionisi, antes de que éste regrese a Córdoba, le realicen a Eva un examen ginecológico. Así, Albertelli y Dionisi acordarían diagnóstico y tratamiento y compartirían responsabilidades. Fue así que el 22 de septiembre —anestesiada por Roberto Goyenechea, médico convocado por Albertelli— los especialistas en ginecología realizaron en la residencia presidencial un "prolijo y exhaustivo examen ginecológico". Los especialistas coincidieron en el diagnóstico: Se trataba de un carcinoma endofítico de cuello uterino, grado III, con compromiso parcial del parametrio izquierdo y bóveda vaginal del mismo lado. En criollo, se trataba de un tumor maligno de cuello de útero que ya había alcanzado e invadido la vagina, la trompa izquierda, posiblemente el ovario izquierdo, los ganglios y la pared pelviana. El diagnóstico era grave, pero quedaba la esperanza de que no hubiese aún metástasis a distancia que comprometiese a los huesos, los pulmones, el cerebro u otro órgano del cuerpo. Los ginecólogos Albertelli y Dionisi también coincidieron en el plan terapéutico: a Eva le aplicarían agujas de *radium* como sustancia radioactiva en forma intracavitaria, buscando así reducir la extensión del tumor y posteriormente, unos 40 días después, se intentaría una operación de Werthein-Meigs. Esta cirugía se lleva a cabo en los casos avanzados de cáncer de cuello de útero y conssiste en extraer el tumor, el útero, las trompas, los ovarios, los ganglios linfáticos y todo tejido que se encuentre afectado. Si la radioterapia con agujas de *radium* era efectiva y no había metástasis a distancia, la cirugía era una posibilidad. Si esto resultase así, el tratamiento se completaría luego con radioterapia externa. Los médicos Albertelli, Dionisi y Mendé, una vez finalizado el examen, se quedaron juntos esperando al General Perón, quien ya había avisado que estaba yendo desde Casa de Gobierno para tomar contacto directo con los médicos y escuchar el diagnóstico. De acuerdo al testimonio de Albertelli en *Los "cien días" de Eva Perón*, los médicos se encontraban hablando cuando se abrió la puerta y Perón entró en la habitación:

—Buenos días, doctores.
En conjunto: —Buenos días, señor Presidente.
—Estoy en conocimiento de que se ha realizado un examen a mi mujer. Comprenderán que estoy ansioso por conocer el resultado del mismo y cuáles son las conclusiones a que arribaron...
Albertelli: —Lamento mucho ser el vocero de noticias que le han de resultar penosas pero me veo obligado a decirle la desencarnada verdad, que usted debe conocer en su carácter de esposo y jefe de Estado, en lo referente a la salud de una persona trascendente para el país. El caso de su señora esposa es sumamente serio tanto por el carácter de la enfermedad en sí, como por los factores concurrentes que lo agravan respecto al pronóstico a no largo plazo. Su mujer padece un cáncer cuyo punto de partida es el cuello del útero, tumor maligno relativamente frecuente, habitualmente agresivo, de difícil curación con los medios que tenemos hoy en día en las manos. Es sabido que la virulencia del tumor es tanto mayor cuanto menor es la edad. Su señora es muy joven, no obstante, no creemos todo perdido y la obligación es no bajar los brazos y luchar. Hemos preparado un plan de tratamiento que consiste en aplicación de *radium* para detener el crecimiento del tumor, lapso conveniente para que los tejidos se repongan de modo de soportar un acto quirúrgico calculado en aproximadamente 40 días, intervención quirúrgica y ulteriormente completar con rayos X. Esta vez externos.
Luego se estableció un largo silencio, la cara del General trasuntaba su estado de ánimo. No interrumpió la exposición en ningún momento. Su tristeza era evidente. El General rompió el silencio.
—Lo que acabo de conocer, si bien lo intuía, me ha afectado profundamente. Quiero que sepan que Eva representa

algo muy grande como esposa, como compañera, como amiga, como consejera y como punto de apoyo leal en la lucha en la cual estoy empeñado. No puedo juzgar por la parte médica, confío en ustedes y apruebo lo que aconsejen, así que procedan. Deseo ardientemente que la suerte no sea esquiva y nos ayude.

Luego de un nuevo silencio, continuó:

—Les ruego me disculpen, deseo retirarme y meditar un poco. Les agradezco de antemano todo lo que puedan hacer.

El Gral. Perón estrechó la mano del Dr. Albertelli y del Dr. Dionisi y se retiró.

Los cien días habían comenzado. Perón no le diría a Eva, en ese momento, la verdad diagnóstica. ¿Por qué? La enfermera María Eugenia Álvarez cree tener la respuesta. Álvarez resultó ser la enfermera en la que más confiaba Eva. De hecho, María Eugenia la acompañaría hasta el último minuto y secaría sus últimas lágrimas. La enfermera afirmó: "Perón no le dijo por entonces el diagnóstico a Eva para que pasara sus últimos tiempos mejor… porque la quería. El trato que él tenía para con Eva era de un gran amor, de un gran cuidado, de un gran cariño. Nunca vi llorar tanto a un hombre como aquella noche en que Eva murió".

Rumbo al Hospital de Avellaneda

Una semana después de que el doctor Albertelli conoció a Eva, todos los estudios, diagnósticos y esquema terapéutico estaban acordados con los médicos y con la paciente. A Albertelli le quedaban por delante cien días.

A Evita nunca se le pronunció la palabra cáncer. El General Perón sabía todo. Fue el 28 de septiembre cuando en la residencia presidencial —anestesiada nuevamente por Goyenechea— el doctor Albertelli introdujo por vía vaginal las agujas de *radium* para que por 40 días actuaran por medio de las radiaciones sobre el tumor, reduciendo su tamaño, disminuyendo la inflamación y generando una mejor condición para el acto quirúrgico.

El lugar elegido para la operación era el recién finalizado Hospital de Avellaneda que, junto al de Lanús y San Martín que aún estaban en construcción, formaba parte de las obras llevadas a cabo por impulso de la Fundación Eva Perón. El día en que iniciaron el tratamiento de la paciente con las agujas de *radium* no fue un día más, pero no sólo por el hecho terapéutico. Ese día, 28 de septiembre de 1951, se produjo el levantamiento militar del general Benjamín Menéndez. Sin apoyo civil y con poca participación militar, fue sofocado inmediatamente. Eva Perón se enteró esa misma tarde y apenas recuperada de la anestesia intentó participar activamente en los hechos. Albertelli deja constancia en su crónica que era asombrosa su reacción física y verbal el mismo día en que fue sometida a anestesia y que se le colocaron los dispositivos de radioterapia. Albertelli, apoyado por Perón, pudo hacer que la participación de Eva se limitara a un mensaje radial que realizó desde su lecho de enferma y que se transmitió en cadena por Radio Nacional a las 21 de ese mismo día.

El dispositivo de *radium* que Albertelli había colocado en la paciente fue retirado, también bajo anestesia general, 120 horas después de aplicado. Los efectos terapéuticos tardarían más de 15 días en observarse. Albertelli iba a convivir con la paciente durante 100 días. Sabía que más allá de las prácticas y controles médicos habituales y eventualmente alguna complicación, iba a disponer de mucho tiempo. De hecho, en ese periodo almorzó unas 80 veces con Perón y controló a Eva tres veces por día. Fue testigo del trato matrimonial que él describe como "cariñoso" y "considerado". Perón trataba a Eva afectuosamente como "negrita". Eva se dirigía a él como "Juancito". El matrimonio tenía dormitorios independientes y no contiguos. Albertelli nunca vio el dormitorio de Perón. El de Eva tenía cama matrimonial. Albertelli evitaba la política, es más, se definía como apolítico, aunque provenía de una familia de pensamiento socialista. Estos datos, que podrían interpretarse como "anecdóticos" o "superficiales", permiten ubicarnos y entender el desafío nada fácil que se le presentaba a Albertelli: estaba formando parte de una relación médico-paciente por demás especial. Convivía, en calidad de médico, con el presidente de la Nación y con su esposa. No iba a ser fácil evitar la política y estaba preparado para ello. Sabía que no debía perjudicar la relación médico-paciente pero también sabía que no podía mentir. Imaginaba, y luego comprobó, que el gobierno lo había investigado bien, tanto a él como a su familia, y que no debía ocultar nada. Tampoco debía fingir. Albertelli cita que una vez, cuando conoció a la paciente, ésta le advirtió que era "desconfiada en extremo" y esa autodescripción quedó grabada en su mente. Atento al momento… ¡el momento llegó! Una tarde Eva hizo la pregunta indeseada:

—¿Es usted peronista?
—Señora, soy apolítico, pues no me agrada la actividad política, si bien creo que ejercida correctamente es necesaria en nuestro sistema de vida, el ser humano la corrompe y la transforma en un agente nocivo para una buena convivencia. No estoy afiliado a ningún partido político ni lo he estado… pertenecer a un partido político, afiliándose, es entregarse a la sumisión de obediencia que roba al individuo lo más caro que tiene: la libre determinación. Se convierte pues en una tiranía.

Albertelli comenta que la respuesta no la satisfizo pero que estaba conforme en haberle dicho la verdad de su pensamiento. Cuando Albertelli terminó de hablar, Eva llamó a la enfermera indicándole que llamara a Atilio Renzi, el intendente de la residencia presidencial, para que se hiciera presente desarrollándose el siguiente diálogo:

Mire, Renzi, el Dr. Albertelli no tiene escudos peronistas para usar en su solapa, tráigale unos cuantos.

Renzi volvió con un puño colmado de emblemas. Eva tomó uno y se lo colocó a Albertelli en la solapa, diciéndole: "En el peronismo es todo distinto". Albertelli le agradeció a Eva sin prometerle nada.

Es de imaginarse cuántas veces el doctor Albertelli habrá pensado en la tarde que llegó Eva Perón a la consulta: ¡qué distinto sería el pronóstico si la consulta hubiese sido precoz! El cáncer cervical o de cuello de útero es un tumor maligno que se forma en la parte inferior del útero y de los tumores femeninos es el más frecuente después del de mama. En la actualidad, la realización periódica anual de un examen ginecológico de rutina que incluya estudios mamarios reduce a un mínimo la complicación por un tumor ginecológico.

Volvamos nuevamente a la residencia presidencial de Austria y Avenida Del Libertador, en la actual Biblioteca Nacional. La paciente mejoraba en algunos aspectos y empeoraba en otros. Los dolores habían desaparecido. Ya no tenía hemorragias vaginales pero a causa de la anemia tuvo que recibir transfusiones de sangre en varias oportunidades. El estado general se iba deteriorando: pérdida de peso, anemia, falta de apetito (anorexia), fiebre, pérdida de fuerzas, cansancio y un continuo insomnio que obligaba a la administración de medicamentos para poder dormir. Evita se controlaba el peso con frecuencia y Renzi, el intendente de la residencia, se encargaba, a escondidas, de modificar la balanza para que Eva no notase la disminución de peso; algunas veces, hasta la hizo aumentar de peso... Pero la realidad es que la pérdida de peso fue "invencible".

El ambiente que se vivía en la residencia era de tipo palaciego. Las intrigas y los manejos de poder flotaban en la atmósfera. Aunque intentaban cuidar las apariencias para que no resultase evidente, los ministros de Educación, Armando Méndez San Martín, y de Asuntos Técnicos, Raúl Mendé, se encontraban en continua competencia y se celaban entre sí. Entre los temas incluidos en el manejo del poder dentro del ambiente palaciego no escapaba el doctor Albertelli, quien sin duda sufrió ese manejo. Una mañana, Méndez San Martín, en secreto, confía a Albertelli que se estaba tramando una conspiración en su contra. Le cuenta que Mendé y un amigo de él, el doctor Abel Canónico, habían convencido a Perón de realizar una consulta con un médico estadounidense, George Pack. El doctor Albertelli era considerado "hombre" de Méndez San Martín, pero no era cierto, ya que no tomaba partido en las luchas intestinas de los ministros que se disputaban la influencia sobre Eva Perón. Albertelli, en realidad, era el único médico que actuaba en tanto "médico". Así, pues, lo único que quería era cumplir con su misión. El Dr. Albertelli asimiló la situación sabiendo que la interconsulta médica es un derecho del paciente o de la familia. Pero sobre esta interconsulta, en realidad, la paciente no sabía nada. Eva no había tomado la decisión. Era una decisión del Poder.

El médico que llegó del Norte

El doctor George Pack arriba a Buenos Aires y se aloja en la Residencia Presidencial de Olivos. Nadie debía saberlo, era un "secreto de Estado". Por supuesto, el departamento de Estado norteamericano y la CIA estaban bien al tanto de la visita... George Pack era un destacado cirujano del Memorial Sloan-Kettering Cancer Center de Nueva York y había dirigido un tratado de cirugía cancerológica muy completo. Cabe aclarar que Pack no era ginecólogo.

¿Cómo fue que el médico del Norte llegó a Buenos Aires? La secuencia fue así: el doctor Abel Canónico era director del Instituto de Oncología Ángel Roffo y había conocido a Pack en Estados Unidos; Canónico era cirujano general y había operado de apendicitis al ministro de Asuntos Técnicos, Raúl Mendé, con el que mantenía buena relación y a quien le recomendó a Pack; Mendé convenció a Perón para que trajeran a Pack; una vez decidido, Perón arbitró los medios para que fuese secreto. La cumbre médica se realizó en la residencia presidencial. De la reunión nadie debía enterarse, ni siquiera la paciente. El examen físico se realizaría bajo anestesia y Eva nunca debía ver a Pack por expreso pedido del Presidente. El conciliábulo incluía a los doctores Albertelli, Dionisi, Pack, Goyenechea y a los ministros médicos Méndez San Martín y Mendé. Entiéndase bien, se realizó el examen bajo anestesia para que, entre otras cosas, Eva no viera a Pack. Luego del examen, el doctor Pack se mostró de acuerdo con el diagnóstico y esquema terapéutico propuesto por Albertelli y Dionisi. Jorge Albertelli, con un muy buen criterio, y "no médico" precisamente, hizo preparar un acta redactado por él mismo que decía lo siguiente:

> Reunidos los doctores Pack, Dionisi y Albertelli en presencia de los doctores Mendé y Méndez San Martín, una vez realizado el examen de la enferma se determina:
>
> 1°. Que es portadora de un tumor maligno a punto de partida del cuello uterino.
> 2°. Que por el grado de extensión se lo califica en el estadio II-III parametrio.
> 3°. Que el tratamiento seguido hasta el momento es el correcto y aconsejado por los círculos científicos.
> 4°. Que el tratamiento a seguir, propuesto por los médicos tratantes, es el que corresponde de acuerdo al caso y al concepto general.
> 5°. Que la intervención quirúrgica deberá ser efectuada alrededor de los cuarenta días de la aplicación del *radium*.
> 6°. Que el pronóstico es sumamente grave por las siguientes razones:
> a) Juventud de la paciente
> b) Tipo celular del tumor
> c) Grado de extensión de la enfermedad
> d) Por el largo tiempo de evolución
> e) Presencia de numerosas embolias venosas neoplásicas que hacen temer una posible diseminación por vía sanguínea.

El acta fue firmada por todos los médicos y se participó al General Perón sobre su contenido. Pack sabía que era una enfermedad gravísima, con pronóstico "irreversiblemente fatal".

Este examen médico debió representar una emoción ambivalente para Albertelli. Por un lado era una suerte de evaluación de parte de un colega extranjero, por el otro una validación de lo actuado y un modo de compartir responsabilidades. Cabe señalar que el General Perón, al comunicarle al doctor Albertelli la decisión de la interconsulta con Pack, le anunció que era su deseo que fuera él, Albertelli, el que continuara acompañando a la paciente como médico de cabecera hasta después de la cirugía.

Los hechos eran como se presentaban y Albertelli lo aceptó sabiendo que prácticamente era la única posibilidad.

Por otro lado, luego de la interconsulta con Pack, quedó claro que se estaba haciendo lo correcto según el estado de la medicina de entonces, y de hecho Pack no efectuó crítica ni corrección alguna.

El Dr. Albertelli tenía la intuición de que, entre las intrigas y secretos del poder, se planeaba su desplazamiento y la punta de lanza de esa operación de espionaje eran los doctores Canónico y Mendé. No se equivocaba: algo más iba a suceder.

Terremoto

Tiempo atrás, el terremoto de San Juan hizo que Eva conociera a Perón en un acto en el Luna Park para recaudar fondos destinados a paliar la grave emergencia. El sismo cambió la vida de ambos, ya que en ese estadio de box comenzaron a unir sus vidas. Eva solía decir "nací a la vida cuando conocí a Perón" y ahora su vida se jugaba frente a una enfermedad.

Albertelli también estaba viviendo un nuevo terremoto. Como ya había pasado una vez, el Dr. Méndez San Martín, le confiesa en secreto que estaban pensando en que fuera Pack quien operase a Eva. Albertelli, a quien seguramente la novedad no le gustó nada, sabiendo que es el paciente o la familia quien debe decidir la elección del médico, aceptó. Al día siguiente, sabiendo que iba a aceptar, Perón se lo dice personalmente, pero también le hace saber que quería que siguiera a cargo de la paciente con plenos poderes y que figurase como cirujano. En sus memorias, Albertelli señala que notó a Perón "sincero y transparente" hacia él. Tal como se lo había anticipado a Méndez San Martín el día anterior, Albertelli aceptó el ofrecimiento.

La cirugía

Mientras el doctor Albertelli arreglaba los detalles de la cirugía, el pueblo rezaba por Evita. En pocos días, el 11 de noviembre de 1951, se celebrarían las elecciones nacionales. La fórmula Juan Domingo Perón-Jazmín Hortencio Quijano se impondría con el 62% de los votos sobre la radical de Ricardo Balbín-Arturo Frondizi. A Eva, mientras tanto, le dolía haber tenido que renunciar por presiones castrenses y políticas a la candidatura a la vicepresidencia acompañando a Perón. Al momento de renunciar, Eva pronunció una frase potente: "Renuncio a los honores pero no a la lucha". No sabía que la verdadera lucha iba a ser contra el cáncer.

La cirugía se realizaría en el Policlínico Presidente Perón de Avellaneda. Su director, el prestigioso profesor Dr. Ricardo Finochietto, se convertiría en una de las más importantes figuras médicas de la Argentina que alcanzaría prestigio internacional. Por entonces, Finochietto también era el jefe de Cirugía del Hospital Rawson e iba a ser él quien, para la opinión pública y también para Eva, realizaría la intervención. En realidad, George Pack sería el primer cirujano y Jorge Albertelli lo secundaría.

Albertelli se había instalado en el hospital y viviría allí hasta que se diera de alta a la paciente. El equipo quirúrgico se completaba con el doctor Horacio Mónaco como ayudante, el anestesiólogo Goyenechea, la instrumentadora María Antonia Osoro —profesional que ya venía trabajando con Albertelli— y el doctor Grato Bur como patólogo, quien realizaría los estudios patológicos intraoperatorios por congelación. Pack llega a Buenos Aires el 4 de noviembre y se aísla en la Quinta Presidencial de Olivos. El Dr. Pack, según relata Albertelli, presentaba un cuadro de enterocolitis, habitual en situaciones de estrés, por lo que podemos inducir que estaba estresado. Albertelli se reúne con Pack para comentarle las novedades clínicas desde la última vez que el estadounidense había visto a la paciente. El laboratorio y los estudios cardiológicos no eran perfectos, pero eran aceptables para realizar la intervención. Por indicación de Perón, Pack debía ingresar al quirófano con Eva anestesiada para que ella nunca supiera que sería él quien la operaría. En el quirófano también estaban presentes los doctores Finochietto, Dionisi y Méndez San Martín.

La cirugía comenzó en un clima de lógica tensión. Albertelli cita varias particularidades en la técnica de Pack que no ayudaron en nada. Para empezar, lo habitual es que el primer cirujano, si es diestro, se coloque a la izquierda del paciente. De este modo, su mano derecha se orienta hacia la pelvis, que sería lo más razonable. Esto dice Albertelli:

> El Dr. Pack, en contra de todo lo previsto, se situó a la derecha de la enferma. Y digo en contra de todo lo previsto porque los ginecólogos diestros lo hacen a la izquierda para poder utilizar la mano hábil, la derecha, en dirección a la pelvis. Yo enfrente y a mi lado el Dr. Mónaco, Osoro a mi otro lado.

Además de la posición frente a la paciente, sorprendió que Pack utilizara un instrumento, llamado "separador de Finochietto", no apto para esta cirugía. Tal vez lo hizo para estrechar vínculos profesionales con Finochietto, que estaba en el quirófano. Además, Pack utilizó hilos de sutura no reabsorbibles y gruesos. Acá cabe aclarar que los hilos de sutura pueden ser reabsorbibles o no; los reabsorbibles son degradados o absorbidos por el cuerpo con el tiempo, mientras que los otros hilos no. Albertelli no coincidía con Pack y hubiera preferido los reabsorbibles. El tiempo le daría la razón. En palabras de Albertelli:

> La primera desinteligencia fue la elección por parte de Pack de un separador estático abdominal, insistía en emplear un separador costal de Ricardo Finochietto, mamotreto gigante no apto para una operación abdominal, ciertamente bastante incómodo. Tuve que ceder. Incisión transversa suprapubiana. Poca pérdida de sangre. Panículo adiposo muy escaso, facilitaba el accionar. Exploración manual de

la pelvis: infiltración parcial del parametrio izquierdo, no ganglios. Anexo izquierdo algo engrosado. La operación de Wartheim-Meigs (que implica la remoción del útero, las trompas de Falopio, los ovarios y los ganglios linfáticos) sería insuficiente a mi parecer.

Segunda disensión: "se extirpan algunos ganglios de apariencia inflamatoria". Examen histopatológico de congelación: ausencia de neoplasia. Cierre de la pared por planos. Lo hice con hilos que trajo el Dr. Pack consigo desde los Estados Unidos.

Tercera disensión: insistió a pesar de mi opinión en contra. Eran de material no reabsorbible, no sé exactamente cuál, gruesos, algo más de lo conveniente para mi gusto. Repito que traté de disuadirlo políticamente pero insistió, de manera que usé esos famosos hilos. ¡¡Ojalá no lo hubiera hecho!!

Bajo un clima de tensión, la cirugía se llevó a cabo sin inconvenientes quirúrgicos. Pack se retiró del hospital sin ser visto y permaneció secretamente, en previsión de cualquier complicación, en la Quinta de Olivos. Para entonces ya se le había ido la enterocolitis...

Todo el equipo quirúrgico se había retirado del hospital menos Albertelli, que seguiría cumpliendo su misión hasta que la paciente fuera dada de alta. Se había instalado en el cuarto piso del hospital (Eva estaba internada en el primero). Desde ahí podía escuchar a una muchedumbre de seguidores que velaban por ella en la puerta del nosocomio.

La evolución post-operatoria inmediata no presentó problemas. La mala noticia llegó pocos días después aún con la paciente internada. Albertelli recibe un llamado del anatomopatólogo Grato Bur: tenía los resultados del estudio de la "pieza" quirúrgica, es decir, de los órganos que habían sido extirpados. El resultado, que Albertelli no quería oír, decía:

Las noticias no eran buenas. Confirmaban el diagnóstico hecho. Los ganglios estaban libres de enfermedad. La invasión de los tejidos adyacentes a la implantación del tumor se confirmaba, siendo el margen de seguridad, es decir, la distancia entre la zona enferma y la sana, exiguo, no plenamente satisfactorio. Pero lo más grave, gravísimo, prácticamente una sentencia de muerte, fue el determinar la existencia de una metástasis a nivel del hilio ovárico, que seguramente se había producido por vía venosa. ¿Qué significado tenía esto? Pues que las células malignas se vehiculizaban por vía sanguínea y podían implantarse en un breve plazo, indeterminadamente, en otros órganos vitales: pulmón, cerebro, etc. ¿Cuál sería? Un misterio. Pronóstico sumamente sombrío. Plazo: corto. Tratamiento: utópico.

El informe del patólogo era lo peor que se podía esperar. La presencia de metástasis en el hilio ovárico significa que hay células tumorales que han alcanzado los vasos sanguíneos del ovario. El hilio ovárico es justamente el conjunto de arterias, venas y nervios que llegan y salen del ovario. El hecho de encontrar células tumorales en los vasos sanguíneos del hilio ovárico significa que las células cancerosas ya han encontrado una vía de diseminación sanguínea, que del mismo modo que llegaron ahí pueden llegar a otros órganos del cuerpo. Sólo quedaba esperar.

El 11 de noviembre era el día de las elecciones. Por impulso de Eva, la mujer votaba por primera vez en la Argentina en elecciones generales. La junta electoral arbitró los medios y Eva votó en el hospital donde seguía internada. Tres días después fue dada de alta y regresó a la residencia presidencial.

El final

Albertelli había preparado sus valijas en el Hospital para reinstalarse en la residencia de la calle Austria. Cuidaría a su paciente, tal como lo había prometido hasta el post-operatorio. Las curaciones las realizaron Albertelli y Finochietto. Todo iba bien hasta que el extremo derecho de la herida quirúrgica presentó signos de inflamación: eran los hilos gruesos y no reabsorbibles que había utilizado Pack. Evita era una persona que a esa altura de los acontecimientos ya tenía "mal carácter". No toleraría más complicaciones ni más indicaciones médicas. Albertelli trató de corregir la situación efectuando una limpieza quirúrgica, en busca de los hilos que provocaron la complicación. La pequeña intervención fue realizada con anestesia local. No encontró los restos de los hilos y dejó un drenaje. Albertelli consultó con Finochietto, quien se hizo presente en la residencia e intentó encontrar el punto de hilo como antes había intentado Albertelli. Tampoco lo encontró.

Había que operar nuevamente. Lo ideal era realizarlo en el quirófano del hospital, pero una nueva internación sería muy poco conveniente, en términos de imagen pública: todos los informes oficiales hablaban de mejoría y buena evolución. Entonces Albertelli instaló un quirófano en la residencia y, en medio de tensiones, llevó a cabo la cirugía bajo anestesia general. Por fin logró encontrar y extraer el hilo no reabsorbible de Pack. Ahora se trataba de iniciar la última etapa del tratamiento: la terapia por radiaciones. Albertelli propuso al Dr. Joaquín Carrascosa, jefe de Radiología del Hospital Presidente Perón. Carrascosa instaló un equipo Siemens en la residencia e inició el tratamiento con radiación, que con la tecnología de entonces era poco eficiente. Al mismo tiempo, Pack estaba regresando a Buenos Aires: con la presencia del presidente Perón iba a ser condecorado en Casa de Gobierno con la "Orden de Mérito en el grado de Gran Oficial" por su desempeño profesional a nivel internacional. Para Evita el acto no tenía importancia ya que no había conocido a Pack.

La terapia con radiación termina el 31 de diciembre de 1951. Ese día, Albertelli hizo sus valijas: habían terminado sus "cien días". Fue el verdadero médico de Evita. Se despide de Eva y de su esposo. La CGT, entretanto, condecora a Finochietto por haber "operado" a Evita, devolviéndole la salud.

La evolución clínica de la paciente fue mala: a la pérdida de peso y los dolores, se agregó la dificultad respiratoria. Finochietto consulta al doctor Alberto Taquini. ¿El diagnóstico?

Metástasis pulmonar. Pack envió desde Estados Unidos la primera medicación de quimioterapia utilizada en el país, mostaza nitrogenada. Renzi seguía engañando a Evita con la balanza. Al final de la aplicación de las 20 ampollas de quimioterapia, Evita pesaba 36 kilos y los dolores persistían, así como también la falta de aire. Para paliar los dolores, se le aumentó la dosis de morfina. El sufrimiento terminó la noche del 26 de julio de 1952. Poco después, la Subsecretaría de Informes de la Presidencia anunciando expresaba que:

> Cumple con el penosísimo deber de informar al pueblo de la República que a las 20.25 ha muerto la señora Eva Perón, jefa espiritual de la Nación.

A propósito de la ética médica: una reflexión

En el seguimiento de la historia clínica de Eva Perón desde el inicio de los síntomas (9 de enero de 1950) hasta su muerte (26 de julio de 1952), sucedieron un sinnúmero de acontecimientos de interés, históricos y médicos. Haremos una reflexión sobre aquellos aspectos médicos de la paciente en el marco del seguimiento y evolución clínica que hemos realizado.

La historia comienza con un error de diagnóstico inicial. La paciente es operada de urgencia por el cirujano Oscar Ivanissevich. El diagnóstico fallido era apendicitis: una vez hecha la operación, se detectó que el apéndice estaba sano. El médico cirujano, al ver su error, exploró el abdomen durante el acto quirúrgico y consideró la posibilidad de una enfermedad ginecológica. Se lo dijo a la paciente, pero no habló con suficiente claridad, no expuso todas las posibilidades: probablemente la presión del poder y la personalidad de la enferma dificultó el normal desarrollo de la relación médico-paciente. Entonces habló con su esposo y le comentó las posibilidades diagnósticas. Posteriormente, Perón no habló de ello con su esposa. Los motivos por los que no lo hizo son difíciles de saber. Lo concreto es que la paciente cursó un post-operatorio de apendicitis, que en realidad nunca existió, y se reintegró rápidamente a su trabajo en la Fundación que llevaba su nombre. El tiempo pasó, los síntomas continuaron y tardíamente el doctor Humberto Dionisi realiza un examen ginecológico y una toma de biopsia de cuello de útero. El 21 de septiembre de 1951 interviene el doctor Jorge Albertelli, convocado por los doctores Armando Méndez San Martín y Raúl Mendé. Albertelli sería quien atendería a Eva. Convivió con ella y su esposo en la residencia presidencial hasta después de la cirugía. Pero no fue Albertelli quien la operó. Un ambiente palaciego y de lucha de espacios de poder hizo que, con el desconocimiento absoluto de la enferma, la operación la realizara un médico norteamericano. George Pack viajó a Buenos Aires en el más estricto secreto aunque con el conocimiento de la CIA y el departamento de Estado estadounidense. Pack jamás habló con la paciente. La paciente nunca vio a Pack. Cuando Pack estuvo frente a ella, Eva estaba anestesiada. Así desplazaron de la cirugía al Dr. Albertelli, quien participó como ayudante. Luego de la cirugía, Pack volvió a Estados Unidos. A Eva se le dijo que quien realizó la operación fue el Dr. Finochietto. Pack fue más tarde condecorado en Casa de Gobierno por el presidente Perón por haber operado a Eva Perón. El Dr. Albertelli fue olvidado. La paciente nunca fue informada adecuadamente sobre su estado de salud ni sobre las posibilidades diagnósticas ni terapéuticas. Nunca supo quién la operó y hay que suponer que ignoró el verdadero diagnóstico hasta avanzado el cuadro clínico. La paciente, en busca de la verdad del diagnóstico, un día solicitó la historia clínica a la enfermera María Eugenia Álvarez. Pero la historia clínica no estaba en su lugar habitual. De acuerdo a la enfermera, el Dr. Mendé la había ocultado. Mendé lo niega ante Eva, pero la paciente le cree a María Eugenia.

La ética médica se ocupa de los actos médicos desde el punto de vista moral. Pero en este caso particular de la ética, no se trata solamente de la evaluación de los actos como "buenos o malos". Aquí, además, debemos verlos como correctos e incorrectos. Actuar éticamente en medicina es también actuar en forma correcta con relación a la práctica o praxis médica. Respetar la libertad del paciente en cuanto a su diagnóstico y posibilidades terapéuticas no es sólo un imperativo ético, es una práctica médica correcta que optimiza el diagnóstico y tratamiento y con ello la perspectiva de curación y calidad de vida. Una atención médica "ética" desde el comienzo de la enfermedad de Eva Perón bien pudo haber cambiado la historia clínica. También la Historia.

Jorge Luis Borges: el oro de los tigres

El amarillo fue el único color que no abandonó a Borges, ni siquiera en la ceguera.

Borges nació en 1899, en la calle Tucumán entre Suipacha y Esmeralda, Buenos Aires. Pero sus primeros recuerdos son de la época en que habitaba en su segunda casa, ubicada en Serrano casi Guatemala, en el porteño barrio de Palermo. Ésta fue la casa de su infancia. De ahí no quedaba lejos el Jardín Zoológico, donde su madre, Leonor Acevedo, lo llevaba con frecuencia. En ese lugar Georgie, como lo llamaban en su hogar, iba siempre a la jaula donde se alojaba el tigre de Bengala. Así como los espejos siempre le inspiraron temor, a ese tipo de felinos los admiraba. Borges recuerda que tanto admiraba a los tigres que alguna vez expresó que le "desagradaba que Shere Khan, el tigre, fuera el enemigo del héroe" en *El libro de la selva* de Rudyard Kipling. Se pasaba horas frente a la jaula mientras su madre intentaba llevárselo por la fuerza. Ella recuerda que tanto era el interés de su hijo por permanecer frente a la jaula de los tigres que motivó fuertes conflictos entre ellos. Era tal la magnética atracción que los tigres ejercían sobre Borges que el color amarillo se grabaría por siempre en su retina. Al ver a estos gigantes pasearse tras los barrotes de la jaula del Zoológico, el amarillo como espectro de oro sería por entonces, aún sin saberlo, el "oro de los tigres", que escribiera en 1972:

Hasta la hora del ocaso amarillo
Cuántas veces habré mirado
Al poderoso tigre de Bengala
Ir y venir por el predestinado camino
Detrás de los barrotes de hierro,
sin sospechar que eran su cárcel.
Después vendrían otros tigres,
el tigre de fuego de Blake;
Después vendrían otros oros,
El metal amoroso de Zeus,
El anillo que cada nueve noches
Engendra nueve anillos y éstos, nueve,
y no hay un fin.
Con los años fueron dejándome
Los otros hermosos colores
Y ahora sólo me quedan
La vaga luz, la inextricable sombra
Y el oro del principio.
Oh ponientes, oh tigres, oh fulgores
Del mito y de la épica,
Oh un oro más precioso, tu cabello
que ansían estas manos.

Los antecedentes familiares de Borges nos ayudan a hacer una primera aproximación al entorno familiar y social. También nos permiten conocer datos de interés que nos ayudarán a formular la historia clínica del paciente.

La abuela paterna de Borges, Frances Haslam, era inglesa. Con ella llegó el inglés a la familia. Así el padre de Borges, Jorge Guillermo Borges, aprendió inglés y de éste lo aprendería Leonor Acevedo. En consecuencia, el inglés resultó ser el primer idioma de Georgie y luego vendría el castellano. La abuela inglesa de Borges no sólo legó el idioma inglés, también trajo una carga genética. El padre de Borges era abogado y profesor de psicología en la Escuela Normal de Lenguas Vivas. Los antepasados de Borges estaban cargados de méritos literarios o militares, circunstancia que él experimentaba como virtudes de las cuales carecía y que menoscababan su autoestima. El tío del padre fue el poeta argentino Juan Crisóstomo Lafinur, quien en 1820 escribió una oda a la muerte de su amigo Manuel Belgrano. Su abuelo paterno fue el coronel Francisco Borges Lafinur, fallecido en la batalla de La Verde, alcanzado por dos disparos de Remington. Borges escribió en su autobiografía: "Me fascina pensar que la marca que me afeita todas las mañanas tiene el mismo nombre que la que mató a mi abuelo". Edward Young Haslam era el bisabuelo paterno de Borges, que fue poeta y editó uno de los primeros periódicos ingleses del Río de la Plata, el *Southern Cross*.

El bisabuelo materno fue el coronel Manuel Isidoro Suárez, que luchó en las guerras de la independencia. El abuelo materno Isidoro de Acevedo Laprida, aunque no haya sido militar, luchó contra Rosas. Borges sabía que no estaba destinado a vida de acción...

Mientras tomaba conciencia de sus antepasados, portaba una salud frágil y enfermiza. Prematuro de ocho meses, distorsionaba mucho las palabras cuando comenzó a hablar, al punto de que su madre temía que padeciera de problemas auditivos. Dice Borges: "Siempre fui miope y usé lentes y era más bien débil". A esta condición vivencial se agregaba la circunstancia de su entorno. La familia se mantenía aislada de los vecinos de la calle Serrano, barrio que recuerda como de "matones" y "malevos". Borges no tenía amigos en el vecindario y compartía su infancia con su hermana Norah, que era dos años menor. Recibió su primera educación en su casa con una institutriz inglesa, Miss Tink. El padre desconfiaba de la educación pública y Borges ingresó finalmente al colegio en cuarto grado. Tampoco tiene buenos recuerdos del colegio, del que no recuerda el nombre pero sí que estaba en la calle Thames. Como usaba anteojos de lentes gruesos, saco, y cuello y corbata al estilo de Eton, era objeto de constantes burlas por parte de sus compañeros. El ambiente le resultaba hostil. Por entonces, casi no salía de su casa, donde hizo de la biblioteca paterna su lugar preferido, un mundo de casi mil volúmenes donde expandía su horizonte más allá de los límites de su casa. Borges leía y escribía a los cuatro años de edad y también dejaba plasmado en sus dibujos infantiles la admiración por los tigres y por el color amarillo, que no lo abandonaría ni aun en la ceguera.

Una historia de familia

"Siempre fui miope", solía repetir Borges.

De pequeño, acercándose lo suficiente con sus gruesos anteojos, veía mejor las letras que los rostros de las personas que estaban a mayor distancia. Este hecho hacía que la biblioteca del padre fuera para él un territorio lúdico donde a través de la lectura expandía su infinito horizonte al mundo por conocer. Pero la pérdida visual no era propia ni estática. No era propia porque su padre también perdía la vista. Y no era estática ya que empeoraba con el tiempo. Es que sus ascendentes de la rama paterna también habían sido o eran ciegos: su padre, su abuela y su bisabuelo. Ceguera genética y progresiva. Hacia 1914, su padre, que tenía 40 años y era abogado, decía de sí mismo: "¿Cómo voy a seguir firmando documentos legales si no puedo leerlos?" Jorge Guillermo Borges, que había promovido la vocación literaria de su hijo, también transmitía genéticamente la imposibilidad de seguir leyendo. Fue por entonces que la familia viajó para instalarse en Europa, con dos objetivos importantes: por un lado, su padre se atendería con un famoso oftalmólogo en Suiza; por el otro, Borges y su hermana Norah cursarían sus estudios en Ginebra. En esa ciudad también vivirá su abuela materna, que había viajado con ellos. En Ginebra, Borges ingresa a la escuela a los 16 años, cuando ya era un miope importante, pero esta circunstancia no le impedía ser un gran lector. Como tantos miopes, la caligrafía de Borges era pequeña y comprimida aunque clara y ordenada.

El tiempo y la historia natural de la enfermedad que por transmisión genética lo invadía terminarían injustamente con su condición de apasionado lector.

De la septicemia al Sur

La obra de Borges es fuertemente autobiográfica. El barrio de Palermo con sus matones y cuchilleros, que le resultaban amenazadores cuando vivía aislado al abrigo de su casa, sería más adelante fuente de inspiración para su fértil creatividad: la realidad de su vida se entrelazaría siempre con su ficción. Siempre ha sido así, en la salud como en la enfermedad. Sobre el final de 1937 el padre de Borges sufrió un accidente cerebrovascular que le dejó una hemiplejía izquierda, esto es, no podía mover el lado izquierdo de la cara ni el brazo ni la pierna izquierda. Tenía 64 años y ya estaba completamente ciego. Borges escribió el cuento "El otro" recordando la imagen de la secuela neurológica de su padre: "La mano izquierda puesta sobre la mano derecha era como la mano de un niño sobre la mano de un gigante". Esta descripción hace referencia a la condición anatómica de la mano izquierda, que en el caso de una hemiplejía izquierda, termina hipotrófica o de menor tamaño por la falta de actividad.

Borges recuerda que el 8 de enero de 1938 comenzó a trabajar en la biblioteca pública Miguel Cané del barrio de Almagro. Desde el primer momento se mostró sorprendido por la cantidad de empleados, alrededor de cincuenta, ya que evaluaba que con quince hubiesen sido suficientes. Comenzó desempeñándose como "catalogador", pero debido a que las colecciones de la biblioteca eran escasas le sobraba tiempo. Recuerda que realizaba su trabajo de manera honesta y dedicada cuando un día los compañeros lo llamaron aparte para recriminarle la eficiencia de su tarea, haciéndole saber que de ese modo quedarían todos sin empleo y que en consecuencia debía racionar su trabajo para hacerlo más lento. Fue así que Borges aprovechó el tiempo sobrante para leer y escribir en el sótano o en la terraza de la biblioteca si hacía calor. En la mañana del 24 de febrero de 1938, su madre lo llamó telefónicamente a la biblioteca para avisarle que su padre estaba muriendo porque el "aneurisma se había complicado" y le quedaban pocas horas de vida. Llegó a tiempo para verlo morir, conmoviéndose por la estoica dignidad con que afrontó los últimos minutos. Poco después Borges dejaría en un manuscrito sin corregir un poema fechado en 1938 junto con el dibujo de un árbol grande que guardaba relación con la imagen de fuerza y grandeza que le inspiraba su padre:

Te hemos visto morir de pie,
dando frutos, como mueren los valientes,
te hemos visto morir con el tranquilo
ánimo de tu padre entre las balas.

Borges compara aquí la muerte de su padre con la valentía en la que muere en batalla su abuelo, el coronel Borges.

La muerte de su padre no sería el único evento de naturaleza neurológica que alcanzaría a Borges. En la Nochebuena de ese mismo año, Borges fue a buscar a una amiga a su departamento en la calle Ayacucho, cerca de donde él vivía por entonces, para acompañarla a cenar con su madre. El ascensor no funcionaba y subió corriendo por las escaleras, pero a causa de la pobre iluminación y tal vez facilitado por la escasa visión de los miopes cuando las condiciones de luminosidad son insuficientes, Borges golpeó su cabeza contra el borde del marco de una ventana recién pintada que estaba abierta. Si bien fue atendido y recibió los primeros auxilios, la herida se infectó y permaneció en cama por una semana con fiebre y alucinaciones. Una noche, el cuadro clínico se complicó, perdió el habla y fue internado de urgencia en un hospital donde lo intervinieron quirúrgicamente. La infección se había diseminado provocando un contagio generalizado, cuadro que por el momento recibió el diagnóstico de "septicemia".

Durante aproximadamente un mes, el estado clínico fue de riesgo para su vida. Cuando se recobró, temió haber perdido parte de sus habilidades mentales y en consecuencia no poder escribir nunca más. Cuenta Borges en su autobiografía que su madre quería leerle un libro que él le había encargado —*Out of the silent planet* de C. S. Lewis— pero postergó la lectura por dos o tres días. Finalmente la madre comenzó a leérselo y Borges comenzó a llorar. Ella le preguntó por qué lloraba y él contestó "lloro porque entiendo": se había emocionado al tomar conciencia de que su comprensión se encontraba intacta. Poco después temió no poder escribir más y no se animó a escribir ningún poema ni ningún tipo de artículo literario. Debido a ese temor es que decidió escribir algo distinto de lo habitual, de manera que si fracasaba no sería tan grave. Fue así que escribió el cuento "Pierre Menard, autor del Quijote", que fue publicado en *Sur*, la revista que impulsaba Victoria Ocampo.

Tiempo después, escribió el cuento "Sur", donde, acorde a su tendencia autobiográfica, relata cómo su protagonista, Dahlmann, tiene un accidente que no sólo es la descripción de la vivencia neurológica que presentó sino además una descripción excelente del cuadro clínico:

> Ciego a las culpas, el destino puede ser despiadado con las mínimas distracciones. Dahlmann había conseguido, esa tarde, un ejemplar descabalado de *Las mil y una noches* de Weil; ávido de examinar ese hallazgo, no esperó que bajara el ascensor y subió con apuro las escaleras; algo en la oscuridad le rozó la frente, ¿un murciélago, un pájaro? En la cara de la mujer que le abrió la puerta vio grabado el horror, y la mano que se pasó por la frente salió roja de sangre. La arista de un batiente recién pintado que alguien se olvidó de cerrar le había hecho esa herida. Dahlmann logró dormir, pero a la madrugada estaba despierto y desde aquella hora el sabor de todas las cosas fue atroz. La fiebre lo gastó y las ilustraciones de *Las mil y una noches* sirvieron para decorar pesadillas. Amigos y parientes lo visitaban y con exageradas sonrisas le repetían que lo hallaban muy bien. Dahlmann los oía con una especie de débil estupor y le maravillaba que no supieran que estaba en el infierno. Ocho días pasaron como ocho siglos. Una tarde, el médico habitual se presentó con un médico nuevo y lo condujeron a un sanatorio de la calle Ecuador, porque era indispensable sacarle una radiografía. Dahlmann, en el coche de plaza que lo llevó, pensó que en una habitación que no fuera la suya podría, al fin, dormir. Se sintió feliz y conversador; en cuanto llegó, lo desvistieron, le raparon la cabeza, lo sujetaron con metales a una camilla, lo iluminaron

hasta la ceguera y el vértigo, lo auscultaron y un hombre enmascarado le clavó una aguja en el brazo.
Se despertó con náuseas, vendado, en una celda que tenía algo de pozo y, en los días y noches que siguieron a la operación, pudo entender que apenas había estado, hasta entonces, en un arrabal del infierno. El hielo no dejaba en su boca el menor rastro de frescura. En esos días, Dahlmann minuciosamente se odió y odió su identidad, sus necesidades corporales, su humillación, la barba que le erizaba la cara. Sufrió con estoicismo las curaciones, que eran muy dolorosas, pero cuando el cirujano le dijo que había estado a punto de morir de una septicemia, Dahlmann se echó a llorar, condolido de su destino. Las miserias físicas y la incesante previsión de las malas noches no le habían dejado pensar en algo tan abstracto como la muerte. Otro día, el cirujano le dijo que estaba reponiéndose y que, muy pronto, podría ir a convalecer a la estancia. Increíblemente, el día prometido llegó.

Difícilmente una descripción más acabada de las vivencias neurológicas y emocionales del propio estado de "estupor y alteración del nivel de conciencia" de un cuadro infeccioso de septicemia. La descripción de Borges cabalga magistralmente entre la fantasía y la vivencia neurológica emocional que acompañó a su cuadro de septicemia. Nuevamente, lo autobiográfico se imponía en la ficción de Borges.

El paraíso y la paradoja

"Yo siempre me había imaginado el paraíso bajo la especie de una biblioteca", dirá Borges. No se la imaginaba como un jardín, un edén o un palacio. Lo imaginaba en relación al lugar donde había sido feliz: la biblioteca de su padre, cuando vivía en la casa de la calle Serrano.

De chico, padre e hijo iban a la Biblioteca Nacional. Mientras su padre pedía libros de Henri Bergson o de William James, que eran sus preferidos, él buscaba algún tomo de la Enciclopedia Británica o de las enciclopedias alemanas de Brockhaus o Meyer. Estando en ese lugar, en ese momento, no imaginaba lo que para él resultaría la mayor de las distinciones: ser nombrado director de la Biblioteca Nacional hacia fines de 1955. Si bien Borges afirmó que fue nombrado más por motivos políticos que literarios ya que fue designado durante el gobierno de la llamada "Revolución Libertadora", ahí estaba, rodeado de 900.000 libros impresos en distintos idiomas. Libros que, paradójicamente, ya no podía leer.

En ese tiempo su ceguera apenas le permitía distinguir algunas letras de los lomos. Fue entonces cuando escribió el "Poema de los dones" que comienza así:

Nadie rebaje a lágrima o reproche
esta declaración de la maestría de
Dios que con magnífica ironía
me dio a la vez los libros y la noche.

¡Vaya paradoja la de Borges ciego custodiando una biblioteca! ¡Vaya paradoja la de Borges poeta que cita a Dios como autor de la paradoja que le tocó vivir!

Sin embargo, no fue el único director ciego de la Biblioteca Nacional. Paul Groussac, también ciego, ya la había dirigido. Y antes José Mármol, quien también murió ciego. Así, pues, en un ensayo sobre la ceguera Borges relata que no fueron dos los directores de la Biblioteca Nacional que habían sido ciegos sino tres: "una confirmación de orden ternario, una confirmación de algún modo divina".

Diagnóstico presuntivo

En los términos de realizar un diagnóstico, toda historia clínica comienza por la anamnesis. La anamnesis es el conjunto de datos e información clínica que podemos obtener a través del interrogatorio o diálogo con el paciente. Es común que uno comience con el motivo de consulta, es decir, con aquel síntoma o dolencia que preocupa al paciente y que lo lleva a visitar al médico a los efectos de obtener un diagnóstico y tratamiento adecuado. Es así que se indaga no sólo en los síntomas de consulta sino también en la "historia de la enfermedad actual". La importancia de la anamnesis o interrogatorio meticuloso es tal que los históricos maestros y profesores de clínica médica del Hospital de Clínicas de la Universidad de Buenos Aires —tales como los doctores Osvaldo Fustinoni, José Emilio Burucua, Pedro Cossio, Albino Perosio y Luis Suárez— sostenían que el 70 u 80% del diagnóstico se hacía escuchando y observando al paciente. El resto del diagnóstico se realiza efectuando un detallado examen físico y finalmente echando mano a los métodos complementarios de diagnóstico tales como análisis, radiografías, electrocardiogramas, ecografías, tomografías, resonancias, etc. Si bien la evolución científica y tecnológica nos ha aportado herramientas de diagnóstico cada vez más sofisticadas y precisas, sigue resultando fundamental la formulación de la historia clínica sobre la base de la anamnesis y del sagaz interrogatorio del paciente para así orientar el diagnóstico.

En el presente caso, el diagnóstico retrospectivo de un paciente que no tenemos presente en la consulta agrega problemas adicionales. Sin embargo la exposición emocional de Borges —expresiva, pletórica de detalles— arroja datos que permiten formular un posible diagnóstico de las causas de la ceguera. Si bien existe mucha información sobre Borges gracias al meticuloso trabajo de sus biógrafos argentinos y extranjeros, en principio privilegiaremos los datos y detalles de interés diagnóstico que el paciente nos dejó de su puño y letra. Así, nos basaremos en los datos precisos expresados en su autobiografía, en sus poemas y en una conferencia llevada a cabo en Buenos Aires el 3 de agosto de 1977 en el Teatro Coliseo.

En el ejercicio diagnóstico retrospectivo formularemos algunas preguntas "clave" para cumplir con ese paso fundamental de toda historia clínica que es el interrogatorio o anamnesis. Las respuestas las hallaremos entre las palabras que el propio Borges dejó en su obra. Si Borges era fundamentalmente un escritor de ficciones, entonces apelaremos a un lúdico dispositivo de preguntas imaginadas y de respuestas posibles (en realidad, nos basaremos en las palabras que fueron dichas o escritas por el paciente, por lo que etiquetaremos cada contestación indicando la fuente de información).

Comencemos entonces, tal como haría un médico en su consulta clínica:

MÉDICO: Buenas tardes señor Borges, veamos por favor algunos antecedentes familiares. ¿Alguien de su familia ha presentado problemas visuales?

BORGES: Mi padre y mi abuela murieron ciegos, ciegos y sonrientes y valerosos. Y yo espero morir así también, pero no sé, se heredan muchas cosas, la ceguera por ejemplo, pero no se hereda el valor y yo sé que fueron más valientes que yo (*Teatro Coliseo, conferencia*). En 1914 nos trasladamos a Europa. Mi padre había empezado a perder la vista y se haría tratar por un famoso oculista en Ginebra (*Autobiografía*).

M: Entonces su padre y su abuela paterna... ¿Sabe de algún otro familiar con problemas visuales?

B: La ceguera fue una característica de mi familia. Una descripción de la operación de ojos que le hicieron a mi bisabuelo, Edward Young Haslam, apareció en las páginas del *Lancet*, la revista médica de Londres (*Autobiografía*).

M: ¡Entonces padre, abuela y bisabuelo por vía paterna!

B: La ceguera fue una característica de mi familia (*Autobiografía*).

M: Característica de familia, pero por vía paterna, es decir, por la rama inglesa. ¿Y desde cuándo presentó problemas visuales?

B: Siempre fui miope y usé lentes (*Autobiografía*).

M: Es decir que la disminución visual comenzó desde la infancia. ¿En casa, en el colegio?

B: Empezó cuando empecé a ver y ha durado hasta ahora, es decir, se ha extendido desde 1899. Como era tan miope, me he olvidado de la mayoría de las caras de ese tiempo (quizá cuando pienso en mi abuelo Acevedo pienso en su fotografía), pero todavía recuerdo con nitidez los grabados en acero de la Chambers's Encyclopaedia y de la Británica. Recordar mis primeros años escolares no me produce ningún placer... Como yo usaba lentes y llevaba cuello y corbata al estilo Eton, padecía las burlas y bravuconadas de la mayoría de mis compañeros, que eran aprendices de matones (*Autobiografía*).

M: Señor Borges, ¿quiere decir que la pérdida visual fue progresiva?

B: La ceguera me fue alcanzando gradualmente desde la infancia. Fue como un lento atardecer de verano. La fama, como la ceguera, me fue llegando de a poco (*Autobiografía*).

M: El problema visual, ¿es de igual magnitud en ambos ojos?

B: Es ceguera total de un ojo, ceguera parcial del otro (*Teatro Coliseo, conferencia*).

M: ¿Y cuándo diría usted que perdió la vista totalmente, es decir, cuándo, en ese proceso lento y progresivo, diría que ha quedado ciego?

B: En el momento en el cual yo comprendí que había cesado mi vista de lector y escritor, que me veía apartado de los libros y apartado del hábito de la escritura, que eso me estaba vedado (*Teatro Coliseo, conferencia*).

M: Sí, señor Borges, exactamente.

B: Podemos fijar entonces una fecha. Por qué no fijar la fecha, tan digna de recordación, de 1955 (*Teatro Coliseo, conferencia*).

M: ¿Y por qué recuerda ese año como el año en que perdió la vista a los efectos de la lectura y la escritura?

B: Yo he recibido en mi vida muchos inmerecidos honores, pero hay uno que me ha alegrado más que ninguno, y fue el honor de que me nombraran director de la Biblioteca Nacional en 1955, y esto se hizo por razones menos literarias que políticas. Lo hizo el gobierno de la Revolución Libertadora (*Teatro Coliseo, conferencia*).

M: En ese momento, ¿qué podía distinguir visualmente hablando?
B: Podía apenas descifrar las carátulas y los lomos de los libros (*Teatro Coliseo, conferencia*).
M: Señor Borges, gracias. Con esto alcanza por el momento.

Llegada esta altura de la anamnesis de la "historia clínica" de Jorge Luis Borges, estamos en condiciones de aproximar un diagnóstico sobre la causa de su ceguera. La enfermedad responsable de la afectación visual debería cumplir los siguientes requisitos o condiciones, según las propias declaraciones de Borges:

√ Afección hereditaria (comprendió a su padre, a la abuela paterna y al bisabuelo por vía paterna).
√ Comienzo desde la niñez.
√ Evolución lentamente progresiva (Borges se consideró ciego hacia 1955, cuando tenía 56 años).
√ Afectación bilateral (compromiso visual en ambos ojos).

De las enfermedades oftalmológicas, que cumplen en principio con estas condiciones, deberíamos pensar en una forma de miopía maligna o miopía degenerativa, alguna patología del nervio óptico, retinosis pigmentaria o neuritis óptica hereditaria de Leber (enfermedad más frecuente en Inglaterra y Holanda), entre otras.

Pasión y oro

Cuando Jorge Luis Borges se presenta en el Teatro Coliseo la noche del 3 de agosto de 1977 habla sobre la ceguera. Pero no de cualquier ceguera sino de la suya. La información que nos proporciona, médicamente hablando, es de interés. Seguramente no fue su intención, pero así resulta ser. Es más, él hace notar que tras el ciclo de conferencias advirtió que la gente prefería "lo personal a lo general" y "lo concreto a lo abstracto". Es que, efectivamente, Borges habló directamente de su caso, de sus síntomas, de sus vivencias y de sus emociones. Logró tender un puente entre lo que un médico vería simplemente como una frecuencia de longitud de onda del espectro de luz visible, amarilla, y lo que él tiñó de valores tales como la fidelidad y la lealtad hacia ese color amarillo, que nunca dejaría de ver: le dio vida a un color.

Borges dice que su ceguera es "modesta" porque es total de un ojo y parcial del otro, pero lo más importante es cuando hace referencia a los colores. Dice que no vive en oscuridad y que de hecho no ve el negro que según Shakespeare ven los ciegos (*Looking on darkness which the blind do see*, mirando la oscuridad que ven los ciegos). Al menos en su caso personal de ceguera, el negro es el color que no ve. También perdió el tono rojo. Y por momentos descifra el verde y el azul, aunque a veces es una "neblina verdosa o azulada". Pero destaca y le da presencia e identidad a un color, el amarillo. Contó Borges el 3 de agosto de 1977 en el Teatro Coliseo:

> Sobre todo hay un color que no me ha sido nunca infiel, que me ha sido siempre leal, que me ha acompañado siempre y es el color amarillo. He escrito un poema titulado "El oro de los tigres" en que hablo de esa amistad del amarillo conmigo.

La amistad del amarillo de la que habla Borges, ¿será la simple consecuencia biológica de la enfermedad que lo alcanzó como sentencia hereditaria o podría, aunque más no sea, especularse otra causa posible?

Un lunes de mayo de 2010 me reuní con Miguel de Torre Borges, sobrino de Jorge Luis Borges, hijo de su hermana Norah. Me contó que su tío decía que, si le iban a regalar una corbata, tomasen la precaución de que contuviera el color amarillo, así la acercaba a sus ojos y la disfrutaba. Un día que estaban juntos, probablemente hacia 1970, Miguel vestía un blazer azul. A su tío no le llamó la atención el color azul del blazer. Lo que llamó su atención fueron sus botones dorados, que tocó con sus manos reconociendo con gusto el color...

Científicamente hablando, no podría sostenerse que haya

sido la pasión por el amarillo lo que conservó la visión de ese color en Borges. Asumiendo que la ciencia es un conjunto de verdades transitorias, y mientras aguardamos tener una respuesta "definitiva", voy a tomarme la licencia de imaginar que de algún modo la pasión por los tigres obligó a los ojos de Borges a continuar percibiendo un color, el amarillo, el oro de los tigres.

El diagnóstico de la ceguera

Cuando se intenta averiguar la razón de la ceguera de Jorge Luis Borges nos encontramos con que existe muy poca información. ¿Por qué? Inicialmente podría argumentarse que en realidad no importa. El interés que Borges despierta no está relacionado con su capacidad de visión sino con la genialidad de su producción literaria. De esto no cabe ninguna duda. Sin embargo, ambas condiciones se relacionan y en un momento se superponen y solapan: no se puede desvincular la pérdida de la visión del componente emocional que genera.

Todo cambia. También cambió en Borges. Él se adaptó magistralmente a esa condición de oscuridad que, sabía, le esperaba en el futuro. Lo sabía porque le pasó a su padre, a su abuela y a su bisabuelo paterno, pero también porque nació viendo poco. ¿Qué condiciones personales resultaron ser las fortalezas para aceptar tal destino? Al menos tres: pasión, amor y una memoria increíble. Pasión por las letras que llenaban su corazón y hacían posible un proyecto de vida aun en la ceguera. Amor que siempre lo rodeó y acompañó hasta el último momento de sus días, lo que aumentó su fortaleza espiritual. Por último, una memoria sorprendente que nos recuerda a "Funes el memorioso". Vale señalar que el mismo Borges había dicho que sus cuentos son autobiográficos. En el cuento de Borges, Funes es un uruguayo de Fray Bentos que luego de un accidente quedó con una nueva capacidad: una memoria prodigiosa e increíble. En Borges la memoria era una virtud que se destacaba y él lo sabía.

La disminución de la visión obliga a cambios adaptativos en cualquier persona. En Borges podemos citar dos que resultaron evidentes en relación a su quehacer como escritor. Por un lado, y desde niño, fue achicando su letra, que se hizo cada vez más pequeña y abigarrada. Asimismo, aproximadamente a sus 55 años de edad, cambia su "sistema" de escritura. Borges comienza a utilizar la métrica literaria del soneto. Esta forma poética consta de 14 versos endecasílabos que comparten las mismas rimas. Así, a Borges, con ayuda de su excelente memoria, le resultaba fácil retener los poemas: los resolvía en su cabeza antes de dictarlos. No escribía y en consecuencia no podía corregir en el papel. Usaba la memoria para corregir en su mente y luego dictaba lo que creaba. Sin temor a exagerar, una conferencia de Borges se podía transcribir literalmente sin correcciones. No se puede desvincular la ceguera de su ser. Él mismo recordó la sentencia socrática: "¿Quién puede conocerse más que un ciego?" Ese conocimiento obligado de sí mismo que la ceguera impuso, probablemente impulsó aún más creaciones. En todo caso no podría desvincularse la ceguera de su condición de vida. Hace recordar a la paradoja de otro genio, que perdió la audición y sordo compuso la Novena Sinfonía. Beethoven también perdió lentamente su audición y en ese mundo sin sonidos componía música. ¡Paradoja del destino que dejó a Borges ciego y a Beethoven sin oído! En definitiva, no podemos desvincular la ceguera de quien la padece. Y en este caso en forma lenta, progresiva e inexorable.

Entonces, llegados a este punto, ¿cuál es el diagnóstico? Hay informes de posibles cataratas, de glaucoma, de desprendimiento de retina, neuritis óptica, retinosis pigmentaria y de un sinnúmero de probables enfermedades.

El diagnóstico tiene que apuntar a las conclusiones de ese interrogatorio imaginario que le hicimos a Jorge Luis Borges en esta "historia clínica". Tiene que ser una enfermedad hereditaria, que afecte desde la infancia, de manera progresiva, y que complique la visión de ambos ojos. Pero a la vez que haya condicionado complicaciones oftalmológicas como el desprendimiento de retina que dio lugar a múltiples cirugías. Lo dicho hasta aquí es de conocimiento público. El diagnóstico presuntivo debiera ser una enfermedad que incluya varias complicaciones posibles. Debemos así orientarnos al siguiente pronóstico: "miopía maligna o degenerativa de componente hereditario". ¿De qué se trata esta afección? Comencemos por considerar la miopía simple o común, la conocida por todos.

En general comienza a desarrollarse en la etapa escolar y suele estabilizarse alrededor de los 20 años de edad. Este tipo de miopía se corrige con anteojos, lentes de contacto o cirugía. Diferente es la miopía maligna, degenerativa o patológica. La miopía maligna representa entre el 1 y el 3% de las miopías. Es una enfermedad con un claro componente hereditario, tal como se ha dado en nuestro paciente. Comienza a una edad muy temprana, como en el caso de Borges, y a su vez la pérdida de la agudeza visual es mucho más importante. Como hemos dicho, sabemos, por referencias bibliográficas, notas o informes periodísticos, que Borges presentó sucesivas complicaciones oculares que incluyeron desprendimientos de retina y cataratas. ¿Por qué pensar entonces en miopía maligna o progresiva? Porque además de cumplir con las características halladas en el interrogatorio médico —es decir, el padecimiento desde niño de enfermedad hereditaria, progresiva, bilateral y que termina con ceguera— cumple con otro requisito: las complicaciones.

Dado que la miopía maligna es un proceso degenerativo de los tejidos oculares, es muy frecuente que presente en su evolución múltiples complicaciones. Las más comunes son el glaucoma, las cataratas, el desprendimiento de retina, las hemorragias, el desprendimiento del vítreo, la degeneración macular, etc. El desprendimiento del vítreo es una complicación posible. El humor vítreo es una sustancia similar a la gelatina que ocupa el centro del globo ocular. Algunas veces, en la miopía maligna, puede desprenderse de la parte posterior del ojo, traccionando la retina y provocando un desgarro con desprendimiento de retina. La miopía maligna o degenerativa se caracteriza, entre otras cosas, por no mejorar con la utilización de lentes o anteojos justamente porque la mácula, que es la porción de la retina sensible a la luz, se encuentra lesionada y la corrección óptica no mejora esa situación.

Hay otras complicaciones posibles en la miopía maligna o degenerativa. Aquí intentamos transmitir que, debido a que esta afección es una alteración degenerativa de los tejidos oculares, puede dar lugar a múltiples complicaciones. Así se explican las diferentes enfermedades que se atribuyen como causa de ceguera en Borges. Lo que sucede es que aquéllas son complicaciones de la miopía maligna o degenerativa que le da origen.

Una cirugía en 1956

La relación entre Borges y su madre siempre fue excelente. Ella llegó a sentirse como "los ojos de su hijo". Lo amaba intensamente. Lo protegía.

Cruzando el Río de la Plata vivía Esther Haedo de Amorín, en la Quinta las Nubes, en Salto. Era prima segunda de la madre de Borges y muy querida por ella. Leonor Acevedo escribía con frecuencia a su prima, a quien se dirigía cariñosamente como "mi preciosa". Las cartas que escribió la madre de Borges a su prima son alrededor de doscientas. Mucha información se encuentra en ella y no falta información sobre la visión de Borges. Al final de algunas de esas esquelas también pueden leerse algunas líneas escritas por Borges, con letra pequeña y minuciosa. En varias cartas, Leonor expresó su angustia y pesar por la pérdida visual de su hijo. En diciembre de 1954 escribe: "Georgie ha vuelto a sentir su vista (el único ojo que tiene) y está en tratamiento, veremos si salimos a la otra orilla. Por tres meses, dice el médico, no debe leer ni escribir, es lo que más le duele, pero ya sabes lo que es él, no lo demuestra y sigue siempre de broma, he vuelto a leerle y me dicta lo que quiere escribir". En estas líneas queda de manifiesto la preocupación de Leonor y el grado de disminución visual de Borges. Asimismo describe el temperamento y el carácter de Borges, revelando el esfuerzo adaptativo a la nueva situación (la progresiva incapacidad visual) que hace el paciente a través del humor; obraba así, de paso, para intentar aliviar la angustia de su madre. En otra carta, fechada el 6 de junio de 1955, Leonor le cuenta angustiadamente a su prima que espera que el próximo año le indiquen lentes adecuados para "Georgie", así podría escribir por su cuenta, ya que hacerlo a través del dictado no lo satisface. Leonor Acevedo manifiesta en esa carta su temor a enfermar y no poder cumplir con la ayuda que le da a su hijo. Dice literalmente: "me siento tan necesaria que tiemblo con la idea de enfermarme o que la vejez haga de las suyas, ya que ahora soy sus ojos". En una carta posterior (24 de enero de 1956), Leonor continúa anoticiando sobre la visión de Borges: "El 11 le hicieron a Georgie un injerto de placenta en el ojo, tiene que estar vendado y luego sin salir". Cabe señalar aquí, respecto del injerto de placenta, que por entonces se pensaba que dicho injerto tendría un efecto positivo en la capacidad de regeneración de los tejidos oculares. En verdad, el beneficio era difícil de evidenciar por entonces. De todos modos, con la actual tecnología, el injerto de placenta es una terapéutica que se encuentra en proceso de investigación y desarrollo. En julio de 1956 Leonor Acevedo escribe una nueva carta que nos permite continuar con la formulación de esta historia clínica. En un párrafo se lee: "Georgie anda bastante mal de su vista, anteayer lo vio Malbrán".

El doctor Jorge Malbrán fue un pionero de la oftalmología argentina. Malbrán se graduó en la Facultad de Medicina de la Universidad de Buenos Aires en 1920. Con una trayectoria brillante y numerosas publicaciones internacionales sobre temas de su especialidad, llegó a dirigir el Hospital Oftalmológico Dr. Pedro Lagleyze. En 1956, Malbrán fue consultado por Borges por una de sus tantas complicaciones oftalmológicas. En esa ocasión se le realizó un diagnóstico de desprendimiento de retina. Ante ello, Malbrán decide someterlo a una intervención quirúrgica. Para esto convoca a su hijo, el también oftalmólogo Enrique Segundo Malbrán, quien venía trabajando en el tema de desprendimiento de retina. Así, padre e hijo operaron a Borges en 1956.

Eldoctor Enrique Segundo Malbrán continuó y expandió profesionalmente el trabajo de su padre. Malbrán preside la Fundación Oftalmológica Argentina (FOA) y a partir de ahora será nuestro informante clave para así seguir desarrollando la historia clínica de Borges.

Me entrevisté con el colega en el tercer piso de su clínica, en un anfiteatro desde donde se veían dos quirófanos en plena actividad. Transcribo los momentos más reveladores de la conversación:

Borges tenía como diagnóstico de base una miopía degenerativa o maligna. ¿Ése era su diagnóstico principal, verdad?
Ése era el diagnóstico: miopía maligna o degenerativa. Luego de la operación de su ojo derecho, el desprendimiento de retina curó.

¿Era importante la miopía del paciente?
Sí, era una miopía patológica de alto grado. Ya le habían extraído el cristalino de ambos ojos y tenía operaciones previas, seguramente por cataratas bilateral.

¿Además de la falta de ambos cristalinos y del desprendimiento de retina presentaba otra complicación?
Sí, recuerdo sus lesiones retinales, como el estafiloma miópico de polo posterior.[16]

De esta manera, el doctor Malbrán confirmó nuestro diagnóstico médico presuntivo: Borges padecía de miopía maligna o patológica.

El último tramo de la conversación se enriqueció con un sinnúmero de detalles acerca de la relación médico-paciente, ya que Malbrán siguió atendiendo a Borges. Así, recordó que el paciente siempre acudía a su consulta acompañado de su madre ("una mujer muy amable que se preocupaba mucho por la salud de su hijo") y que en algún momento el cuadro se complicó con glaucoma. Las miopías patológicas presentan frecuentemente tres complicaciones: cataratas, desprendimiento de retina y glaucoma. La de Borges no fue la excepción...

Destino y elección

Lo genético lo predestinaba, pero la inteligencia emocional siempre le permitió tomar decisiones sobre su vida. Una de ellas fue la suave y mansa aceptación de la ceguera en tanto "lento crepúsculo". "La ceguera no ha sido para mí una desdicha total", sentenció en alguna ocasión. Es más, enfatiza que la pérdida de la visión lo obliga a explorar nuevos caminos porque le concedió nuevos "dones". Así, en el poema "Elogio de la sombra", valora su ceguera porque no ha sido del todo un mal. Sin duda, una inteligente forma emocional de abordar una dramática pérdida.

En septiembre de 1985, Borges se entera de que tiene cáncer hepático. Lo atienden en Buenos Aires los doctores Guillermo Masnata y Alejo Florin. Nuevamente la elección. Conociendo su destino, ejerce una libre decisión. Viaja a Italia el 28 de noviembre con María Kodama para cumplir algunos compromisos previamente asumidos. Dicta conferencias en Milán y luego se dirige a Venecia. A mediados de diciembre Borges y Kodama llegan a Ginebra. El 26 de enero, Borges se interna en el Hospital de la Universidad Cantonal de Ginebra. Lo atiende el doctor Patrick Ambrosetti. Mejora transitoriamente, es dado de alta el 16 de febrero de 1986 y regresa al hotel L'Arbalete donde estaba alojado. En el hotel es controlado en forma diaria por Jean-Françoise Balavoine, médico recomendado por Ambrosetti. Días después el Dr. Balavoine interna a Borges en la Clinique d'Arve para un mejor control, donde estuvo 12 días para después regresar al hotel. El 26 de abril Borges y Kodama se casaron por poder en Paraguay y regresan a Ginebra. El 25 de mayo asiste en silla de ruedas a una recepción en la embajada argentina con motivo de los festejos del día patrio. El 10 de junio se muda a un departamento en un segundo piso de la Ciudad Vieja. Era su deseo pasar sus últimos días en un lugar cálido y con María Kodama, la mujer que amaba. Más tarde presentó neumonía y complicaciones cardíacas. Borges era agnóstico, al igual que María Kodama. Ante la llegada inminente del último minuto, Borges se preguntaba con curiosidad sobre qué pasaría después de ese último momento. Lo hablaron con María Kodama y en memoria de su madre creyente decidieron recibir a un sacerdote católico y a otro protestante evocando a su abuela inglesa.

El 14 de junio de 1986, a las 7.47, Borges muere en Ginebra. El presidente Raúl Alfonsín declara Duelo Nacional. En la actualidad descansa en un lugar reservado a las grandes personalidades, cerca de la tumba de Calvino, en el Cimetière de Plainpalais.

Borges había viajado a Suiza por primera vez con su familia en 1914: el destino hizo que volviera y allí eligió quedarse para siempre.

Napoleón Bonaparte: no confío en la medicina, pero...

En Córcega, isla francesa situada frente a Francia, a 200 kilómetros al sudeste de la Costa Azul, nació el protagonista de esta historia clínica. Fue el 15 de agosto de 1769. Napoleón pertenecía a una familia nuclear numerosa, de buen pasar, compuesta por su padre, el abogado Carlo Buonaparte, su madre María Letizia Ramolino y cuatro hermanos varones y tres hermanas mujeres. Cuando era chico, a Napoleón le gustaba ver la puesta de sol sobre la costa de Francia, país que sabía era dueño y conquistador de su isla: Francia había comprado Córcega a la República de Génova un año antes de que él naciera, en 1768. Los corsos no aceptaban esta nueva situación jurídica: ellos eran corsos, no franceses. Y Napoleón, como casi todos los corsos, detestaba a Francia.

Letizia era una madre de carácter fuerte, inteligente, trabajadora y atractiva. Napoleón la admiraba y respetaba. Su padre Carlo, en cambio, era aficionado a las aventuras y diversiones de todo tipo, poco responsable, malgastador de su dinero. De chico, Napoleón tenía un deseo: quería ser soldado. A los 10 años ingresó a la escuela militar francesa de Brienne, de donde egresó en 1784 como segundo teniente para incorporarse a la École Royale Militaire de París: el deseo infantil terminaba concretándose en la realidad.

Napoleón fue uno de los más grandes militares y estrategas de la Historia. Dirigió al ejército francés en la campaña de Italia y la expedición a Egipto. Fue general republicano, primer cónsul de la República y luego cónsul vitalicio. Puso en práctica muchas reformas emergentes de la Revolución Francesa. Promulgó el código civil, el llamado Código Napoleónico, y llegó a dominar toda Europa central y occidental. Aunque no todos fueron elogios ni éxitos: muchos de sus contemporáneos y algunos historiadores consignan que Napoleón tenía una personalidad tiránica y que fue responsable de la muerte de millones de personas.

La derrota en la batalla de Leipzig significó el principio del fin de su primacía político-militar, antes del desastroso resultado de Waterloo. El 5 de mayo de 1821 Napoleón termina sus días como prisionero de los ingleses en la isla de Santa Elena.

Como si a la impresionante vida de Napoleón Bonaparte le hiciera falta algo más, su muerte, médicamente hablando, es un misterio...

Historia clínica y perfil psicológico

Adentrarnos en la condición de salud de nuestro paciente implica esforzarnos por comprender su conducta, su temperamento y su personalidad por un lado, y sus síntomas y dolencias por el otro. Analizaremos sucesivamente estos aspectos de acuerdo con la información bibliográfica con que contamos.

Para comenzar, debemos asumir que la constitución y/o consolidación de la personalidad de Napoleón está sujeta primeramente a la genética que el paciente trae al nacer, es decir, lo que llamamos temperamento. Sobre ese cimiento, principalmente durante la infancia, se edifica la personalidad sobre la base de las experiencias de vida y la interacción con el medio ambiente. De ahí que debemos considerar que Napoleón era el segundo hijo de una familia numerosa. Sabemos que amaba y sobre todo respetaba a su madre, quien no dudaba en castigar físicamente al pequeño si lo creía necesario. Jugaba con su hermano mayor, José, quien le llevaba 18 meses, al que muchas veces hacía rabiar cuando lo engañaba en los juegos, y luego buscaba protección en su madre si aquél quería vengarse. También se las arreglaba para que su hermano le hiciera los deberes mientras él iba a jugar. Siempre quiso a José e invariablemente se las ingenió para relacionarse lo mejor posible con el resto de sus hermanos manteniendo el favor de su madre. ¡Desde chico fue un estratega!

Napoleón era reservado y prefería la soledad. Pasaba largas horas solo en la isla que siempre amó, meditando, quizá fantaseando con la posibilidad de algún día ser emperador de la Francia que tenía enfrente... Era inteligente. Aprendía con rapidez. En la escuela se destacó especialmente en matemática y geografía, aunque en el resto de las materias curriculares fue un alumno regular.

Continuemos ahora con la configuración del perfil personal de Napoleón basándonos en sus conductas y vivencias, sobre todo de aquellas de la infancia o de la etapa escolar que pudieron haber dejado huellas en su construcción psicológica. Napoleón, como hemos dicho, gustaba de estar solo, por momentos prefería vivir su propio mundo. Llegado el momento, su padre envía a él y a su hermano José a Francia para que desarrollen sus estudios. Ambos niños ingresan al colegio de Autum, en la región de Borgoña, donde José estudiará humanidades y Napoleón, francés, idioma que aprendió con rapidez pero que siempre habló con acento italiano. Luego de cuatro meses, Napoleón deja a José para ingresar a la academia militar de Brienne.

Ni en el colegio de Autum ni en el de Brienne, Napoleón hizo muchos amigos. De carácter introvertido y con tendencia al enojo y la violencia, su mal carácter le trajo más desavenencias que amistades. Sus camaradas de estudio le gastaban algunas bromas por su baja estatura, por su mal carácter, por su pronunciación del francés y por provenir de una familia de la pequeña nobleza. Esta hostilidad de parte de sus compañeros de curso seguramente condicionó parte de su personalidad. Lo que más le dolía eran las referencias peyorativas respecto de su tierra natal, dominada por Francia. En su aislamiento disfrutaba leer la *Historia universal* de Polibio, las *Vidas paralelas* de Plutarco y *La expedición de Alejandro* de Arriano de Nicomedia. La consideración de los temas de lectura preferidos por Napoleón nos dice mucho sobre él: la *Historia universal* de Polibio intentaba explicar el porqué de la dominación y la hegemonía romana en el Mediterráneo; Plutarco compara virtudes y defectos de los grandes y poderosos personajes de Grecia y Roma; las expediciones y conquistas de Alejandro Magno narradas por Arriano lo apasionaban.

Un aspecto de su perfil conductual que no puede pasarse por alto es su tendencia a la ira. Son numerosos los eventos históricos y relatos que muestran a un Napoleón con crisis de ira e insultos a todo aquel que lo contrariara, más allá de si el aludido estuviese o no presente. Cualquier persona puede, con o sin motivo, presentar un episodio de ira ante algo o alguien considerado adverso. Sin embargo, estos episodios son mucho más frecuentes en personalidades predispuestas, iracundas. En la actualidad existen instrumentos y tests psicológicos cognitivos que permiten determinar la existencia de la personalidad iracunda y otras variables relacionadas con la expresión del enojo o de la ira. Tal es el caso del Staxi (State-Trait-Anger-Expresion-Inventory), que es un test que permite dimensionar la tendencia natural a manifestarse con episodios de ira de la persona examinada. La importancia de determinar este estilo conductual radica en que se ha demostrado que la ira se relaciona claramente con enfermedades cardiovasculares. Una persona tiene durante un evento de ira dos veces y media más posibilidades de presentar un infarto agudo de miocardio que una persona tranquila. ¡El personaje que interpreta Michael Douglas en el film *Un día de furia* tiene dos veces y media más de posibilidades de infartarse que una personalidad como la de Dalai Lama en estado de meditación! Asimismo, el temperamento iracundo se relaciona con los trastornos gastrointestinales, tales como gastritis, úlcera y alteraciones en el tránsito intestinal.

No hay evidencias históricas de que Napoleón sufriera de enfermedad cardíaca y mucho menos de que hubiera muerto por alguna complicación cardiovascular. Sin embargo se cita el siguiente hecho: cierta vez que Napoleón se sentía mal, su esposa Josefina llama en consulta a Jean Nicolas Corvisart, médico clínico de Napoleón. Luego de la atención, Josefina le pregunta a Corvisart cuál era la afección que aquejaba a su marido, a lo que el médico contesta: “una enfermedad cardíaca”. Corvisart, de quien hablaremos más adelante, era un excelente médico, por lo que habría que darle crédito a su orientación diagnóstica. Sin embargo, si bien Napoleón podría haber sufrido alguna patología cardíaca, ésta no fue lo suficientemente importante como para presentar síntomas habituales que condicionaran su vida cotidiana: episodios como éste no aparecen narrados posteriormente. No ocurre lo mismo con la patología digestiva de nuestro paciente en estudio.

Napoleón siempre sufrió de indisposiciones digestivas. Hay numerosas referencias tanto a molestias y dolores gástricos como a constipaciones. Ambas circunstancias bien pueden presentarse con mayor frecuencia en pacientes iracundos o, digamos, “nerviosos”. Corvisart mismo describió a Napoleón del siguiente modo: “La complexión del emperador es sumamente nerviosa”. Sobre la constipación tenemos referencia a través de la detallada descripción de Louis Marchan, su ayudante de cámara, que acompañó a Napoleón hasta sus últimos días. Fue él quien le realizaba enemas como tratamiento para su constipación y, de paso, al no anotarlo en su diario, descartó la presencia de hemorroides que algunos comentaristas le atribuían.

En relación con lo descrito hasta aquí, haré unos breves comentarios. Los dolores de origen gástrico muchas veces se confunden con dolores cardíacos y viceversa. Un dolor en la “boca del estómago”, por ejemplo, nos obliga a descartar una enfermedad cardíaca aguda, como puede ser un infarto agudo de miocardio o una angina de pecho. Es por ello que si analizamos el diagnóstico de “enfermedad cardíaca” que Corvisart dio a Josefina, es posible que Napoleón también hubiera presentado alguna complicación cardíaca cuya sintomatología dolorosa se superponía a la que históricamente venía presentando Napoleón. Esto significa que aunque haya sido una enfermedad digestiva la que aquejaba a Napoleón, también podría haber coexistido algún compromiso coronario que no llegó a ser más importante habida cuenta de que Napoleón murió muy joven, a la edad de 51 años, por lo que posiblemente no vivió el suficiente tiempo como para desarrollar complicaciones cardíacas.

Volvamos ahora por un momento a la conducta iracunda de nuestro paciente. Habida cuenta de los relatos históricos, habría que asumir como un hecho la propensión a la ira de Napoleón. Pero también es cierto que probablemente Napoleón explotara ese mal genio con tendencia al enojo para amedrentar a quien no opinara como él. Es decir, puede que en ocasiones Napoleón "sobreactuara" su ira, ya que había aprendido de sus "efectos": esa manifestación le era útil para imponer su voluntad con menos resistencia de parte de sus oponentes. Así, el zar Alejandro —con quien Napoleón tenía buena relación y era de hecho una de las pocas personas que él respetaba— dijo una vez: "Napoleón nunca se volverá loco. Sus crisis de cólera están calculadas". Este juicio del zar es interesante porque indica que Napoléon usaba la ira como recurso de conducta consciente, a la vez que certifica el estilo personal iracundo. Eso es así porque las personas tienden a reutilizar los recursos conductuales que les han sido útiles, independientemente del costo social o de salubridad que ello implique.

Hay aún otro aspecto que quisiera señalar sobre el perfil de la personalidad de nuestro paciente: la agresividad y capacidad de daño. Al comienzo de este capítulo hemos hecho notar que nuestro paciente en estudio es un personaje polémico: extraordinario militar y gobernante para muchos observadores; tirano, megalómano y asesino para otros. No vamos a dilucidar la cuestión aquí, pero es de interés conocer su conducta para así delinear su estilo de personalidad. Siempre sobre una base genética o temperamental, la personalidad de Napoleón se modeló sobre su deseo de ser militar cuando era niño, su acumulación de sentimientos de "odio" hacia los franceses desde que comenzó sus estudios en Francia y, más en general, por haber experimentado el menosprecio reiterado en distintos ámbitos y por haber superado circunstancias adversas siempre a través del intenso trabajo y del esfuerzo personal. Un evento de guerra merece ser mencionado en este sentido. Durante la campaña a Egipto, Napoleón fue promotor de una de las matanzas más brutales de la historia militar. Fue cuando las tropas francesas tomaron la ciudad de Jaffa en 1799. La ciudad ofreció poca resistencia y las tropas terminaron asesinando a los turcos que querían rendirse. En esa ocasión, Napoleón ordenó matar indiscriminadamente a hombres, mujeres y niños. Tras la contienda, las tropas habían apresado a más de 3.000 personas: Napoleón consideró que alimentarlos sería un gasto, por lo que ordenó fusilarlos, pero para ahorrar munición los turcos fueron muertos a bayonetazos y finalmente por simple degüello. El haber dado esa orden muestra cómo era su personalidad...

Continuemos ahora con otros antecedentes médicos de interés. Napoleón presentó desde joven numerosas indisposiciones en su salud. Se describen catarros, faringitis, disfonías, lesiones en piel compatibles con forúnculos, picazón en la piel y leves dolores de tipo reumático. Posiblemente su temperamento nervioso y la relación entre sus estados emocionales y los síntomas hayan contribuido al desarrollo de una personalidad "hipocondríaca". También podríamos especular que la especial atención a su salud está vinculada con la educación recibida de parte de su madre. Letizia hacía bañar a sus ocho hijos todos los días para cuidar su higiene. En la época de la Francia de los perfumes, el baño se realizaba como promedio solamente una vez al mes. La influencia de Letizia fue muy importante y de hecho Napoleón lo dejó plasmado en una de sus frases: "El porvenir de un hijo es siempre obra de su madre", frase que hoy daría mucha tela para cortar a los psicoanalistas freudianos. Posiblemente los cuidados impuestos por Letizia también pudieron haber influido de algún modo en el desarrollo de sus síntomas psicosomáticos. Numerosas descripciones indican que Napoleón se rascaba en momentos de nerviosismo, tal como si la condición de ansiedad le produjera picazón o prurito, manifestaciones psicosomáticas que Napoleón combatía con baños tibios frecuentes. Éste es uno de los posibles motivos por el cual Napoleón acostumbraba poner su mano dentro del chaleco para rascarse la piel con disimulo; el otro está vinculado a los dolores gástricos, de ahí que buscara calmarse con el calor de su mano. Esto último pareciera ser lo más certero: clínicamente hablando, es compatible con un cuadro de gastritis crónica o úlcera gastroduodenal.

Una consideración aparte merecen los ataques epilépticos. El primer episodio que podría corresponder a un evento de tipo epiléptico es cuando de chico, en el colegio, fue castigado por mala conducta; obligado a comer de rodillas en la puerta del comedor, presentó una crisis nerviosa con vómitos y convulsiones. No podemos saber con certeza cómo fue la sintomatología precisa. Luego de ese evento, hay referencias a otros dos episodios de tipo epileptoide que se presentaron ante testigos confiables, entre ellos su esposa Josefina. Uno ocurrió a los 36 años y otro a los 40. Estos episodios fueron seguidos de pérdida de conocimiento, lo que hace posible el diagnóstico. Ambos episodios fueron precedidos de síntomas previos, entre los que se citan sialorrea o salivación, dolor abdominal, náuseas, vómitos y espasmos musculares, características que están presentes en las crisis epilépticas. De todos modos, aunque asumamos como posible el diagnóstico de epilepsia, la enfermedad no ha resultado ser lo suficientemente importante como para que la frecuencia o la magnitud de las crisis hubieran dado lugar a alteraciones en la vida cotidiana ya que no hay una descripción pormenorizada de parte de los médicos que lo atendían.

Otro síntoma de interés de Napoleón para agregar a nuestra historia clínica es la disuria. La disuria es la micción dolorosa, a veces muy punzante, que puede ir acompañada de ardor y dificultad al orinar y que en ocasiones hasta puede producir un aumento de la frecuencia miccional del paciente. La disuria puede presentarse tanto en hombres como en mujeres y es un síntoma común en los cuadros de infección urinaria. En el caso de los hombres, este síntoma se presenta aun en los agrandamientos de próstata. Tenemos noticia de que la primera vez en que se describe un episodio de disuria bien documentado en Napoleón fue antes de la batalla de Marengo en el Piamonte, en el nordeste italiano, en la que triunfó Francia. Otro episodio de disuria consignado fue en los momentos previos a la batalla de Dresde, en Alemania, en la que el ejército francés sufrió una importante derrota frente a la "sexta coalición" conformada por

Rusia, Inglaterra, España, Prusia, Portugal, Austria y Suecia. Si bien es muy probable que la disuria se hubiera presentado con bastante frecuencia en nuestro paciente, me inclino a pensar que la descripción de micción dolorosa en Napoleón bien pudo presentarse con mayor intensidad en momentos previos a las batallas por factores psicosomáticos, es decir, por la influencia que los factores psicológicos y/o emocionales ejercen sobre el cuerpo. También debemos considerar la posible presencia de cálculos o litiasis renal, que hubiera condicionado cuadros clínicos de síntomas urinarios e infección.

Napoleón, la medicina y los médicos

Para completar la historia clínica de Napoleón y así abordar sus últimos días en la isla de Santa Elena en busca de la misteriosa causa de su muerte, en esta sección trataremos sobre la relación que Napoleón tenía con la medicina y con los médicos, ya que nos habla de su personalidad.

Para abordar este tema vamos a comenzar con una frase de nuestro paciente en estudio:

> No tengo confianza en la medicina pero confío enteramente en Corvisart.

Como hemos visto hasta aquí y resumiremos más adelante, Napoleón presentó una abultada carga de enfermedades y síntomas que no le impidieron desplegar actividades intensas. Es más, era notoria su gran capacidad de trabajo. Para sobrellevar esa actividad con sus frecuentes dolencias, Napoleón desarrolló una continua relación con sus médicos y con la medicina. Pero esa relación no era simple ni sencilla: era la de un hombre muy poderoso, definido por muchos como “megalómano”. Napoleón sostenía una relación ambivalente con los médicos y con la medicina. Por un lado desconfiaba de la mayoría de los médicos, pero por el otro su salud lo obligaba a depender de ellos.

Para delinear un poco las características de esta relación vamos a citar otra frase adjudicada a Napoleón, esta vez dicha al médico François Carlo Antommarchi en la isla de Santa Elena:

> Guárdese sus medicinas, no quiero tomarlas y tener dos enfermedades, la que tengo yo y la que usted provocará con sus pócimas.

Sin duda una frase muy demostrativa de la difícil relación de Napoleón con la mayoría de sus médicos, que no fueron pocos. Cabe señalar que el destino quiso que fuera el doctor Antommarchi el encargado de realizar la autopsia del emperador.

Napoleón gustaba de la ciencia y frecuentemente leía investigaciones y libros sobre descubrimientos y cuestiones científicas. De hecho, la campaña militar sobre Egipto incluyó la presencia de numerosos científicos. Hay evidencia de que le interesaban los temas médicos, ya sea por cuestiones de salud personal o por mero interés intelectual. Pero al mismo tiempo, y quizás esto resulte paradójico, Napoleón tenía una personalidad autosuficiente y dominante, con una gran autoestima que lo hacía sentirse superior a todos los demás mortales, incluyendo, claro está, a sus médicos. Seguramente no debió haber sido fácil para ningún médico lidiar con un paciente de esas características.

Jean Nicolas Corvisart era uno de los pocos médicos que Napoleón respetaba. Corvisart comenzó estudiando derecho y luego se pasó a la medicina. En París, se recibió de médico con excelentes calificaciones. Corvisart comienza a atender a Napoleón en 1803 a causa de un proceso de enfermedad pulmonar leve. A Napoleón lo sorprendió la solvencia, capacidad y velocidad de decisión del médico. Y Corvisart logró establecer una equilibrada relación médica con Napoleón, ganándose su confianza. Hemos dicho que Napoleón no confiaba en la medicina y por extensión en los médicos en general, pero podemos asumir que gracias a Corvisart la confianza de nuestro paciente regresaba.

Corvisart deja la profesión después de Waterloo. Este gran médico de la escuela francesa fallece en 1821, luego de tres ataques cerebrovasculares. En virtud de sus antecedentes académicos y teniendo en cuenta que tuvo una buena relación médico-paciente con Napoleón, podríamos darle crédito a la descripción que Corvisart hace del temperamento del emperador y que nos es de utilidad para rehacer su historia clínica: "La complexión del emperador es sumamente nerviosa".

La historia clínica casi doscientos años después

Ahora vamos a pasar a confeccionar la historia clínica de Napoleón al momento en que es llevado por los ingleses a la isla de Santa Elena en 1815. Luego analizaremos el misterio médico de su muerte en la isla, que resultó ser su última morada.

Historia Clínica

Paciente: Napoleón Bonaparte[17]
Fecha de nacimiento: 15 de agosto de 1769
Lugar: Ajaccio, Córcega
Edad: 46 años
Estatura: 1,68 metros
Contextura: Robusto
Antecedentes familiares:

Padre: Carlo Buonaparte fallece de cáncer gástrico a los 39 años
Madre: María Letizia Ramolino: sana
Hermanos: sin patologías de interés clínico
Esposas: sanas
Hijos: sanos

Antecedentes personales: gran inteligencia matemática, lingüística, espacial, intrapersonal e interpersonal.

Enfermedades o síntomas que presenta: Iracundo, frecuentes episodios de ira. Tendencia a la introversión. Perfil hipocondríaco. Perfil de paciente psicosomático. Antecedentes de tos seca y/o productiva frecuente. Faringitis frecuentes, disfonías. Gastritis. Dolores en el abdomen derecho (¿estómago?¿hígado? ¿vías biliares?). Constipación. Disuria.

Prurito dérmico. Dolores reumáticos leves. ¿Posible portador de enfermedad cardiovascular poco sintomática? (Corvisart). ¿Epilepsia?

Santa Elena, el exilio y su última morada

18 de junio de 1815. Bélgica. Batalla de Waterloo. Retrospectivamente, podemos ver que la derrota militar sufrida por el ejército francés en ese momento y en ese lugar señala el lento ocaso de la vida de Napoleón. Una derrota personal.

Exiliado por los británicos en Santa Elena, a 2.800 kilómetros de la costa de Angola y a 1.300 kilómetros de la Isla Ascensión, esta isla volcánica de aproximadamente 121 km^2 situada en medio del océano Atlántico, iba a ser su última morada. Napoleón llega a Santa Elena el 16 de octubre de 1815 cuando el navío inglés *Northumberland* deja caer su ancla frente a un acantilado de basalto negro. La casa donde el conquistador va a pasar sus próximos seis años se encuentra en Longwood, al este de la isla: es una construcción baja, techada con pizarra y rodeada de pequeños montes con cactus por donde pasean corderos y caballos. La casa del emperador se limitaba ahora a seis habitaciones. Un pequeño espacio donde había un billar que Napoleón usaba para extender sus mapas y usar como escritorio. De ahí se pasa a una habitación bien iluminada con dos ventanas que dan al oeste, lugar donde Napoleón recibe a sus visitas. Adjunto a este salón se encuentra el comedor, oscuro y sin otra luz que la que ingresa por un pequeño ventanal de la puerta. Luego una biblioteca donde Napoleón guardaba sus libros de historia, biografías y ciencias, entre otros, que leería con frecuencia hasta el fin de sus días. Desde el comedor se accede a los últimos dos cuartos que resultan ser el área íntima de Napoleón. Dos pequeñas habitaciones de aproximadamente 4 por 4 metros cada una. En la primera de ellas Napoleón tenía su espacio de trabajo personal. Iluminada por dos ventanas que dan al Norte. El segundo ambiente también abierto por dos ventanas al Norte, era el dormitorio personal. Su dormitorio con muebles pintados de verde, cortinas y alfombras desgastadas era el espacio donde el emperador iba a pasar sus últimas horas.

Ésta era la pequeña casa del gran conquistador que esperaba ilusoriamente que las condiciones políticas cambiasen y llegara el momento de su regreso a Europa. La casa daba a un patio con dependencias que albergaban a unas cincuenta personas que acompañaban en el exilio a Napoleón. Todo este perímetro estaba bien vigilado por los ingleses que seguían todos los movimientos del prisionero y su comitiva. Entre los que acompañaron al emperador durante el exilio se encontraban el mariscal Bertrand y su esposa, el general Charles de Montholon y su esposa, el marqués de Las Cases y el general Gourgard. Napoleón vive en este encierro bajo un continuo control inglés, que incluye la apertura de toda su correspondencia personal. El gobernador de la isla, Hudson Lowe, es el responsable del control del que fuera emperador de Francia y al que ahora sólo le permitían presentarse como "General Bonaparte". Con el paso del tiempo se materializa la idea cada vez más probable de no poder salir de la isla de Santa Elena nunca más. Muchos de los que lo acompañaban desde el principio en el exilio, al comprender esta realidad, fueron abandonando a Napoleón.

Al comienzo, la salud de Napoleón fue buena, pero con el transcurrir de los años se reagudizaron los síntomas que siempre lo habían afectado y que consignamos en su historia clínica. Su figura fue empeorando, al comienzo con un aumento de peso notable que luego iría perdiendo. Quien fuera delgado y de buen aspecto físico se convirtió en una persona obesa, sedentaria y con una salud cada vez más precaria. Hacia 1817 Napoleón enferma de hepatitis. Los ingleses quisieron negar esta enfermedad por considerar que podía adjudicarse a la falta de cuidados brindados durante su cautiverio. Sin embargo, el diagnóstico fue hecho por el médico irlandés Barry O'Meara de la marina real inglesa, quien tenía muy buena relación personal con Napoleón y no dudaba en brindarle información desde Europa cada vez que lo visitaba. El Dr. Stokoe, también médico militar, era amigo de O'Meara y coincidió con el diagnóstico de hepatitis. El diagnóstico de estos médicos y la buena relación que mantenían con su paciente fue inconveniente para Inglaterra y muy mal vista por el gobernador de Santa Elena. Fue así que Hudson Lowe se las arregló para que ambos fueran juzgados por un Tribunal de Guerra y dados de baja. Pero lo cierto es que Napoleón presentó hepatitis en 1817. A partir de 1819 la salud de Napoleón empeora. Alterna periodos de decaimiento y desmejoría con periodos de mejoría parcial. El desaliento y el estrés de combatir su cautiverio deterioran paulatinamente su integridad física. Por periodos presentaba intensos dolores en el costado derecho del abdomen y la parte inferior del tórax. Muchas noches se le hacía imposible dormir y alternaba entre sus dos camas de campaña, la de su dormitorio y la de la pequeña habitación contigua. Las camas desmontables de hierro no eran cualesquiera: una la había utilizado en las noches previas al combate de Austerlitz y la otra lo acompañó en la campaña de Francia. Durante estos episodios de dolor abusaba de baños de inmersión con agua bien caliente, que le resultaban el único método analgésico para calmar los intensos dolores que presentaba. La salud se vuelve más precaria y ya le cuesta levantarse rápidamente a la mañana. Una vez refirió a François Carlo Antommarchi, que por entonces era su médico, dolores tan intensos sobre su costado derecho como si fuesen "navajazos". Habría que interpretar estos dolores como de posible origen gástrico. No obstante su deterioro, el viejo estratega no cedía en sus mañas. Sabiéndose constantemente vigilado por los guardias ingleses que rodeaban la casa, hacía vestir con sus ropas a uno de los criados para que se apostara en su ventana, así los ingleses no sabrían de su indisposición. Napoleón temía sufrir la misma enfermedad que su padre y le pregunta a Antommarchi si el cáncer de estómago es una enfermedad hereditaria. En la época no se sabía demasiado sobre ella, pero Napoleón le dice a su médico que si muere quiere que estudien su estómago y así prevenir ese mismo mal en su hijo. A partir de octubre de 1820 la condición de salud del emperador empeora. Los periodos de mejoría son cada vez menos y más breves. No responde a la medicación que le indica el Dr. Antommarchi y de hecho la mayoría de las veces se niega a tomarla. Solicita que su habitación esté a oscuras, con las cortinas cerradas, porque la luz le molesta. Se alimenta cada vez menos y se queja de tener frío en las manos y los pies. Los alimentos le dan náuseas y los rechaza, síntomas clínicamente importantes. Hudson Lowe no cree que Napoleón esté enfermo, piensa que es una simulación. Antommarchi solicita una interconsulta con Archibald Arnott, médico militar del 20º regimiento. Éste no coincide con el diagnóstico de su colega ni sobre la gravedad del cuadro clínico, ni sobre una posible complicación hepática o digestiva. Es más, para evitar seguir la misma suerte de O'Meara y Stokoe, da un diagnóstico de hipocondría para así buscar complacer a Hudson Lowe. Los médicos no siempre cumplen con su deber. Pero lo cierto es que Napoleón ya estaba muy grave. Los últimos días Napoleón los pasó en silencio, con tranquilidad y sin sobresaltos. Agonizaba en paz y rodeado por los últimos franceses que lo acompañaron en su exilio.

En la tarde del 5 de mayo de 1821, con una respiración cada vez más lenta e inconsciente, como si estuviese soñando profundamente, muy lejos de la isla de Córcega que amaba y de la Francia que lo tuvo de emperador, dejaba de existir Napoleón Bonaparte.

Las causas de muerte

¿Envenenamiento con arsénico?

La bibliografía con la que contamos nos obliga a pensar en la hipótesis del envenenamiento, del asesinato.

Durante los últimos años en cautiverio, Napoleón presentó cambios físicos notables. Era evidente un aumento de peso: su perímetro de cintura había aumentado por acumulación de grasa y, según sus propias palabras, sus tobillos estaban hinchados. El "General Bonaparte", único modo en que los ingleses permitían que se presentara, había cambiado de aspecto físico. A los 50 años, Napoleón lucía viejo y desmejorado. Sus costumbres eran otras. Como siempre se levantaba con la salida del sol, pero ahora para atender su jardín, que cuidaba con esmero y con la ayuda de algunos criados y cuatro jardineros chinos que estaban a su servicio en la casa de Longwood. La discusión sobre la posibilidad de envenenamiento no es nueva. Es más, esta creencia nace de la propia opinión de Napoleón, que siempre pensó que los ingleses querían envenenarlo. Antes de su muerte, Napoleón realizó dos peticiones. Una era que se le realizase una autopsia. Temía que el cáncer gástrico que había matado a su padre a la edad de 39 años fuera hereditario y entonces pudieran padecerlo él y su hijo, Napoleón Francisco Bonaparte. Su segunda voluntad fue que mechones de sus cabellos fueran distribuidos entre sus familiares, una costumbre común entre los franceses de la época.

Como ya hemos comentado, el propio Napoleón temía ser envenenado. En su testamento dejó una cita que nos hace pensar, "muero antes de tiempo, asesinado por la oligarquía inglesa y sus asesinos a sueldo". Claro está que esta inquietante afirmación no es diagnóstico de envenenamiento, ya que bien podía referirse al maltrato recibido, al encierro, al exilio en una isla alejada del resto del mundo, con las consecuencias que todo esto implica para su salud. Más allá de las consideraciones históricas, la polémica con fundamento científico fue instalada por el médico toxicólogo sueco Sten Forshufvud. En 1961, el colega publicó un interesante artículo en la revista científica *Nature* donde presentaba un estudio que demostró altas concentraciones de arsénico en muestras de cabello de Napoleón. La historia señala como posible asesino a Charles Tristan, conde de Montholon, hombre de confianza de Napoleón y que lo acompañó hasta sus últimos días. Habría que pensar que Montholon era parte de un complot preparado para evitar que Napoleón retomase el poder en Francia. La historia tiene algunos agregados que la hacen aún más interesante, un posible triángulo amoroso. ¿Entre quiénes? Entre la esposa de Montholon, la bella Albine, y Napoleón. Hay quienes sostienen que Montholon hasta aceptó e incluso promovió esa relación o bien que pudo sentirse traicionado por Albine y esto fue un motivo adicional para envenenar al general. Son especulaciones:

las condiciones estaban dadas, pero no hay evidencia de ello. Lo cierto es que los cabellos de Napoleón tenían una alta dosis de arsénico. Forshufvud hizo analizar los cabellos que fueron cortados de la cabeza de Napoleón el 6 de mayo de 1821, según él mismo lo había solicitado. Éstos tenían una longitud de 7,5 centímetros. Habitualmente un cabello crece a 2,5 centímetros cada dos meses, con lo cual uno podría suponer que esos mechones acompañaron a Napoleón durante al menos seis meses. Según los estudios realizados sobre las muestras de cabellos utilizando métodos modernos y muy sofisticados, se pudo determinar que contenían grandes cantidades de arsénico. Es así que se han analizado ocho cortes distintos a lo largo del cabello de Napoleón, desde la raíz hasta la punta, y se han podido determinar distintas concentraciones de arsénico, que van desde un mínimo de 2,8 partes por millón (PPM) hasta una muestra en la que la concentración es de 51,2 PPM. Los valores más bajos o más altos de concentración de arsénico indican periodos en los que los cabellos fueron expuestos a mayores o menores concentraciones del tóxico. Los valores normales para las muestras de cabello de la época eran de 0,08 PPM. Sin duda, intoxicación crónica por arsénico.

Claro está que la presencia de arsénico en muestras de cabello no indica necesariamente que ésta se hubiera producido por envenenamiento. Hay otras posibilidades no dolosas de acumulación de arsénico en el organismo. Quienes sostienen que la acumulación de arsénico en los cabellos de Napoleón no fue por envenenamiento citan numerosas posibles causas, entre ellas las siguientes: intoxicación por el papel pintado de la casa de Longwood, intoxicación por el vino, productos capilares que Napoleón usaba o medicamentos administrados.

Resulta muy interesante conocer que el papel de decoración color verde de la residencia de Napoleón en Longwood estaba pintado con el llamado "verde de Scheely" preparado con sales de arsénico y cobre. Con respecto al vino habría que señalar que los enólogos de la época acostumbraban secar los barriles con preparados de arsénico y cobre, y esto podría ser una de las posibles causas de intoxicación. La utilización de productos capilares con sales de arsénico también es una posibilidad de contaminación de los cabellos y Napoleón los usaba con frecuencia. Además muchos medicamentos de la época contenían derivados del arsénico en su composición. También debemos agregar otros dos datos de interés. El primero es que han sido analizados cabellos de Napoleón del año 1814 que ya mostraban altas concentraciones de arsénico. Por otro lado, cabe citar que en la intoxicación crónica con este tóxico aparecen signos físicos que, al menos, no fueron detallados en la autopsia. Entre ellos podemos nombrar las líneas de "Mees" que son estriaciones transversales que como delgadas bandas aparecen en las uñas y la queratodermia en palmas y plantas de los pies, que es un engrosamiento, endurecimiento y oscurecimiento de la piel. De haber estado presentes estos signos es probable que una autopsia de la época bien realizada los hubiera consignado en el informe. Digo esto porque la medicina francesa e inglesa de la época era detallista en el examen físico. No obstante hay que tener presente también que por entonces los médicos no conocían los signos físicos de la intoxicación crónica por arsénico, es más, no sabían que hacía mal. Recién en 1937 se comprobaron los efectos dañinos para la salud y fue cuando dejó de ser utilizado tan extendidamente en la industria y en la medicina.

Teniendo en cuenta la evolución clínica podríamos afirmar que Napoleón no murió envenenado.

Mayo, 1821. Isla de Santa Elena. Autopsia de Napoleón

En este caso en particular, tenemos a disposición la autopsia. La autopsia es un procedimiento médico en el cual la disección del cadáver permite examinar los distintos órganos con la finalidad de llegar a un diagnóstico post-morten de la enfermedad y las complicaciones que llevaron a la muerte al paciente, en este caso a Napoleón Bonaparte. Resulta claro que esta autopsia fue realizada en 1821, sin embargo, aunque pudiera considerarse erróneamente lo contrario, la información que nos brinda es de gran valor diagnóstico. Si bien no contamos en la autopsia de Napoleón con los estudios de anatomía patológica que tenemos disponible hoy en día, es muy útil. Es posible que a usted le llame la atención que por ese entonces se hubiera realizado una autopsia. En realidad era de rutina. Es más, resultaba ser una fuente de información indispensable para los médicos de entonces. Aquellos médicos eran buenos anatomistas y tenían que serlo. No contaban con radiología, laboratorio, tomografía computada, resonancia magnética nuclear, ni otro método moderno de diagnóstico.

Eran médicos muy observadores, tanto del paciente en vida como en el estudio de los cadáveres. Era la forma en que los médicos aprendían y lo sigue siendo hoy. La anatomía patológica, es decir el estudio de las lesiones en los órganos y tejidos, es fundamental en medicina.

El doctor Antommarchi cumplió con el deseo de Napoleón y fue él quien le realizó la autopsia. Antommarchi había llegado a la isla de Santa Elena el 20 de septiembre de 1819. Fue enviado por Letizia Ramolino, madre de Napoleón, para que lo atendiera médicamente. En definitiva fue eso lo que sucedió. Y fue él quien realizó la autopsia, tal cual fue el deseo del propio Napoleón. El informe de la misma ha llegado hasta nuestros días. Ésta es una oportunidad inigualable, vamos a ver el informe de la autopsia de Napoleón. A efectos prácticos voy a transcribir la traducción de la misma, pero solamente aquellas partes que tienen interés en el diagnóstico, es decir que arrojan datos positivos o de anormalidad que permitan el diagnóstico post-morten de Napoleón. Posiblemente a usted le cause cierta impresión la lectura y descripción de la autopsia que el Dr. Antommarchi realiza en el cuerpo de quien fuera en vida emperador de Francia y uno de los militares más importantes de la Historia. De hecho es casi seguro que usted no leyó nunca una autopsia. Éste es el momento. La verdad es que la autopsia es un dato histórico de interés y de hecho resulta fundamental para el diagnóstico. Por otro lado no puedo evitar transcribir palabras que resultan ciertamente desconocidas para aquellas personas que no son médicos. De todos modos, todo se aclarará en el próximo apartado, donde llevaremos la autopsia de Napoleón a uno de los centros médicos más importantes del país para que distinguidos colegas apliquen sus herramientas de conocimiento y arriesguen conclusiones sin saber previamente de qué paciente se trata.

Veamos el informe de la autopsia realizado por Antommarchi:

> El cadáver yacía desde hacía veinte horas y media. Procedí a la autopsia; abrí primero el pecho. He aquí lo más notable que observé: los cartílagos costales están en gran medida osificados. El saco formado por la pleura costal de lado izquierdo contenía más o menos un vaso de agua color cetrino. Una capa ligera de linfa coagulable cubría una parte de las caras de la pleura costal y pulmonar correspondientes del mismo lado. El pulmón izquierdo estaba ligeramente comprimido por el derrame, adhería por medio de numerosas bridas a las partes posterior y lateral del pecho y al pericardio; lo disequé con cuidado, encontré el lóbulo superior salpicado de tubérculos y algunas pequeñas excavaciones tuberculosas. Una capa ligera de linfa coagulable cubría una parte de las pleuras costal y pulmonar correspondientes a ese lado. El saco de la pleura costal del lado derecho contenía más o menos dos vasos de agua color cetrino. El pulmón derecho estaba ligeramente comprimido por el derrame; pero su parénquima estaba en estado normal. La membrana más compuesta o mucosa de la traquearteria y de los bronquios estaba bastante roja, y recubierta de una cantidad bastante importante de pituita espesa y viscosa. Numerosos ganglios bronquiales y del mediastino estaban un poco hinchados, casi degenerados, y en supuración. El corazón, un poco más voluminoso que el puño del sujeto, presentaba, aunque sano, bastante grasa en su base y en sus arrugas. Los ventrículos aórtico y pulmonar y las aurículas correspondientes estaban en estado normal, pero pálidas y totalmente vacías de sangre. Los orificios no presentaban ninguna lesión notable. Los vasos arteriales gruesos y venosos junto al corazón estaban vacíos y generalmente en estado normal. El abdomen presentó lo que sigue: distensión del peritoneo, producida por una gran cantidad de gas. Exudación aguada. Transpa-

rente y difluente, cubriendo en toda su extensión las dos partes ordinariamente contiguas de la cara interna del peritoneo. El bazo y el hígado endurecido eran muy voluminosos y colmados de sangre; el tejido del hígado, de un rojo pardo, no presentaba, por lo demás, ninguna alteración notable de estructura. El hígado, que estaba afectado por una hepatitis crónica, estaba unido íntimamente por su cara convexa al diafragma. El estómago apareció primero en un estado de los más sanos; ninguna huella de irritación o de flogosis, la membrana peritoneal se presentaba bajo las mejores apariencias. Pero al examinar este órgano con cuidado, descubrí en la cara anterior, hacia la pequeña curvatura y a tres dedos de distancia del píloro, una ligera obstrucción como escirroso, muy poco extendido y exactamente circunscrito. **El estómago estaba perforado de un lado a otro en el centro de esta pequeña induración**. La adherencia de esta parte del lóbulo izquierdo del hígado cerraba la abertura de éste. El volumen del estómago era más pequeño de lo que lo es ordinariamente. Al abrir esta víscera a lo largo de su gran curvatura, reconocí que una parte de su capacidad estaba llena de una cantidad considerable de materias débilmente consistentes y mezcladas a muchas flemas muy espesas y de un color análogo al del poso del café; desprendían un olor acre e infecto. Casi todo el resto de la superficie interna de este órgano estaba ocupado por una úlcera cancerosa que tenía su centro en la parte superior, a lo largo de la pequeña curvatura del estómago, mientras los bordes irregulares, digitados y lingüiformes de su circunferencia se extendían hacia adelante, en la parte trasera de esta superficie interna, y desde el orificio del cardias hasta una buena pulgada del píloro. La abertura, redondeada, tallada oblicuamente en bisel a expensas de la cara interna de la víscera, tenía apenas cuatro a cinco líneas de diámetro adentro y dos líneas y media a lo mucho afuera; su borde circular, en ese sentido, estaba extremadamente delgado, ligeramente dentellado, negruzco, y solamente formado por la membrana peritoneal del estómago. Una superficie ulcerosa, grisácea y lisa, formaba por cierto las paredes de esta especie de canal que hubiera establecido una comunicación entre la cavidad del estómago y la del abdomen, si la adherencia con el hígado no se hubiera opuesto a ello. La vejiga, vacía y muy encogida, encerraba una cierta cantidad de grava mezclada con algunos pequeños cálculos. Numerosas placas rojas estaban esparcidas sobre la membrana más compuesta o mucosa; las paredes de este órgano estaban en estado normal. Quería hacer el examen del cerebro. El estado de este órgano en un hombre tal como el Emperador era del más alto interés; pero se me detuvo duramente: hubo que ceder. Había terminado esta triste operación. Desprendí el corazón, el estómago, y los puse en un jarrón de plata lleno de espíritu de vino. Reuní enseguida las partes separadas, las junté con una sutura, lavé el cuerpo, y cedí el lugar al ayuda de cámara.

Aunque resulte increíble, hemos leído el informe de la autopsia a Napoleón Bonaparte. El doctor Antommarchi hizo un buen trabajo, la descripción fue meticulosa. ¿Qué pensarán los médicos de nuestra época al leer esta autopsia?

Mayo, 2010. Buenos Aires, Fundación Favaloro. Ateneo Anatomoclínico

El hecho de conocer la historia clínica del paciente, es decir los síntomas y enfermedades que pudiera haber presentado, sin duda orientan el diagnóstico. De hecho de eso se trata este trabajo, es un diagnóstico retrospectivo basado en informes que los datos históricos aportan.

En otras palabras, estamos haciendo una historia clínica actual con datos del pasado y en tanto ello formulamos un diagnóstico. Cuando los médicos realizamos la residencia médica es común que nos toque presentar casos clínicos denominados "Ateneo Anatomoclínico". ¿Qué es un ateneo anatomoclínico? Es cuando un médico presenta la historia clínica de un paciente que falleció y cuyo diagnóstico de muerte es dudoso. Esa presentación en general se lleva a cabo en el auditorio de docencia del hospital ante la presencia del resto de los colegas. Así uno comenta todos los datos de interés de la historia clínica. Motivo de consulta, análisis, estudios realizados, evolución del cuadro clínico, complicaciones, etc. Ni el médico residente que presentó el caso, ni los médicos asistentes al Ateneo saben el diagnóstico. Se abre así una discusión por demás interesante y muchas veces acalorada donde el intercambio de opiniones, algunas veces con tono apasionado, más propio de una tribuna de fútbol, da lugar a los distintos diagnósticos posibles. Todas son hipótesis y discusiones. Cada uno tiene su diagnóstico. Pero en realidad, los que saben la verdad son los médicos que, sin intervenir, están tranquilamente sentados en la última fila del auditorio ¿Quiénes son? Son los anatomopatólogos que han realizado la autopsia. Ellos saben la verdad y tienen el diagnóstico de certeza: son los Antommarchi. Cuando la discusión termina, cada uno tiene su diagnóstico presuntivo y llega el momento en que los que realizaron la autopsia pasan al frente. Explican entonces los hallazgos post-morten y dan el diagnóstico definitivo. Cuando el ateneo anatomoclínico termina, todos sin excepción, habremos aprendido algo nuevo.

Se me ocurrió hacer algo parecido. Fue así que pensé en un distinguido médico, el Dr. Francisco Klein, quien es profesor titular del Departamento de Medicina de la Facultad de Medicina de la Universidad Favaloro y jefe del Departamento de Áreas Críticas del Hospital Universitario de la Fundación Favaloro. Lo contacté y le comenté, sin dar mayores detalles, que tenía una autopsia que quería que él y el doctor Rubén Laguens evaluaran. Laguens es profesor titular de Patología de la Facultad de Medicina de la Universidad Favaloro y jefe del Servicio de Anatomía Patológica del mismo centro. Fue así que la mañana del 17 de mayo de 2010 me presenté en la Fundación Favaloro. Me dirigí a Anatomía Patológica, donde ambos profesionales me recibieron. Después de las presentaciones de rigor llegó el momento esperado. Les hice saber que si bien yo ya conocía los antecedentes clínicos y de evolución del paciente, era mi interés que ellos hicieran un informe sobre la autopsia y emitieran una opinión diagnóstica sin verse influidos por ningún comentario de mi parte. También les solicité que al terminar hicieran un muy breve y simple resumen, con un lenguaje sencillo. Ahí estábamos entonces, con el informe de Antommarchi sobre la mesa. Coloqué un grabador en el escritorio y me llamé a silencio. Los colegas comenzaron a leer con interés la autopsia y a discutir sus detalles.

A continuación transcribo los comentarios que los colegas Klein y Laguens hicieron aquel día en la Fundación Favaloro sobre la autopsia que François Carlo Antommarchi realizó a Napoleón en 1821:

KLEIN: Se objetivó derrame pleural izquierdo. El líquido no era purulento, de modo que alejaba la posibilidad de una enfermedad infecciosa aguda y avalaba la posibilidad de una condición crónica. La descripción del pulmón con múltiples adherencias y la descripción de cavidades y nódulos hace un diagnóstico fuertemente probable de tuberculosis pleuropulmonar izquierda.

LAGUENS: El doctor Antommarchi refiere la presencia de "pituita" espesa (básicamente, "mucosidad", uno de los cuatro humores cardinales de la medicina antigua, correspondiente con la "flema" de los griegos). Esta mucosidad traqueal sugiere que los últimos momentos del paciente pudieron asociarse a trastornos del estado de conciencia y eventual aspiración de secreciones hacia la tráquea por disminución de su capacidad de tos y mala deglución.

K: La presencia de ganglios intratorácicos aumentados de tamaño, "degenerados" (probablemente necróticos) y en supuración, alienta la idea de que los mismos estuvieran también comprometidos por el proceso tuberculoso descrito en el pulmón izquierdo.

L: La descripción del corazón y de los grandes vasos ofrecía un aspecto bastante normal y no parecía haber patología cardíaca evidente que hubiera contribuido a la muerte.

K: El abdomen mostraba gran distensión de las vísceras, sugiriendo la detención del tránsito intestinal previa a la muerte, tal como se puede ver en aquellas condiciones donde una infección de la cavidad abdominal y del peritoneo (peritonitis) produce la parálisis intestinal (íleo). El hallazgo de exudación aguda (pus) cubriendo toda la extensión de esta membrana sugiere que el proceso llevaba algún tiempo hasta el momento de la muerte.

L: El aspecto congestivo del hígado y el bazo sugieren las condiciones que acompañan al colapso circulatorio (shock). El hígado presentaba evidencias de enfermedad crónica, que podrían relacionarse al antecedente documentado de hepatitis así como al efecto del alcohol u otra sustancia tóxica. Las adherencias del estómago en la región inmediatamente contigua, el hígado, permiten presumir, en ausencia de una lesión hepática evidente, la afectación del estómago.

K: Esta afectación del estómago se hace evidente luego, cuando a pesar del aspecto externo casi normal del estómago, al analizarlo en su interior se observa una ligera obstrucción cercana al píloro de aspecto rugoso con una perforación en su centro, que atravesaba toda la pared del órgano y que era responsable de las adherencias al hígado y probablemente de la peritonitis perforativa que diera origen a los hallazgos previamente descritos.

L: El mal olor que describe el médico con respecto al contenido del estómago avala la posibilidad de que la perforación se hubiera asociado a necrosis de la víscera y a infección por gérmenes anaeróbicos que típicamente son responsables de estas características.

K: La presencia de numerosos cálculos en la vejiga es consistente con la posibilidad de litiasis o cálculos vesicales.

K y L: En resumen, los hallazgos descritos corresponden a un diagnóstico presuntivo de cáncer gástrico, probablemente un adenocarcinoma por frecuencia y extensión, que llevó a perforaciones sucesivas generando un proceso de peritonitis plástica perigástrica y que culmina con una perforación masiva generando una peritonitis aguda con desarrollo de infección generalizada y sepsis. El colapso circulatorio que la acompaña es el que finalmente lleva a la muerte.

Armemos el rompecabezas

En la preparación de la historia clínica de Napoleón Bonaparte hemos acudido a tres recursos. Ellos fueron los antecedentes históricos que los biógrafos nos aportan sobre síntomas y dolencias del paciente, la autopsia realizada por Antommarchi y la evaluación que de ella hicieron los doctores Klein y Laguens. Hemos tomado la precaución de que los colegas no supieran de quién se trataba la autopsia hasta que la tuvieran sobre la mesa, de manera que no se vieran influidos de ningún modo y a su vez no conocieran los antecedentes clínicos del paciente.

Vamos ahora a armar el rompecabezas. Para esto reuniremos los datos disponibles para saber cuáles fueron las principales enfermedades que lo tuvieron a mal traer a Napoleón y el motivo de muerte. Comentaremos entonces aquellos síntomas y enfermedades de los cuales tenemos un grado de certeza razonable.

Napoleón fue un paciente que a lo largo de su vida fue afectado por varias enfermedades, algunas de ellas de importancia clínica. Era una persona inteligente, temperamental e iracunda. Muy probablemente con un perfil de paciente psicosomático. Esto significa que era una persona en la cual las condiciones emocionales ejercían una gran influencia sobre su estado físico. Es posible incluso cierto grado de hipocondría. Presentaba frecuentes episodios descritos en los antecedentes biográficos como catarros, tos, expectoración, faringitis, etc. La autopsia reveló la presencia de lesiones tuberculosas en la parte superior del pulmón izquierdo. Estas lesiones, en anatomía patológica, se describen como "cavernas tuberculosas", debido a su aspecto físico. Por lo tanto Napoleón presentó tuberculosis pulmonar en algún momento de su vida y se curó espontáneamente. Debemos recordar que en la época no existía diagnóstico de certeza ni tratamiento para dicha enfermedad. Por lo tanto debemos asumir que esos episodios de "catarro" fueron en realidad expectoración por tuberculosis. Es posible, incluso, que la eliminación bronquial de moco hubiera sido acompañada de sangre. Esto se denomina "esputo hemoptoico" y es frecuente en las tuberculosis no tratadas. Este dato clínico seguramente se perdió en la historia, ya sea porque no trascendió médicamente hablando o tal vez el paciente lo hubiese ocultado o menospreciado el síntoma. Lo cierto es que una tuberculosis compatible con la lesión que se evidenció en la autopsia debió haber sido bastante sintomática. Si bien la tuberculosis pudo haber curado espontáneamente, no podemos descartar que la misma hubiera reaparecido, a modo de recaída, en más de una oportunidad con mayor o menor repercusión sobre el estado general del paciente. Es muy posible que esta enfermedad no hubiera tenido mucha repercusión en la salud del emperador y que, en la medida de lo posible, se hubiera ocultado. A eso se debería el hecho de que los síntomas de la enfermedad no sean rescatados por los historiadores. Los síntomas típicos son tos, expectoración, a veces sanguinolenta, fiebre, transpiración, debilidad, pérdida de peso, etc. Para su condición de emperador o líder militar la presencia de una enfermedad de este tipo no era conveniente. Es muy razonable que, en la medida de lo posible, él y sus médicos hubieran tratado de ocultarla. Los antecedentes de disuria, es decir las alteraciones urinarias —ardor miccional, dificultad miccional, dolor miccional, dolores lumbares, cólicos, etc.—, se ven diagnosticados y certificados por la presencia de cálculos o litiasis en la vejiga, tal como se observó en la autopsia. Las piedras halladas en la vejiga de Napoleón fueron las responsables de los síntomas urinarios que el paciente presentó antes de la batalla de Marengo en el Piamonte italiano y previo a la batalla de Dresde en Alemania. Seguramente no fueron las únicas oportunidades en que Napoleón sufrió estos síntomas ya que la enfermedad los da con frecuencia.

Durante toda su vida Napoleón presentó problemas digestivos. La constipación es citada por varios biógrafos y los dolores abdominales a predominio del costado derecho del abdomen fueron una constante y probablemente justifiquen la clásica posición de la mano derecha de Napoleón, que colocaba debajo del chaleco y sobre la región del hemiabdomen derecho. Debió haber sido muy sintomático. Seguramente sufrió mucho por esta causa. No podemos saber con certeza, pero muy probablemente debió sufrir acidez muy frecuente, posiblemente como síntoma de una gastritis crónica o una úlcera gastroduodenal. Napoleón debió presentar estos síntomas desde muy joven. El paciente llegó a la Isla de Santa Elena cuando tenía 46 años. En ese momento ya padecía desde hacía muchos años de síntomas digestivos por gastritis y/o úlcera. También para entonces había presentado tuberculosis que debió sanar espontáneamente. Los síntomas urinarios ya eran para él algo frecuente y con ello convivía. En términos generales, al llegar a Santa Elena su estado general era bastante bueno. Sin embargo, hay que tener presente también la circunstancia emocional que lo afectaba. Había sido un militar con campañas excepcionales y emperador de Francia. Ahora se encontraba prisionero de los ingleses en una isla alejada del mundo. Los días le harían entender que la detención sería larga, incluso definitiva. Debía haber sufrido un gran estrés y seguramente momentos de ansiedad y depresión. Además no olvidemos que se trataba de un paciente psicosomático. Las complicaciones en su estado de salud eran una cuestión de tiempo. Napoleón estuvo preso en Santa Elena durante cinco años y medio. Si bien, como hemos dicho, su estado general era bueno al llegar a la isla, los meses fueron deteriorando su salud. Al comienzo y paulatinamente fue aumentando de peso. El sedentarismo, el exceso de alimentación y su gusto por el vino condicionaron esta situación.

Hacia 1817 aparece una nueva enfermedad: hepatitis. Su sufrimiento debió ser importante y los médicos que lo atendieron no dudaron a la hora de hacer el diagnóstico. A su vez, la autopsia revela lesiones crónicas en el hígado que son compatibles con un cuadro de hepatitis importante. Los dolores y síntomas digestivos nunca cedieron.

Hacia 1819 la historia clínica se complicaba. El estado general del paciente empeoraba. Los síntomas digestivos, sobre todo el dolor, eran frecuentes.

Los periodos de mejoría eran cada vez más cortos y menos frecuentes. Napoleón podía prever su final. Le preocupaba que su enfermedad fuera la misma que había terminado con la vida de su padre, cáncer gástrico. También le preocupaba que su hijo, como él, la pudiera heredar. Antommarchi no pudo responder a Napoleón si se trataba de una enfermedad con componente genético. No podía contestarle si podía padecer de cáncer y en ese caso si su hijo lo heredaría. Simplemente Antommarchi no tenía la respuesta.

La pérdida de fuerzas lo fue alcanzando y pasaba la mayor parte del tiempo en cama. La debilidad debió ser importante. Clínicamente hablando, tenía síntomas. Y el dolor debió haber sido intenso en los últimos meses. Los baños de agua caliente ya no debían calmar su dolor. El cuadro clínico avanzó hasta que en los últimos días se precipitaron los hechos. El cáncer gástrico lesionó la pared del estómago hasta que ésta se perforó. Debemos imaginar los dolores. El contenido gástrico pasó entonces al abdomen. Se produjo así una peritonitis aguda que progresó a una infección generalizada o sepsis. El paciente pierde la conciencia durante las últimas horas de vida hasta que sobreviene el final por colapso circulatorio o shock.

Estamos ahora en condiciones de cerrar esta "historia clínica" con el certificado de defunción de Napoleón Bonaparte.

Certificado de defunción

Nombre: Napoleón Bonaparte
Edad: 52 años
Lugar: Isla de Santa Elena
Fecha: 5 de mayo de 1821
Motivo de fallecimiento: Paro cardiorrespiratorio no traumático
Causa inmediata: Shock séptico-infección generalizada
Causa mediata: Cáncer gástrico

El miedo de Napoleón

Napoleón Bonaparte tenía 16 años cuando su padre, a la edad de 39, fallece padeciendo cáncer gástrico. Poco tiempo después Napoleón comenzaría con síntomas digestivos, principalmente de origen gástrico. Los síntomas de acidez, dolor y ardor lo acompañarían siempre y era natural que sintiera miedo a padecer la misma enfermedad que su progenitor.

En realidad, debió haber presentado una gastritis crónica y/o úlcera gastroduodenal. Él no lo sabía, pero la úlcera gástrica o la duodenal pueden malignizarse y producir cáncer. Sin embargo, y con razón, tenía miedo. Los años en Santa Elena, lejos de la familia, aumentaban su justificado temor. Luego de separarse de su primera esposa, Josefina de Beauharnais, Napoleón se casa con María Luisa de Austria. Con ella tienen un hijo, Francisco Bonaparte. Napoleón tenía entonces dos temores en Santa Elena: que él padeciera cáncer gástrico y que lo tuviera en el futuro su hijo Francisco. El doctor Antommarchi no pudo calmar su ansiedad. No se sabía por entonces si el cáncer gástrico tenía un componente hereditario. Sí aceptó, a pedido de Napoleón, hacer su autopsia, para saber la causa de muerte y prevenirla en Francisco. Napoleón vislumbraba su futuro y arregló su autopsia. Su predestinación se cumplió: Napoleón falleció de cáncer gástrico, igual que su padre.

Hoy día sabemos que existe cierto condicionamiento genético. Napoleón nunca lo supo, pero su hijo no falleció de cáncer gástrico. Paradoja del destino, Francisco falleció muy joven de tuberculosis pulmonar; la misma enfermedad que su padre había podido superar terminó con su vida siendo muy joven, a los 21 años.

El cuerpo de Napoleón Bonaparte descansa en Les Invalides en París. En 1940, los restos de Francisco fueron trasladados a Francia. Hoy día, padre e hijo descansan bajo el mismo techo.

Raúl Alfonsín: democracia

Con la democracia se come,
con la democracia se educa,
con la democracia se cura.

RAÚL ALFONSÍN

Raúl Ricardo Alfonsín nació el 12 de marzo de 1927 en Chascomús, provincia de Buenos Aires. Fue el primero de los seis hijos de Ana María Foulkes, quien descendía de irlandeses. Raúl terminó sus estudios secundarios en el Liceo Militar General San Martín y se recibió de abogado en la Universidad de Buenos Aires, en 1950. Su padre, Serafín Raúl Alfonsín, gallego y ferviente radical, no sabía por entonces que el 10 de diciembre de 1983 su primogénito sería ungido primer presidente constitucional luego de la larga noche de la dictadura militar.

El inicio de la historia clínica

No nos enfermamos de lo que queremos sino de lo que podemos, ya que en principio existe una predisposición genética condicionante que, llegado el momento, nos hará enfermar de tal o cual cosa. Para que quede más claro: una persona que presenta predisposición a enfermedades cardiovasculares es probable que enferme de hipertensión arterial, arritmias cardíacas o de enfermedad coronaria y padezca alguna de sus consecuencias más comunes, como la angina de pecho o el infarto agudo de miocardio.

La genética condiciona, pero hoy sabemos que no determina. Sobre esa base de "predisposición" genética actúan factores

—del ambiente, del entorno, de las experiencias de vida— denominados epigenéticos. Estos factores epigenéticos son los que determinan que algunos genes se expresen y otros no. Es decir, son los que gatillan o inhiben la manifestación de nuestra predisposición genética, de las enfermedades. En criollo, la genética condiciona nuestras enfermedades y en alguna medida nosotros podemos modificar ese destino.

El paciente Raúl Alfonsín, cuya historia clínica estamos confeccionando, era un paciente cardíaco. Ésa era su predisposición genética y sólo la aparición de otra enfermedad y el tratamiento médico que recibió evitaron que el desenlace fuera de origen cardíaco. Veamos. El paciente era una persona temperamental, apasionada, un "gallego" como el padre. Increíblemente memorioso y de puntualidad obsesiva. Hincha del club de fútbol Independiente de Avellaneda, porque de chico le gustaba la palabra "independiente" y era su tío quien lo llevaba con alguna frecuencia a la cancha. Durante su infancia enfermaba con facilidad, sobre todo de complicaciones de tipo respiratorio, de ahí que los problemas bronquiales eran frecuentes y los cuadros gripales muy comunes. Esa circunstancia hizo que debiera cursar parte de la escuela primaria como alumno libre. De esa manera, el tiempo que pasaba en su casa lo capitalizó convirtiéndose en un gran lector. Su madre se ocupó de brindarle una alimentación completa y adecuada y con el paso del tiempo su condición física se normalizó.

Quien ya como presidente de la Nación creara la Comisión Nacional sobre la Desaparición de Personas (Conadep), era un paciente que alternaba entre el sobrepeso y la obesidad. Esto, claro está, es lo que llamamos un "factor de riesgo", ya que el sobrepeso y más aún la obesidad es una condición que favorece el desarrollo de las enfermedades cardiovasculares. El paciente era de buen comer, es más, era un extraordinario gourmet que recordaba las comidas y con quién las había compartido. También es cierto que comía cuanto le ponían delante. Le gustaban las pastas, el asado y "la picada con buen vino", éste, de ser posible, Rutini. Picada y amigos era la combinación perfecta para Alfonsín. En sus numerosos viajes de militancia política a lo largo y ancho de todo el país, cuando llegaba a algún lugar —sea un pequeño pueblo o una ciudad— era esperado con una buena picada. Al momento del postre, de ser posible prefería un helado de sambayón.

El paciente presentaba una hernia hiatal. Esta situación producía reflujo del estómago al esófago, generando molestias con alguna frecuencia. Las digestiones lentas o "pesadas" eran combatidas por digestivos habituales del tipo Hepatalgina o Bagohepat, que el paciente tomaba por cuenta propia luego de cenas "cargadas". Hay versiones que dicen que fumaba desde los 12 años y otras indican que desde los 17. Lo cierto es que habitualmente fumaba entre uno y dos atados diarios (20 cigarrillos por paquete) de la marca Colorado. No fumaba cigarros ni pipa. Dejó de fumar aproximadamente a los 50 años. Pero para entonces ya había fumado mucho. Los efectos dañinos del tabaco se harían sentir con el tiempo tanto en el sistema cardiovascular como, particularmente, en los pulmones. Sobre el motivo por el cual dejó de fumar hay varias versiones. Algunos lo acreditan a algún susto por su salud. Sin embargo, la versión más confiable dice que un día simplemente dejó de fumar. Parece que fue en el restaurante Del Plata, que estaba ubicado en la calle Rodríguez Peña entre Marcelo T. de Alvear y avenida Santa Fe. Alfonsín, luego de la cena y antes de la medianoche, dijo "dénme un cigarrillo que es el último" y desde entonces no fumó más.[18] Comer, fumar y tomar café es una asociación frecuente en los políticos, que por naturaleza son pacientes que "viven" en campaña. La mala alimentación y la falta de ejercicio físico son la norma entre los políticos, aunque en la actualidad haya excepciones, particularmente extremas en el caso de algunos que practican deportes de manera obsesiva. De joven, Alfonsín practicó algo de actividad física y deportiva en su Chascomús natal: fútbol —no era muy diestro según sus amigos—, paleta, ping pong y, sobre todo, natación.

Al sobrepeso mencionado se agregaba otro factor de riesgo para la enfermedad cardiovascular: la dislipemia. Se trata de una alteración en los lípidos o grasas en la sangre. En este caso el paciente tenía elevado el colesterol y los triglicéridos. Afortunadamente no presentaba diabetes. Lo que sí debe consignarse muy especialmente es que el paciente era hipertenso. También presentaba una insuficiencia de la válvula aórtica. La válvula aórtica es una válvula que permite el paso de la sangre desde el ventrículo izquierdo del corazón a la arteria aorta y de ahí la sangre pasa a irrigar todo el cuerpo. Sucede que esta válvula se abre y se cierra en cada latido. Ese cierre es habitualmente completo y, cuando no lo es, permite un cierto reflujo de sangre en cada latido, fenómeno conocido como insuficiencia aórtica. El paciente presentaba entonces una insuficiencia aórtica entre leve y moderada que fue diagnosticada gracias a un ecocardiograma que se había realizado preventivamente en Estados Unidos. Su madre había fallecido a edad muy avanzada y su padre a los 60 años como consecuencia de una pancreatitis. Con estos antecedentes, Alfonsín conocería a quien iba a ser su médico cardiólogo.

Emoción y salud: "la pelotera"

Enrique Beveraggi era amigo, médico y correligionario de Alfonsín, y fue el último ministro de Salud y Acción Social de su gobierno. El 2 de febrero de 1993, el doctor Beveraggi, en ese momento ex director del Hospital Italiano, acude de urgencia al servicio de Cardiología del citado nosocomio en busca del médico Juan Krauss. El doctor Krauss recuerda que eran las 8.30 de la mañana cuando Beveraggi llega con apuro al servicio y, tomándolo del brazo, le dice "Juan, vamos, vamos que el doctor Alfonsín presenta un probable cuadro cardiológico". Fue así que abordaron el auto de la custodia que los esperaba en la entrada de la calle Gascón y se dirigieron al octavo piso al fondo de Santa Fe al 1600, domicilio de Raúl Alfonsín.

El doctor Krauss, quien de ahí en adelante sería el cardiólogo de Alfonsín, recuerda el cuadro clínico en el momento en que llegaron al domicilio. Describe que el paciente presentaba pulso acelerado, baja tensión arterial y respiración más rápida de lo normal. Realiza un electrocardiograma y diagnostica un tipo de taquicardia llamada supraventricular. El paciente no se sentía tan mal y de hecho no percibía la importancia clínica del cuadro. El doctor Krauss recomendó una rápida internación para un correcto tratamiento, pero el paciente se negaba. Krauss le explica detalladamente los potenciales riesgos y el paciente no se convence. El médico se pone firme e insiste y persuade al paciente para que se interne. En el hospital la arritmia cede, es estudiado por completo y se le da el alta tres días más tarde.

En busca de los motivos que pudieron desencadenar la arritmia se encuentra un cuadro emotivo, en realidad una discusión mantenida durante una entrevista radial. Es sabido que los fenómenos emocionales pueden desencadenar alteraciones cardíacas y en este caso ese gatillo existió. El paciente estaba habituado a las exposiciones públicas, los discursos y las discusiones eran corrientes, pero cuando los debates superaban cierto "tono", se tensionaba más de la habitual. Alfonsín conocía estas circunstancias, las tenía bien identificadas y se refería a ellas como "peloteras" o "tremendas peloteras" si eran de mayor magnitud. Estas situaciones de tensión elevaban la adrenalina en sangre y disparaban la arritmia. Esta circunstancia se repetiría en el futuro, confirmando una vez más la conexión entre las emociones y la salud.

Otro evento en la historia argentina se relaciona con la historia clínica del paciente. Esta vez fue durante las elecciones legislativas del 26 de octubre de 1997, primera elección en la que se presentó la Alianza, coalición formada por la Unión Cívica Radical y el Frente País Solidario (Frepaso) que más tarde llevaría a la presidencia de la Nación a Fernando de la Rúa. Nuestro paciente ya sentía síntomas cuando estaba votando en su natal Chascomús: la tensión del comicio sumada a la militancia electoral previa, habían desencadenado los ya frecuentes síntomas cardiológicos que se asociaban a estados emocionales, las ya clásicas "peloteras". El doctor Krauss refiere que en realidad su paciente tenía buena tolerancia clínica a esta arritmia, lo cual en absoluto resta importancia al cuadro cardiológico que siempre requiere de tratamiento especial. Fue el día de la elección cuando Raúl Alfonsín, hijo mayor del ex Presidente, más conocido como Raulo, llama por teléfono a Krauss comentándole que su padre no se sentía bien. Krauss se dirige al domicilio del paciente y lo encuentra con una importante taquicardia de 150 latidos por minuto, piel fría y cierta dificultad respiratoria. Alfonsín estaba entusiasmado por los primeros datos electorales que se conocían gracias a los llamados "resultados a boca de urna" y tal emoción tenía centrada su atención. En realidad, el cuadro ya tenía más de un día de evolución, pero a esa altura los síntomas ya eran más importantes. Alfonsín no quería internarse previendo que esa noche asistiría al acto de festejo del triunfo electoral en la ciudad de Buenos Aires. Nuevamente, la pasión política se imponía sobre la sintomatología. El médico de cabecera insistió, impuso su criterio y el paciente se internó. Mientras, Carlos Corach, ministro del Interior del entonces presidente Carlos Menem, anunció la derrota y el triunfo de la Alianza. En el festejo de la Alianza estaban Graciela Fernández Meijide, Carlos "Chacho" Álvarez y Rodolfo Terragno a su derecha y Fernando de la Rúa y Federico "Fredy" Storani a su izquierda. Alfonsín los veía por televisión desde el cuarto de hospital donde estaba internado.

El episodio cardiológico fue más importante de lo que trascendió. Se había tratado, nuevamente, de un evento emocional asociado a complicaciones en la salud.

Un susto nocturno y una complicación coronaria

Corría el verano de 1997. Alfonsín había tenido una cena acalorada, con discusión intensa incluida, "una pelotera". Aproximadamente a las cinco de la madrugada se despertó con dolor de pecho típico, "de manual", que duró entre 15 y 20 minutos. El paciente fue atendido por un médico que intervino circunstancialmente, quien le realizó un electrocardiograma. Cuando llega el doctor Krauss, ambos coinciden en que, por el resultado del electrocardiograma, la internación es obligada. Una vez internado, se le realizó una coronariografía de urgencia y análisis de sangre. El diagnóstico fue angina de pecho de origen coronario aunque sin presentar infarto de miocardio. Nuevamente emoción, estrés y síntomas clínicos en la vida de un político. El doctor Krauss hizo público, a través de la prensa, el informe oficial del Hospital Italiano. El paciente evolucionó favorablemente.

Enojo, ira e hipertensión arterial

El paciente estaba en campaña electoral. Corría el año 2001 y buscaba ser electo como senador nacional por la provincia de Buenos Aires. Su médico de cabecera, Juan Krauss, lo acompañaba por las distintas ciudades y pueblos del interior de la provincia. El colega recuerda un acontecimiento donde el temperamento del paciente se manifestó a través de un episodio de enojo o ira con repercusión cardiovascular clara que describió del siguiente modo:

> Viajábamos en auto desde Tres Arroyos a la ciudad de Bahía Blanca. Alfonsín se presentaría en un acto político partidario. Nos acompañaba un político local y el chofer, que a la sazón era su custodio de seguridad. El Dr. Alfonsín preguntó si funcionaba el ramal ferroviario que unía Rosario con el puerto de Ingeniero White en Bahía Blanca. El lugareño contestó que no, que había sido privatizado, que ya no funcionaba y que ni siquiera quedaban los durmientes ni las vías: "los durmientes fueron vendidos como leña y las vías como chatarra, cuando lleguemos le muestro". Alfonsín no dijo absolutamente nada y permaneció en silencio. Caía la tarde. A los pocos kilómetros, el auto se detiene y bajamos. Nuestro acompañante le señala el terraplén por donde tiempo atrás pasaba el tren. Alfonsín caminó en silencio hasta que se paró sobre el montículo de piedras grises por donde pasaba el tren: ya no había vías ni durmientes. Lo recuerdo como si fuera hoy. Alfonsín reaccionó con violencia e ira pateando piedras y despotricando palabras irreproducibles. "No puede ser", gritaba, "han vendido el país, un tren estratégico que unía el principal puerto cerealero del país con el puerto de aguas profundas de Bahía Blanca".

Alfonsín era un paciente cardiovascular. Como hemos comentado, había presentado arritmias cardíacas, una complicación coronaria, tenía insuficiencia aórtica y colesterol elevado. Pero además era hipertenso. Un hipertenso de difícil tratamiento que requería de la utilización constante de dos y a veces tres drogas. La hipertensión arterial es un factor de riesgo de enfermedad cardiovascular importante. Su médico le controló la presión arterial luego de aquel episodio. Era muy alta: 200/110 mm Hg. Le dio medicación complementaria y le recomendó que descansara. Por fin, la presión arterial se normalizó y el paciente pudo participar del acto político de aquella noche, tal como estaba planificado. A partir de este episodio, el Dr. Krauss le hizo una recomendación médica que el paciente comenzó a utilizar. La indicación era sencilla: que siempre tuviese a mano comprimidos de amlodipina, un fármaco que baja la presión arterial. Alfonsín estaba autorizado a tomar un comprimido cuando percibía que se presentaba un episodio de estrés agudo o "una pelotera", al decir del paciente.

¿Qué conclusión médica podemos sacar de este suceso? Que un esfuerzo físico intenso puede desencadenar hipertensión arterial e incluso un infarto agudo de miocardio, pero también lo puede desatar una emoción violenta, tal como un ataque de ira, por ejemplo. Y esto es así porque el corazón no distingue entre un esfuerzo físico y otro psicológico y ambos pueden desencadenar un infarto agudo de miocardio. Nuevamente, emoción y salud se relacionan directamente.

Emociones y salud: la psiconeuroinmunoendocrinología

Podrían agregarse a la historia clínica del paciente varias contingencias de salud. Por ejemplo, en tres oportunidades, entre 1993 y 2000, presentó cuadros pulmonares de neumonitis típica, que es una inflamación del tejido pulmonar acompañada por tos seca, de tipo irritativa, y que en este caso fue de predomino nocturno. Siempre respondió bien al tratamiento. Otro cuadro anecdótico fue cuando en un viaje a China presentó una pleuritis seca, que es una inflamación de la pleura (envoltura que recubre los pulmones). En este caso resultó ser una pleuritis de pulmón derecho. Lo anecdótico fue que el paciente se internó en la misma habitación del Hospital de Beijing en que fuera internado en su momento Mao Tsé-Tung.

En este punto nos interesa destacar la clara relación entre emociones y salud. Si bien esta relación se da en todas las personas, existen actividades y personalidades predispuestas. La experiencia de consultorio señala que los políticos conforman un grupo de pacientes particular. La pasión con que realizan su actividad, la amenaza constante a la que están sometidos sus proyectos y el estado de campaña permanente genera una repercusión psicofísica que se explica a través de la psiconeuroinmunoendocrinología. Palabra larga si las hay, ¡treinta letras!, pero que paradójicamente sintetiza toda un área en pleno desarrollo de la medicina que relaciona la influencia de los procesos psicológicos y la salud física. Didácticamente podríamos separar esta palabra en cuatro partes, "psico", lo psicológico y emocional, "neuro", los neurotransmisores y el cerebro, "inmuno", el sistema inmunológico de defensa, y "endocrino", que hace referencia al sistema hormonal. Estas cuatro áreas están fuertemente relacionadas entre sí y cualquiera de ellas tiene influencia sobre las otras. Esto es, una modificación psicológica puede influir sobre el área neurológica, inmunológica y hormonal o endocrina. Del mismo modo, cualquiera de estas últimas tres áreas pueden influir sobre el área psicológica. En definitiva, y a riesgo de ser repetitivo, cualquier modificación en un área tiene influencia en las demás. Hoy sabemos que la psiconeuroinmunoendocrinología ayuda a explicar muchas enfermedades. Si bien hay más eventos clínicos que no hemos citado, los hasta aquí referidos ayudan a explicar esta relación entre la salud y el estrés, la ira y otros cuadros emocionales, especialmente con complicaciones cardiovasculares, tales como crisis hipertensiva, angina de pecho, infarto agudo de miocardio y accidente cerebrovascular. Veamos entonces una síntesis de la relación de cuadros emocionales —lo que el paciente distinguía claramente como “peloteras”— y repercusión física en la historia clínica del ex presidente Raúl Alfonsín:

Discusión radial, febrero de 1993	→	Taquicardia supraventricular
Triunfo de la Alianza, octubre de 1997	→	Taquicardia supraventricular
Discusión en una cena, verano de 1997	→	Complicación coronaria/angina de pecho
Disgusto en Bahía Blanca (ramal ferroviario Rosario-Ing. White), 2001	→	Hipertensión arterial

Como podemos apreciar, hay un claro correlato entre los eventos emocionales y la salud. La relación entre estrés y complicaciones en la salud es clara.

¡Me pasó por no usar el cinturón de seguridad!

Corría el año 1972. En un clima de creciente insatisfacción popular e inestabilidad política, el presidente de facto Alejandro Agustín Lanusse comandaba las condiciones para la celebración de elecciones generales como parte de las tareas que conducirían a la normalización de las instituciones democráticas. Peronistas y radicales recorrían por entonces todo el país en busca del consenso del electorado. Alfonsín llevaba transitados miles de kilómetros de ruta cuando se produjo un accidente de tránsito, en el mes de octubre. Sucedió en la Ruta 75, a 20 kilómetros de la ciudad de Bolívar. El auto quedó totalmente destrozado y Alfonsín fue trasladado por vía aérea al aeroparque metropolitano e internado en una clínica de la ciudad de Buenos Aires. La internación duró tres días y le siguieron diez de estricto reposo. El hecho pasó casi inadvertido para la población general.

Casi 30 años después, otro accidente casi termina con la vida del paciente. Ocurrió en la provincia de Río Negro a las 17.40 del

17 de junio de 1999. La camioneta "4 x 4" que trasladaba a Raúl Alfonsín a un acto político en Ingeniero Jacobacci volcó al morder la banquina. La lluvia, la nieve y las malas condiciones climáticas condicionaron el accidente. Alfonsín era el único que no usaba cinturón de seguridad y salió despedido por el parabrisas quedando tendido en la banquina. Su secretaria Margarita Ronco, que también viajaba en la camioneta, lo socorrió de inmediato. Alfonsín, aún consciente, le dijo: "¡Decile a los muchachos de Ingeniero Jacobacci que no vamos a llegar, que me disculpen!" También viajaban en la camioneta el gobernador de Río Negro Pablo Verani y dos miembros de su gabinete, quienes resultaron ilesos. Para Alfonsín, en cambio, recién comenzaba la odisea. El paciente es trasladado en la camioneta de sus custodios a la unidad de primeros auxilios de El Cuy, a unos 30 kilómetros de donde ocurrió el accidente. No había ningún médico, sólo enfermeros que lo revisaron y lo trasladaron en ambulancia a la Clínica Roca de general Roca, a unos 160 kilómetros del lugar del accidente. Pablo Verani recuerda que Alfonsín cita haber sentido el dolor más intenso de su vida cuando la ambulancia Ford F100 se sacudió con intensidad al pasar por un cruce ferroviario: "no te aflijas, viejito, que vamos a llegar a tiempo", le dijo el chofer de la ambulancia, quien recién al llegar a destino se enteraría de que el paciente transportado era el ex presidente de la Nación. Ya en el nosocomio, el paciente ingresa a terapia intensiva con doce costillas fracturadas, contusión pulmonar bilateral y derrame pericárdico. Las fracturas en las costillas disminuyen la capacidad y la eficiencia respiratoria; la contusión pulmonar, por efecto del intenso traumatismo, disminuye la capacidad de oxigenación de la sangre; el derrame pericárdico es la acumulación de sangre en el pericardio, que es una suerte de bolsa que recubre el corazón. La capacidad respiratoria era mínima y en consecuencia es intubado y se lo conecta a la asistencia respiratoria mecánica. La situación era crítica y así es informado públicamente. Viajan desde Buenos Aires en un avión privado los médicos Enrique Beveraggi, Juan Krauss y Elías Hurtado Hoyo. También arriba a Bahía Blanca un avión sanitario del SAME en el que viaja su director, el doctor Marcelo Muro. El cirujano espe-

cialista en cirugía torácica Elías Hurtado Hoyo certifica las lesiones torácicas y las posibles complicaciones quirúrgicas. Enrique Beveraggi descartó trauma abdominal y Juan Krauss examinó cardiológicamente al paciente. Todos coinciden en la gravedad del cuadro y en la apreciación de que estaba vivo gracias a la buena atención recibida inicialmente en la clínica Roca. El cuadro clínico se estabiliza y el paciente es trasladado a la ciudad de Buenos Aires en avión sanitario al día siguiente del accidente. Ya en el avión, Elías Hurtado Hoyo viajaba asistiendo al paciente con todo el instrumental quirúrgico necesario ante una complicación mientras el médico Marcelo Muro lo asistía como emergentólogo y Alejandro Vernengo, médico cardiólogo del Hospital Pirovano, era el encargado de controlar los parámetros cardiológicos. Sedado farmacológicamente, intubado y conectado al respirador artificial, el paciente no presentaba complicaciones. Pero una contingencia aeronáutica estaba por presentarse al aterrizar en Aeroparque, ya sobre la recta final. Allí, un Boeing 737 de Lapa permanecía inexplicablemente en la cabecera de pista. El avión que trasladaba a Alfonsín tuvo que abortar el aterrizaje ascendiendo rápidamente, lo que los pilotos llaman "escape". El doctor Elías Hurtado Hoyo recuerda que la brusca maniobra condicionó un deterioro transitorio de los parámetros vitales del paciente. El Boeing de Lapa despegó, despejando la pista para que el avión sanitario aterrizara cinco minutos más tarde. Inmediatamente, Alfonsín es llevado en ambulancia al Hospital Italiano. Los doctores Berevaggi y Krauss, que habían llegado en otro avión desde el Sur, esperaban al paciente en la unidad de terapia intensiva. La situación clínica del paciente al momento de ingresar al hospital era crítica. Durante la internación fue sometido a procedimientos quirúrgicos (toracotomía) para evacuar el aire y la sangre que se habían acumulado en la pleura, que es la membrana que recubre ambos pulmones. El derrame pericárdico fue controlado ecográficamente un día tras otro, hasta que con el transcurso del tiempo, finalmente, se reabsorbió. Hacia el décimo día se le realizó una traqueotomía en el cuello para conectar ahí el respirador artificial: el paciente permaneció así durante treinta y dos días.

El evento de la internación y la posibilidad de que el paciente falleciera resultó ser un impacto social y político de importancia. Numerosas personalidades de todo el arco político se acercaban al hospital para interiorizarse sobre la evolución clínica. Por entonces, coincidía en Buenos Aires la reunión del Consejo Mundial de la Internacional Socialista (IS), en la cual Alfonsión hubiese tenido una participación destacada. Entre las personalidades internacionales acreditadas al plenario, se acercaron al nosocomio el ex premier francés y titular de la IS Pierre Mauroy, el primer ministro de Italia Massimo D'Alema y el ex presidente de España Felipe González, quien le transmitió personalmente al paciente el saludo de Joan Manuel Serrat.

El cuadro, si bien dramático, presentó buena evolución y el paciente, por entonces de 72 años, fue dado de alta luego de 39 días de internación. Un pasacalle quedaría colgado durante varios días frente al Hospital Italiano: "Gracias Italiano por haber salvado a un gallego". El destino quiso que aún no fuera el momento y, como enseñanza, el paciente pudo afirmar: "¡Me pasó por no usar el cinturón de seguridad!"

Creo que esta vez no zafo

Chascomús, enero de 2008. Alfonsín dormía la siesta cuando se cayó de la cama. Con la caída comienzan los dolores de cadera. El paciente inicia entonces un tratamiento kinesiológico. Los masajes no mejoraban los síntomas y los dolores de cadera, predominantemente en la cadera derecha, continuaban. Al poco tiempo, y con buen criterio, el kinesiólogo le dice al paciente: "Mire, Doctor, me parece que el problema no es muscular. Lo mejor es que vaya al médico y se haga unos estudios". El paciente llama telefónicamente al doctor Krauss, le comenta la caída y los dolores, y recibe la sugerencia de viajar a Buenos Aires para hacerse estudios en el Hospital Italiano. Es así que hacia fines de enero de 2008 se realiza una resonancia magnética nuclear (RMN). El estudio es claro y revelador, casi una sentencia. Se observa una imagen sospechosa de tumor en la cadera derecha, más precisamente en el ala ilíaca derecha, de aspecto redondeado y de aproximadamente 3,5 centímetros de diámetro. Luego aparecería otra lesión en la cadera izquierda. Los médicos especialistas en imágenes que realizaron la resonancia magnética informaron sobre una imagen "compatible con un tumor" de origen óseo o más probablemente una metástasis, es decir, un tumor que se localizó en el hueso de la cadera derecha pero se originó en otra parte del cuerpo y que resultó ser el tumor primario que originó esa metástasis. El diagnóstico era muy probable, pero aún no había certeza. El diagnóstico de certeza se obtiene al analizar en el laboratorio una muestra de la lesión. Continúan los estudios sanguíneos generales y se decide realizar otro estudio diagnóstico, un centellograma óseo de cuerpo entero. Este estudio confirma los resultados de la resonancia magnética e informa sobre una imagen compatible con metástasis en la cresta ilíaca de la cadera derecha. Con estos resultados preliminares en la mano se decide realizar un estudio diagnóstico de certeza. Es así que se obtiene una muestra de la lesión ósea de la cadera derecha por medio de una biopsia. La anatomía patológica de la muestra obtenida por biopsia fue categórica: metástasis de carcinoma. Ahora quedaba por saber dónde estaba el cáncer primario, es decir, el origen de estas metástasis. Se realizó una tomografía computada *multislice* de cerebro, tórax, abdomen y pelvis. Se encuentra así el tumor primario localizado en el vértice superior del pulmón izquierdo y dos adenomegalias o ganglios agrandados (tomados o comprometidos) en la región central del tórax.

El diagnóstico estaba hecho. Era la peor condición posible: un cáncer pulmonar con metástasis a distancia. Era un cáncer diseminado.

Con la confirmación del diagnóstico, se reunieron en la Dirección del Hospital los médicos Beveraggi y Krauss, el hijo mayor del paciente, Raúl Felipe Alfonsín y, por supuesto, el ex presidente. Al conocer el diagnóstico, Alfonsín reaccionó de modo "firme y sereno". Luego hubo una reunión en la casa del paciente junto con toda su familia. En la reunión, además de Beveraggi y Krauss, estaba José María Lastiri, médico oncólogo del Hospital Italiano. El paciente pidió saber el pronóstico. Se le contestó que la agresividad del tumor varía en cada caso y que el pronóstico dependería de la reacción a la quimio y a la radioterapia. El paciente permaneció sereno.[19]

Alfonsín decidió iniciar el tratamiento en Estados Unidos: allí sería un paciente y no un ex presidente. Hacia marzo de 2008 se alojó en la casa de su hija María Inés —esposa del médico argentino Eduardo Mila—, en Worton Stanley, Miami. Allí cerca estaba un reconocido centro especializado en diagnóstico y tratamiento del cáncer donde comenzaría a tratarse, el University of Miami Sylverter Comprehensive Cancer Center. Comenzó con series de quimioterapia y sesiones de radioterapia. La radioterapia lo extenuaba. Cuando llamaba a Chascomús le decía a su amigo Jorge Nimo: "No sabés cómo me cansa ese aparato", refiriéndose a la aplicación de radiaciones.

A quien había dedicado su vida a la lucha política, que había sido legislador provincial y nacional y primer Presidente tras la última dictadura militar, defensor de los derechos humanos, creador de la Conadep, que soportó los alzamientos de militares carapintada en plena democracia, que sobrellevó múltiples complicaciones cardíacas e internaciones y sobrevivió a dos accidentes de tránsito, se le escuchó decir: "Creo que esta vez no zafo".

La última salida

El 1 de octubre de 2008, el gobierno nacional encabezado por la presidenta Cristina Fernández de Kirchner decide hacer un reconocimiento público al ex presidente Raúl Alfonsín. En el Salón de los Bustos de la Casa de Gobierno fue descubierta su imagen, obra del escultor Orio Dal Porto. El busto de Alfonsín se ubicó próximo al de Hipólito Yrigoyen, Juan Perón, Arturo Frondizi y Arturo Illia y el acto coincidió con el festejo de los 25 años de la vuelta de la democracia.

El paciente estaba por entonces en un muy mal estado general. La enfermedad se encontraba en una etapa muy avanzada y la debilidad física resultaba extrema. La recomendación era quedarse en cama, pero Alfonsín dijo: "No puedo faltar, sería una falta de respeto". El paciente pidió al Dr. Krauss que le diera morfina para el dolor, pero la menor dosis posible: "No quiero quedarme dormido durante el acto". Entró en la Casa de Gobierno caminando con gran dificultad, ayudado por su bastón y acompañado por su médico. Siempre tuvo cerca una silla de ruedas, pero ingresó caminando. La ceremonia fue breve, sencilla y emotiva, con la guardia del Cuerpo de Granaderos y la bandera argentina detrás de Alfonsín, que estaba sentado mientras la Presidenta permanecía de pie a su lado. Se inicia el acto y cuando se está por empezar a entonar las estrofas del Himno Nacional, el doctor Krauss le puso la mano en el hombro para que se quedara sentado. Entonces Alfonsín lo miró, y a pesar de que esa mirada lo decía todo, agregó: "Ayudame a ponerme de pie". Luego del Himno Nacional, tomó nuevamente asiento y leyó lentamente su discurso, de aproximadamente 20 minutos de duración. En su alocución aclaró que no interpretaba ese acto como un homenaje a su persona, que no hubiera aceptado, sino "a la democracia que la logramos todos los argentinos". La presidenta Cristina Fernández de Kirchner pronunció sus palabras iniciando su discurso con un afectuoso "Querido Presidente" y más adelante dijo que era el símbolo del retorno a la democracia, destacando también su vocación en pos de la unión nacional.

Raúl Ricardo Alfonsín se retiró visiblemente cansado, pero era evidente su emoción. A escasos 200 metros de la Casa de Gobierno, justo frente a la Catedral, debieron detener el auto para que su médico lo atendiese. Se sentía físicamente mal. Inmediatamente se dirigieron a su departamento de la avenida Santa Fe. No volvería a salir.

Los últimos seis meses

Los próximos seis meses no serían fáciles. La juventud radical había organizado para el 30 de octubre un acto en el Luna Park con motivo del 25° aniversario de la vuelta a la democracia.

Alfonsín no pudo concurrir. Su salud ya no se lo permitía. Hacía dos meses que los doctores Beveraggi y Krauss habían convocado a Alberto Sadler para efectuar el seguimiento médico del paciente: tratamiento del dolor, de las complicaciones clínicas y respiratorias, del cansancio y la fatiga, de la alimentación y control de medicación. También articularía las interconsultas médicas si fueran necesarias y trataría las infecciones respiratorias y el control de las nebulizaciones y de la kinesiología respiratoria. El doctor Sadler tendría una tarea de importancia y nada fácil.

Hacia fines de diciembre, ya vislumbrando el final, Alfonsín escribió en su computadora los detalles que deseaba le fueran respetados para su funeral en el Senado de la Nación. El Salón Evita estaría reservado para sus familiares, el Salón de los Pasos Perdidos albergaría a los políticos y en el salón Azul del Congreso estaría él. El paciente pasó sus últimos meses rodeado de su familia, de sus amigos y de sus libros. En sus últimos tiempos quería que lo visitaran los amigos y le hablaran de política y le leyeran los diarios. El doctor Krauss recuerda que una vez le dijo: "De esta habitación he salido para asumir la presidencia de la Nación y aquí me he de morir".

Así fue. El 31 de marzo de 2009 a las 20.30, el doctor Sadler anunció el fallecimiento del paciente. Fue por un paro cardiorrespiratorio no traumático. El cuadro clínico de bronconeumonía como complicación de un cáncer de pulmón condicionó su final.

Raúl Ricardo Alfonsín murió como lo había deseado: en su casa, sin dolores, sereno y en paz.

> Entre todos vamos a constituir la unión nacional, consolidar la paz interior, afianzar la justicia, proveer a la defensa común, promover el bienestar general y asegurar los beneficios de la libertad para nosotros, para nuestra posteridad y para todos los hombres del mundo que deseen habitar el suelo argentino.[20]

Néstor Kirchner: escenas de una vida agitada

Quiero un país serio y más justo.

NÉSTOR KIRCHNER, el día que asumió
la presidencia en 2003

Néstor Carlos Kirchner nació en Río Gallegos el 25 de febrero de 1950. Era hijo del argentino Néstor Carlos Kirchner y de la chilena María Juana Ostoic. Sus bisabuelos habían llegado a Río Gallegos a fines del siglo XIX desde Interlaken, en el cantón suizo alemán de Berna. Su abuelo instaló un almacén de ramos generales. Su padre, empleado telegrafista y mecánico dental, conoció por telegrama a María Juana Ostoic, también telegrafista pero de Punta Arenas, Chile, a quien conquistó por código morse.

Néstor portaba un estrabismo que la leyenda adjudica a una complicación de tos convulsa o coqueluche que se contagió a los 7 años. "¿Operarme? ¡Ni loco, es parte de mi personalidad!", dijo alguna vez. Quiso ser maestro, pero su particular dicción se lo impidió. Ya en el colegio secundario presidió el Centro de Estudiantes en los años de la dictadura de Juan Carlos Onganía. A los 19 años comenzó su carrera de Derecho en la Universidad de La Plata. Militó en la Federación Universitaria de la Revolución Nacional (FURN).

En esa época de universitario conoció a Cristina Fernández, también estudiante e integrante de la juventud universitaria peronista. A los seis meses se casaron en el registro civil de La Plata. El ex presidente fue intendente de Río Gallegos, gobernador de Santa Cruz, presidente del Partido Justicialista, diputado nacional por la Provincia de Buenos Aires y secretario general de Unión de Naciones Suramericanas (Unasur).

En 1991 dejó de fumar, pero para entonces ya había fumado demasiados atados *de* Jockey Club *cortos*. De adulto cuidó su dieta: solía comer pescado grillado, pollo a la parrilla, frutas, verduras; le gustaban el panaché de verduras y el puré de calabaza. Cada tanto, caía en la tentación de degustar galletitas dulces, que mojaba en una lágrima: más leche que café. Las pastillas de menta eran su debilidad. Hacía una caminata diaria. Pero para explicar buena parte de las complicaciones de esta historia clínica tenemos que hacer foco en algo central: su personalidad.

Los perros no se infartan

Los perros no se infartan. Esto es literal. Los que nos infartamos somos nosotros, los seres humanos. El infarto agudo de miocardio y sus consecuencias —dolor de pecho y muerte súbita— son enfermedades básicamente humanas: los perros no se infartan.

¿Qué es un infarto? Imaginemos el interior de las arterias coronarias como si fuesen el interior de una angosta manguera de dos o tres milímetros de diámetro. Imaginemos un diámetro promedio similar al tanque de tinta de un bolígrafo común tipo Bic. La superficie interna de esas pequeñas arterias está recubierta de una delgada y suave capa que se denomina endotelio. Si bien ya nos hemos referido al endotelio cuando vimos la historia clínica de Juan Domingo Perón, aquí lo veremos con mayor detalle. El endotelio es una especie de celofán liso y transparente que recubre toda la parte interna de las arterias. Sobre ese endotelio se desliza en un suave roce la sangre cuando circula por las arterias coronarias. Ahora bien, cuando nacemos, ese endotelio o celofán es liso y suave como el mejor de los caminos de asfalto. Pero con el tiempo se va poniendo rugoso y esa superficie que era lisa como una calle asfaltada se va convirtiendo en una empedrada. Esto comienza a suceder desde nuestra infancia, y este proceso en el que el suave asfalto pasa a un rugoso empedrado se denomina "aterosclerosis". Éste es un proceso normal y guarda relación con los procesos de envejecimiento: uno tiene la edad de sus arterias. Con el paso del tiempo, algunos adoquines de ese empedrado aumentan de tamaño, comenzando a obstruir el interior de las arterias. Esa obstrucción puede ser del 20, 30, 40, 50, 70% o más. Ese adoquín grande se denomina "placa de ateroma" o, como lo vamos a llamar de ahora en adelante, "placa". Puede ocurrir que si el adoquín o placa crece lo suficiente termine por tapar la arteria, produciéndose así el infarto. Pero lo más frecuente es que la "placa" se rompa, liberando su contenido en el interior de la arteria. El contenido de la placa está constituido por colesterol, células, calcio, etc. Cuando la placa se rompe y libera su contenido al interior de la arteria, la sangre "cree" que hay una lastimadura, igual que cuando un hombre se afeita y se corta la cara. Entonces, así como la sangre se coagula formando una "cáscara" en la cara afeitada, se forma un "coágulo" en la arteria coronaria donde se rompió la placa. Ese coágulo en la arteria coronaria impide en consecuencia el paso de la sangre, de manera tal que la arteria coronaria tapada no puede llevar sangre al territorio del músculo cardíaco que irrigaba y éste, ante la falta de sangre y oxígeno, muere. Esta muerte de una porción del músculo cardíaco por falta de sangre es lo que se denomina infarto agudo de miocardio. Este infarto agudo de miocardio, de acuerdo a su extensión y/o importancia, podrá producir el clásico dolor de pecho de origen cardíaco (precordialgia), arritmias cardíacas o la conocida muerte súbita, según sea el caso. La aterosclerosis es un proceso inevitable. Los perros, así como otros mamíferos, también tienen aterosclerosis pero sorprendentemente no se les rompen las placas como al hombre. Por lo tanto es muy raro que un perro se infarte. Somos nosotros quienes nos infartamos por rotura de las placas de ateroma. El infarto agudo de miocardio es una enfermedad básicamente humana.

Pero la pregunta del millón es: ¿por qué se rompe la placa en el hombre? Su respuesta también nos ayudará a conocer este mecanismo para explicar la evolución clínica del paciente, el Dr. Néstor Kirchner.

Cartón lleno

La salud, como la enfermedad, es el resultado de múltiples factores, es decir, ambos procesos son multifactoriales. De tal suerte, hay factores positivos que condicionan la salud por un lado, y "factores de riesgo" (negativos) que condicionan la enfermedad por el otro. Podríamos decir, exagerando un poco y al solo efecto didáctico, que la sumatoria algebraica de los factores positivos y negativos determina nuestro estado de salud o enfermedad.

Para ir directamente a nuestro punto podríamos pensar en un cartón de lotería. En ese cartón de lotería cada número es un factor de riesgo que condiciona el desarrollo de la enfermedad coronaria. Entre ellos podemos citar la predisposición genética, la hipertensión arterial, el colesterol, la diabetes, el cigarrillo, el sobrepeso, la obesidad, el sedentarismo, el estrés y la personalidad, por sólo nombrar algunos. Cuando varios de estos factores de riesgo se suman, se llega a una situación de masa crítica que podríamos llamar "cartón lleno": es entonces cuando la enfermedad coronaria se pone de manifiesto a través de arritmias, angina de pecho, infarto de miocardio y/o muerte súbita. Es lo que el doctor Carlos Tajer, distinguido y estimado colega, denomina *La tormenta perfecta*, en alusión al film homónimo protagonizado por George Clooney donde un sinnúmero de factores coinciden en el tiempo y el espacio para desencadenar una gran tormenta, que en nuestro caso es el infarto agudo de miocardio.

Ahora bien, de todos estos factores de riesgo que hemos comentado y que determinaron el "cartón lleno", resulta de interés analizar un factor particularmente relevante antes de hacer la historia clínica de Néstor Kirchner: su personalidad.

El que de joven trota, de viejo galopa

Cuando nacemos traemos una impronta sobre cómo seremos en el futuro con relación a nuestra forma de ser. Es lo que traemos genéticamente condicionado, nuestro temperamento. El tiempo y las experiencias de vida, sobre todo en la etapa infantil, modelarán ese temperamento y darán lugar a nuestra particular forma de ser, la llamada personalidad.[21] Es decir, el temperamento es lo que traemos de nacimiento, mientras que la personalidad resultante tiene que ver con el temperamento de base y, sobre todo, con las experiencias vividas acumuladas a través de los años. En otras palabras, la personalidad se construye con el tiempo. Si la pregunta es "¿podemos cambiar de personalidad?", la respuesta es "¡no!" Podremos en todo caso esmerilar o modelar algunos perfiles, pero no efectuar un cambio radical: el que de joven trota de viejo galopa. No obstante ello, en ocasiones algunos cambios mínimos posibilitan cambios significativos en la calidad de vida y con ello en el pronóstico vital.

En medicina, particularmente en cardiología, existe un tipo de personalidad denominada "Tipo A" que está relacionada con la enfermedad cardiovascular. En realidad, se trata de un "estilo conductual", es decir, de un modo de comportamiento consciente más que una definición estricta de personalidad. De hecho, la descripción original en inglés es *Type A Behavior* (TAB), que significa literalmente "comportamiento Tipo A" y no "personalidad" en sentido estricto. La traducción original al castellano resulta errónea, pero se impuso en la práctica, por lo tanto, una vez hecha la salvedad y a los efectos de esta historia clínica, seguiremos utilizando el término "personalidad Tipo A". Pasaremos a explicar de qué se trata esta personalidad o estilo conductual.

Corría el año 1959 cuando en Estados Unidos los doctores Ray Rosenman y Meyer Friedman, del Hospital Mount Sinai de San Francisco, intentaron determinar los rasgos de personalidad de aquellos pacientes que habían presentado un infarto agudo de miocardio. Fue así que observaron características de comportamiento que resultaban más frecuentes en aquellos pacientes que habían presentado complicaciones coronarias. A estos perfiles de conducta observados, como resultado de investigaciones posteriores se agregaron otros. Entre las características de este estilo de conducta pueden enumerarse las siguientes:

1. Fuerte inclinación hacia la competitividad
2. Tendencia a un esfuerzo sostenido hacia el logro de objetivos preseleccionados
3. Alto compromiso con el trabajo
4. Tendencia a la rapidez, prisa o impaciencia
5. Tendencia a la conducta hostil
6. Un constante y elevado nivel de alerta física y mental
7. Tendencia a comprometerse en múltiples actividades al mismo tiempo
8. Baja sensibilidad a los síntomas físicos
9. Alta resistencia al cansancio mental y físico
10. Tendencia a visualizar en el entorno un alto nivel de amenazas
11. Tendencia a reaccionar intensamente ante la presencia de desafíos y demandas
12. Noción de invulnerabilidad
13. Necesidad de tener todo bajo control.

Este estilo conductual corresponde a personas hiperactivas, con alta capacidad de trabajo y con baja sensibilidad a los síntomas físicos, especialmente al cansancio. Una buena descripción de este perfil de personalidad la hizo su propia esposa: "Díganme si alguna vez lo escucharon quejarse, fue un trabajador incansable, dedicó su vida a la militancia y por eso murió".[22]

El análisis de estas características de la personalidad Tipo A dentro del contexto del desarrollo de esta historia clínica, podría invitar a visualizar como "anormal" este perfil conductual. Sería un error. De hecho, es frecuente en aquellas personas que ocupan puestos o cargos directivos o gerenciales. Distintos estudios realizados por la Sociedad Argentina de Medicina del

Estrés (SAMES) han demostrado que alrededor del 70% de las personas que ocupan cargos ejecutivos de alta responsabilidad y a cargo de personal corresponden a este estilo conductual de "personalidad Tipo A". Asimismo, cabe consignar que este estilo de conducta es en términos generales validado y hasta estimulado por el contexto social, habida cuenta de que con frecuencia parecen ser personas eficientes y exitosas.

Recuerdo un congreso sobre la especialidad en Estados Unidos donde un colega presentó un trabajo de investigación realizado en el Hospital de Beijing, China. En ese estudio pacientes orientales con infarto agudo de miocardio correspondían a un estilo de conducta opuesto al descrito hasta aquí. Este estilo, que resulta de características diametralmente opuestas, se denomina "personalidad Tipo B". Estos resultados llamaron poderosamente la atención, ya que se trataba de personas poco activas, con falta de iniciativa, no competitivas y sin tendencia al logro. El médico Paul Rosch, presidente del American Institute of Stress de Estados Unidos, me presentó al doctor Ray Rosenman, que se encontraba en el Congreso y era quien había descrito inicialmente la personalidad Tipo A en el año 1959. Aproveché la oportunidad para debatir con él las razones por las cuales podría deberse que este grupo de pacientes con enfermedad coronaria tuvieran un estilo de conducta que no correspondía al propio de la personalidad Tipo A. Nunca olvidaré la respuesta: *Remember, Daniel, type A behavior is not allowed in China* ("Recuerda, Daniel, el estilo de conducta Tipo A no está permitido en China"). ¿Qué es lo que quiso señalar Rosenman? Quiso decir que en la cultura oriental, la personalidad Tipo A no se encuentra fomentada, alentada y/o permitida. Esto no significa que íntimamente, genética o temperamentalmente hablando, los pacientes estudiados en ese trabajo de investigación no fueran portadores de algunas de las características de la personalidad Tipo A, sino que, culturalmente, no se ha fomentado su manifestación o exteriorización social. Hay personas que aunque a simple vista no lo parecen, resultan positivas en los tets psicológicos que determinan la personalidad Tipo A. En otras palabras: "La procesión va por dentro".

Si bien no tenemos disponibles estos estudios de test psicológicos cognitivos para el caso del ex presidente Néstor Kirchner, la simple observación de su estilo conductual permite suponer que correspondería al de una personalidad Tipo A que, como hemos mencionado, resulta frecuente en personas con características de liderazgo. Otra anécdota más merece ser narrada. En ese mismo congreso médico y de modo informal, el doctor Rosenman me comentó que en realidad la idea inicial sobre la personalidad Tipo A no había sido de ellos sino, de algún modo, de su tapicero. "¿De su tapicero?", pregunté sorprendido. "Sí, nuestro tapicero". El Dr. Rosenman contó que un día decidieron con su colega Friedman encomendar el retapizado de las sillas de la sala de espera del consultorio que compartían. El tapicero, al ver el trabajo que debía realizar en el consultorio de los cardiólogos, dijo: "Doctores, sus pacientes deben estar muy nerviosos". "¿Por qué?", preguntaron los médicos, a lo que el tapicero contestó: "¡Porque los asientos sólo están gastados en el borde delantero de la silla y no en el respaldo ni en los apoyabrazos! ¡Como si sus pacientes estuvieran sentados sólo en el borde delantero de la silla, como listos para salir corriendo!" La observación del tapicero fue maravillosa. Efectivamente, los pacientes cardiológicos eran pacientes "nerviosos", estaban siempre en alerta y preparados para salir corriendo. Luego de esa observación, Rosenman y Friedman comenzaron a trabajar en el estudio de la "personalidad" de los pacientes cardiópatas. Desde ese momento hasta la fecha, cientos de trabajos científicos se han realizado en ese sentido.

La hostilidad es otro perfil que merece analizarse. La hostilidad, como tendencia estable y permanente del temperamento, es una construcción psicológica frecuente en las personalidades Tipo A. De hecho, en alguna medida, siempre forma parte de esa forma conductual. En este estilo de personalidad es también frecuente la aparición de eventos de ira. Desde los estudios realizados en Estados Unidos por Murray Mittelman y colaboradores, numerosos trabajos de investigación han relacionado a la hostilidad, y en particular al evento de ira, como factores condicionantes de enfermedad cardiovascular en general y coronaria en particular. La ira por sí misma es capaz de "gatillar" un infarto agudo de miocardio. Hay trabajos científicos que señalan que un ataque de ira aumenta dos veces y media la posibilidad de infarto agudo de miocardio en personas predispuestas. Esta circunstancia se da particularmente durante las primeras cuatro horas posteriores al evento de ira. Otro aspecto conductual que guarda relación con la enfermedad cardiovascular es el estilo de afrontamiento (o estilo de *coping-to cope*: "hacer frente-enfrentar", en idioma inglés). El estilo de afrontamiento es el estilo de reacción más frecuentemente utilizado por las personas para enfrentar y combatir una amenaza determinada. Es un estilo de respuesta relativamente constante que el individuo ha utilizado a lo largo de su vida y que le ha resultado exitoso para resolver problemas, por lo tanto es una forma de respuesta "consciente" que resulta relativamente estable en cada uno de nosotros.

Varios son los estilos de afrontamiento descritos, entre ellos el afrontamiento directo, la evitación, la negación, la búsqueda de apoyo social, el diferimiento del problema, etc. El afrontamiento directo de los problemas es aquel en el cual el sujeto enfrenta las amenazas en forma frontal y rápida. Es un estilo de confrontación que intenta resolver el tema rápidamente; en términos pugilísticos, "busca definir la pelea en uno o dos rounds". Este estilo psicológico de afrontamiento de los problemas y amenazas es también una modalidad frecuente en la personalidad Tipo A.

Ahora bien, ¿a qué se debe que sea el ser humano quien se infarta y no los perros u otros animales? Y contestada esta pregunta, ¿cómo nos ayuda el conocer esa respuesta para entender las complicaciones clínicas que presentó Néstor Kirchner?

Futurizo

El ser humano es el único animal capaz de viajar mentalmente hacia adelante en el tiempo. No sólo recuerda el pasado, tiene conciencia del presente y es capaz de realizar abstracciones, sino que puede verse en el futuro, hacia adelante en el tiempo. Esa aptitud de teorizar y vivenciar el futuro es lo que nos hace seres humanos. El filósofo español Julián Marías, discípulo de Ortega y Gasset, es quien le dio una palabra a esta capacidad que nos es propia: la llamó "futurizo". El hombre se encuentra orientado hacia el futuro, tiene objetivos, visualiza e imagina el mañana, tiene porvenir, proyecta y se proyecta. Es, en definitiva, un ser "futurizo". A Julián Marías le debemos entonces que el término futurizo haya sido incorporado al Diccionario de la Real Academia Española. Es justamente esa capacidad de proyectarnos y visualizarnos en el futuro la que en algunas ocasiones hace aumentar nuestro nivel de estrés. Es una suerte de emoción anticipatoria que puede vivenciar cualquier ser humano, tanto sea experimentando una emoción positiva como una de tipo negativo, al visualizarse a sí mismo en el futuro por llegar. Esta capacidad mental de la cual somos portadores explica y resulta ser la "raíz de las preocupaciones", causante de estrés. Aplicando este concepto en el desarrollo de esta historia clínica, es posible interpretar a una persona que con el nivel más alto de desempeño e influencia en el quehacer político del país se encontraba desarrollando un proyecto definido en una situación de lucha intensa y sostenida en contra de amenazas múltiples frente a sus objetivos. Esta situación, en condiciones genéticas predisponentes y con características propias de la personalidad Tipo A, hace prever una complicación clínica cardiovascular, como efectivamente el tiempo confirmó. Lo que sucede es que el estrés crónico y sostenido en el tiempo, asociado a una condición de lucha y esfuerzo permanente, produce ciertas sustancias sanguíneas inflamatorias que hacen que las placas de ateroma se rompan y como consecuencia se produzcan accidentes cerebrovasculares y/o infartos agudos de miocardio. Esto es lo que sucede en los hombres y no en los animales.

¿Por qué el infarto de miocardio es la principal causa de muerte? En teoría, una respuesta posible es la siguiente: nuestra especie es el resultado de millones de años de evolución. Sin embargo, nuestro cerebro y fundamentalmente las funciones intelectuales superiores son de aparición relativamente reciente. Apenas unas decenas de miles de años. Tal vez 100.000 o 150.000 años. Más aún, la cultura, tal como la conocemos, tiene pocos miles de años. En consecuencia, nuestro cerebro y la cultura en la que estamos insertos son de reciente aparición en la evolución de nuestra especie. Con el rápido y explosivo desarrollo de la cultura llegaron dos consecuencias: por un lado, la prolongación del periodo de vida en razón de los avances sanitarios y científicos, por el otro el estrés crónico. Mientras este inmenso, acelerado y explosivo avance evolutivo del cerebro se producía, nuestro corazón permanecía casi sin cambios adaptativos. De tal suerte, el estrés de la vida moderna impacta sobre un corazón antiguo y fundamentalmente sobre sus arterias coronarias, produciendo aterosclerosis y sus complicaciones, como el infarto de miocardio. Es fundamentalmente en las arterias coronarias donde el estrés y el sufrimiento se hacen carne. Tenemos un cerebro moderno y un corazón antiguo. A esto se debe que el corazón sea el punto débil de nuestro cuerpo, ya que, al haber evolucionado más lentamente que nuestro cerebro, no está adaptado a vivir tanto tiempo y bajo el intenso estrés de la vida moderna. Late unas 3.000.000 de veces al mes, más de 35.000.000 veces al año y cada vez más años. Trabaja mucho. La vida cada vez se prolonga más y el corazón es el eslabón más delgado de la cadena. Es por ello que las enfermedades cardiovasculares en general y las cardíacas en particular son la principal causa de muerte. El infarto cardíaco y el accidente cerebrovascular están condicionados por los factores de riesgo en general (tabaquismo, hipertensión, diabetes, sobrepeso, colesterol, sedentarismo, etc.) y, en los últimos años, por el estrés de la vida moderna. En la historia clínica del ex presidente de la Nación, el estrés explica muchas de las complicaciones de su salud.

Con los elementos comentados hasta aquí, estamos en condiciones de continuar el desarrollo de esta historia clínica analizando las cuatro contingencias de salud que originaron las internaciones de emergencia de Néstor Kirchner:

9 de abril de 2004	→	Gastroduodenitis hemorrágica
7 de febrero de 2010	→	Complicación en carótida derecha. Accidente isquémico transitorio
11 de septiembre de 2010	→	Complicación coronaria. Colocación de un stent
27 de octubre de 2010	→	Muerte súbita

Pasaremos entonces a analizar estas cuatro complicaciones clínicas, la última de ellas mortal, y los detalles en su desarrollo, así como también las circunstancias vivenciales y emocionales que las acompañaron.

Internaciones de emergencia

Semana Santa, abril de 2004

El lunes 5 de abril de 2004 el entonces presidente Néstor Kirchner no había cumplido aún su primer año de gobierno. Fue ese día cuando al paciente le realizaron una endodoncia, procedimiento odontológico más conocido como "tratamiento de conducto". El procedimiento no fue fácil y su odontólogo atendió nuevamente al paciente al día siguiente. Los dolores resultaron importantes y de hecho el dolor intenso debe interpretarse como un evento de estrés agudo. El tratamiento farmacológico indicado por el odontólogo incluía antibióticos y antiinflamatorios por vía oral.

El jueves 8 viaja a El Calafate, provincia de Santa Cruz, para tomar un descanso de Semana Santa. El descanso no existió, ya que ese mismo día se sintió mal. La aparición de síntomas agudos fue importante: dolor y ardor de estómago, náuseas, vómitos, transpiración y disminución de la presión arterial. Se internó en el hospital José Formenti de El Calafate. Pasa la noche en el nosocomio y la seriedad del cuadro clínico hace que internen al paciente en un hospital de mayor complejidad. Así, el viernes 9 es trasladado en el avión sanitario de la provincia al Hospital Regional de Río Gallegos. Lo acompaña en el vuelo la entonces senadora Cristina Fernández de Kirchner. Mientras tanto, se acondicionaba la habitación reservada al presidente de la Nación en el Hospital Argerich de Buenos Aires, por si se decidía su internación. El descanso de Semana Santa se convirtió en una internación de urgencia. Al cuadro clínico inicial se agregaron complicaciones: "Con el transcurso de las horas el Presidente tuvo materia fecal con sangre, a esto se le suma el antecedente de ingesta de antiinflamatorio, con el cual resultó la gastritis hemorrágica que compromete el duodeno", detalló el médico presidencial Luis Buonomo. En Río Gallegos le realizan una gastroduodenoscopía. Este procedimiento consiste en colocar un tubo flexible por la boca y avanzar progresivamente por el esófago hasta llegar al estómago y luego al duodeno. El instrumento envía las imágenes vía fibra óptica y los médicos pueden "ver" la mucosa de estos órganos y hacer el diagnóstico. En el mismo momento, se le realiza una biopsia para determinar si en la mucosa gástrica se encuentra una bacteria que produce gastritis, la *Helicobacter pylori*. Las imágenes confirman el diagnóstico: gastroduodenitis hemorrágica. La pérdida de sangre fue importante, por lo que se recurrió a una transfusión sanguínea. Recibió dos litros y medio de sangre del Grupo A, Rh (+), el grupo y factor sanguíneo de Kirchner. La cantidad transfundida fue equivalente al 50% del volumen total de sangre. La hemorragia gastroduodenal había sido muy importante. El analgésico antiinflamatorio que recibió por sus dolores odontológicos había sido el ketoralac. Éste es un antiinflamatorio varias veces más potente que la aspirina. Uno de los efectos adversos del ketoralac es el daño que provoca a la superficie interna del tubo digestivo, llamada mucosa, tanto del esófago como del estómago y del duodeno. Ésta es la primera causa a la que se le atribuyó el sangrado digestivo del paciente. Por lo tanto, el diagnóstico fue "gastroduodenitis erosiva hemorrágica aguda secundaria". "Secundaria" porque la complicación es como consecuencia de una causa que da origen al cuadro clínico, que en este caso es el analgésico y antiinflamatorio ketoralac. El paciente fue medicado con un inhibidor de la secreción ácida del estómago, el omeprazol, sedantes para tranquilizarlo y se le indicó hacer dieta. "Ustedes me quieren dormir", le dijo el hiperactivo paciente a una enfermera. La internación, que en principio Buonomo estimó por 48 horas, se prolongó por seis días. El paciente evolucionó lenta pero favorablemente. Kirchner, afecto a las cábalas, seguiría con las mismas hasta estando internado. Testimonio de ello dio el director del Hospital Regional de Río Gallegos, el doctor Fernando Peliche, quien comentó que ese fin de semana jugaba Racing y que el sábado, por cábala y por razones "netamente futboleras", Kirchner pidió ser cambiado de habitación, de la 214 a la 213. La cábala resultó: Racing jugó a favor del ánimo del paciente.

Si bien el episodio clínico de "gastroduodenitis erosiva hemorrágica" que llevó a la internación al paciente fue adjudicado a los efectos adversos de la medicación analgésica y antiinflamatoria, diagnóstico médico posible, seguramente no fue el "único" condicionante. El ketoralac, el antiinflamatorio y analgésico que tomó el paciente, bien pudo haber sido la causa de gastritis hemorrágica aguda, inclusive desde los primeros días de tratamiento. Sin embargo, lo más frecuente es que este tipo de antiinflamatorio no esteroideo produzca el efecto adverso citado luego de varios días de tratamiento. En este caso, aparecieron dentro de las primeras 24 o 48 horas de tratamiento, por lo tanto habría que pensar que aun siendo una causa posible de gastritis erosiva debió sumarse a otras causas predisponentes.

Recordemos el "cartón lleno", esa metáfora que nos dice que para que una enfermedad se produzca, en general, deben sumarse varias causas. Ahora bien, ¿cuáles son las causas de la gastroduodenitis erosiva hemorrágica que afectó al ex presidente Néstor Kirchner? La gastroduodenitis puede ser producida por distintos motivos. Entre ellos debemos citar el aumento de la secreción de ácido clorhídrico en el estómago, los antiinflamatorios, los corticoides, la bacteria *Helicobacter pylori*, los irritantes (cigarrillo, alcohol, mate, café, algunos alimentos, etc.) y también el estrés. Por lo tanto, este cuadro clínico puede ser de origen multicausal, por lo que conviene considerar otras causas concurrentes en la producción de esta patología.

El paciente había sido operado de hemorroides en 1996, cuando cursaba el primer año de su segundo periodo como gobernador de la provincia de Santa Cruz. Como buen hiperactivo, a las pocas horas de haber sido operado, se encontraba trabajando. Sin embargo, fue esta contingencia quirúrgica la que generó cambios positivos en su cuidado de la salud. El paciente comenzó por entonces a llevar una vida metódica y ordenada: realizaba ejercicio aeróbico diario en cinta deslizante —actividad que a partir de entonces mantendría de forma regular— y comenzó una dieta estable, frugal, alimentándose con pollo, pescados, frutas, verduras y, en menos cantidad, cortes magros de carne vacuna. A esta altura de su vida ya no fumaba sus clásicos Jockey Club, que había abandonado en 1991, ni tomaba alcohol. Tampoco tomaba medicamentos en forma regular que pudieran condicionar la aparición de gastritis. Estos aspectos señalados jugaban a favor en su estado de salud. Ahora bien, ¿cuáles serían entonces los que jugarían en contra condicionando la aparición de una gastritis hemorrágica? Debemos considerar al menos dos: los antecedentes digestivos por un lado y el estrés por el otro. Comencemos por los digestivos. El padre del paciente había fallecido a los 64 años de edad como consecuencia de un cáncer de colon. Esta enfermedad tiene un componente genético, por lo tanto fue una preocupación para el paciente. Como consecuencia, siempre se controló al respecto y nunca desarrolló una enfermedad tumoral. Sin embargo, sería el sistema digestivo un punto sensible en su historia clínica. En 1985, antes de llegar a la intendencia de Río Gallegos, le habían realizado un diagnóstico: colon irritable. Esta enfermedad es una de las más comunes en gastroenterología. Se trata de un síndrome, también llamado "del intestino irritable", donde existe una alteración del movimiento y función del intestino. El intestino, como todo el resto del sistema digestivo, está conectado al cerebro por una gran cantidad de conexiones nerviosas.

Es por ello que alteraciones emocionales, cuadros nerviosos y estrés tienen influencia sobre la función intestinal. La estructura física del intestino es normal, la alteración es únicamente en la función. Los síntomas son muy variados en las distintas personas. En general, el síndrome se manifiesta por dolores abdominales o cólicos, distensión, estreñimiento, diarrea, gases, digestión lenta o pesada, etc. Los síntomas pueden ser leves o algunas veces muy fuertes. También hay que comentar que el paciente tiene periodos sin síntomas y otros en que los síntomas se manifiestan con más intensidad. Ahora bien, sería un error interpretar esta enfermedad como una enfermedad solamente del sistema digestivo. Debido a que es un síndrome de tipo funcional, el sistema nervioso juega un rol fundamental en el curso de este cuadro clínico. Podríamos decir sin temor a exagerar que en este caso colon irritable y sistema nervioso son prácticamente lo mismo debido a la enorme influencia que el sistema nervioso ejerce sobre el sistema digestivo. En este sentido, debemos interpretar que el sistema nervioso es un nexo de unión entre la función digestiva y la función de las arterias coronarias. Puede llamar la atención esta afirmación, pero el hombre es uno solo y todos los sistemas orgánicos están interconectados entre sí. El temperamento, carácter o personalidad de un paciente ejerce su influencia en la función digestiva, así como también en la función cardiovascular. Dicho esto, podría interpretarse que clínicamente el cuadro de gastroduodenitis erosiva y la enfermedad cardíaca son enfermedades distintas pero que tienen algo fundamental en común: el mismo paciente.

Ya hemos analizado los antecedentes digestivos, ahora veamos otro factor condicionante de esta complicación clínica que el paciente presentó en abril de 2004: el estrés.

Las circunstancias previas a la gastroduodenitis resultaron ser emocionalmente intensas. Pocos días antes de la internación, el ex Presidente hizo las siguientes declaraciones al diario Clarín relacionadas con la exigencia psicofísica a la que estaba sometido: “Mi supuesta luna de miel con la sociedad existió los primeros tres o cuatro meses, pero pasó. La gente no tiene por qué ser incondicional. Ahora debo rendir examen cada día”. El

24 de marzo encabezó la conmemoración del golpe de Estado de 1976 en la ex Escuela de Mecánica de la Armada (ESMA); luego del acto dijo: "Acepto que el acto de la ESMA fue un proceso revulsivo. Hubo gente que estuvo muy de acuerdo, pero otra gente que no", y aclaró: "Actué llevado por mis convicciones". A estas circunstancias se agregó una crisis energética que incluyó una disminución de entrega de gas a Chile con la consiguiente protesta de la cancillería chilena; el suceso representó un cortocircuito con su entonces ministro de economía Roberto Lavagna, admitiendo que tenían "criterios distintos".

Todos estos hechos, sumados a los acumulados durante el intenso primer año de gobierno, resultaron ser circunstancias estresantes. Pero sin duda la condición más tensionante fue la primera marcha convocada por Juan Carlos Blumberg, el 1 de abril de 2004, cuando más de 150.000 personas se dieron cita en el Congreso de la Nación. El hijo de Blumberg, Axel, de 23 años, había sido secuestrado el 17 de marzo y asesinado por sus captores cinco días después. Juan Carlos Blumberg se convirtió así en portavoz de la demanda de algunos sectores de la sociedad que bramaban por mayor seguridad y pedían enfrentar a la "delincuencia" con "mano dura". Al día siguiente de la concentración convocada por Blumberg, el presidente Néstor Kirchner dio un discurso público en Tierra de Fuego, en un acto en conmemoración de la Guerra de Malvinas. Luego de ese día, no volvió a tener participaciones ni declaraciones públicas y se internó de urgencia siete días después, el viernes 9 de abril.

Ahora sí estamos en condiciones de hacer confluir en esta historia clínica las causas de la gastroduodenitis erosiva hemorrágica que Néstor Kirchner presentó en El Calafate durante la Semana Santa de 2004 y que terminó con la internación en el Hospital de Río Gallegos. Las causas son:

- √ Sistema digestivo genéticamente predispuesto y antecedente de colon irritable.
- √ Estrés crónico en personalidad predispuesta como resultado de la interacción entre sus objetivos de

gobierno y las amenazas que el paciente percibía en contra de su proyecto.

√ Efecto adverso de un antiinflamatorio potente (Ketoralac) y estrés agudo por dolor debido a un tratamiento odontológico.

De este modo, una confluencia de factores determinó un cuadro de hemorragia digestiva que requirió la transfusión de dos litros y medio de sangre y seis días de internación. La complicación en la salud del paciente fue más importante de lo que se dijo. Además, este hecho clínico debe interpretarse como una posible luz de alarma de los hechos que se producirían más adelante en su historia clínica...

Febrero de 2010: la 125, Cobos, Redrado, dólares, elecciones...

Como dijimos en alguna parte de este libro, uno "no se enferma de lo que quiere sino de lo que puede". Esto significa que nos enfermamos porque nuestra genética así lo posibilita. Es decir, nuestra condición genética hace que estemos más o menos predispuestos a determinadas enfermedades. Sin embargo, las situaciones ambientales y de vida, tales como la personalidad y el estrés, son las que posibilitan que la genética se exprese. Estamos bien capacitados para soportar el estrés agudo, pero es el estrés crónico, es decir, el sostenido a lo largo del tiempo, el que condiciona o gatilla enfermedades.

"El estrés es la medida del desgaste vital", afirmó el científico austro-húngaro Hans Selye que describió el síndrome del estrés en 1936. El estrés es desgaste, por lo tanto en la formulación de una historia clínica es necesario considerar los eventos y situaciones estresantes; en el caso de Kirchner, las situaciones a las cuales estuvo sometido en función de su proyecto político. Cabe señalar, y esto es importante, que a tal efecto no importa lo que piense o sienta el médico: lo importante es lo que piensa o siente el paciente. El estrés es un fenómeno personal: no importan los hechos ni la realidad sino lo que la persona ve en ellos desde sus propios procesos psíquicos. Es un proceso personal, subjetivo. A cada persona, una misma circunstancia o hecho puede resultarle más o menos amenazante. Es por ello que interpretar las circunstancias de estrés crónico a la que fue sometida una persona implica un esfuerzo empático por parte del médico tratante. Dicho esto vayamos a la historia clínica.

Las complicaciones cardiovasculares tienen mucho que ver con la genética y el estrés. Cuando una complicación cardiovascular se produce, el médico debe evaluar los acontecimientos vivenciados por el paciente en los días, semanas, meses e incluso años previos al evento. Aquí podríamos decir que más allá de toda la historia de vida de Néstor Kirchner, el episodio de complicación en la carótida comienza a desencadenarse el 11 de marzo de 2008. Ese día Martín Lousteau anunció la resolución 125/2008 del Ministerio de Economía. La misma consistía en un sistema de retenciones móviles a las exportaciones de productos agropecuarios. Las cuatro agrupaciones empresarias nacionales, la Sociedad Rural, la Federación Agraria, Confederaciones Rurales Argentinas y la Confederación Intercooperativa Agropecuaria (Coninagro) iniciaron un plan de lucha que incluía paros y cortes de ruta. El largo conflicto fue en aumento, progresivamente, generando un fuerte debate en la sociedad y en las fuerzas políticas de la oposición. En junio la presidenta de la Nación Cristina Fernández de Kirchner envía al Congreso un proyecto de ley sobre retenciones. En la votación de la Cámara de Senadores realizada en la madrugada del 17 de julio el resultado fue un empate. Le tocaba al presidente del Senado, el también vicepresidente Julio César Cleto Cobos, emitir su voto para desempatar. Su voto, "no positivo", fue un fuerte revés para el gobierno. Y, claro está, para el paciente.

¿Por qué fue un impacto particularmente intenso para el paciente? Kirchner interpretó la postura política de Cobos como una traición. Por definición, una traición es hiriente porque es una falta severa a la fidelidad, lealtad o confianza dispensada a alguien. La traición, muchas veces, es ejercida por quien está cerca: el "segundo" es frecuentemente quien traiciona. En este caso en particular, y teniendo en cuenta la personalidad del paciente, debemos considerar dos agravantes por los cuales este hecho resultó particularmente hiriente y estresante. El primero de ellos es que Kirchner fue quien "eligió" a Cobos, lo que en una personalidad Tipo A es particularmente difícil de procesar ya que implica asumir el error, la responsabilidad y hasta la culpa por haber hecho esa elección. El segundo agravante es que quien padeció particularmente esa elección de Cobos como vicepresidente fue su compañera en la vida y en la política Cristina Fernández, y esto seguramente resultó una carga adicional en la emocionalidad del paciente.

A la resolución 125 y al voto "no positivo" de Cobos se agregaron otros hechos particularmente estresantes. Kirchner inicia acciones para sancionar una nueva ley de medios, lo que implica una lucha particularmente intensa contra el Grupo Clarín de medios de comunicación, denominado por el ex Presidente como "El monopolio". A esta situación de lucha se agregan más tarde las elecciones legislativas del 28 de junio de 2009, donde la fuerza política que lidera Kirchner pierde en la provincia de Buenos Aires, el principal distrito electoral del país. Se sobrepone a la contingencia y en pocos meses recupera el liderazgo en vista a las elecciones presidenciales de 2011, en las que aspiraba a suceder a su esposa en el cargo.

Luego de estos acontecimientos se agrega otro factor que exige un nivel de activación psicofísico importante. La presidente Cristina Fernández constituye a fines de diciembre de 2009 el "Fondo del Bicentenario" a través de un decreto de necesidad y urgencia (DNU). Ese fondo de 6.569.000 dólares provenía de los excedentes del Banco Central. La finalidad era garantizar el pago de intereses de la deuda externa y disminuir así el costo del financiamiento externo. Esta situación generó un conflicto con las fuerzas de la oposición, que entendían que la formación de dicho fondo debía ser legitimada por el Congreso de la Nación. En este contexto, el presidente del Banco Central, Martín Redrado, decide desconocer el decreto invocando que éste no respetaba la independencia del organismo oficial que él presidía, entendiendo que el decreto de necesidad y urgencia que creaba el Fondo del Bicentenario debía ser refrendado por el Congreso. Ante esta situación, el Ejecutivo emite un nuevo decreto de necesidad y urgencia para destituir a Redrado. El titular del Banco Central desconoce este nuevo decreto y decide permanecer en su cargo y no entregar los fondos al Tesoro Nacional. Distintas presentaciones judiciales, por parte de distintos sectores, judicializaron el conflicto elevando así el nivel de complejidad en el cual se encontraban comprometidos los tres poderes del Estado. Finalmente y tras una larga cadena de conflictos, la situación se normaliza con el alejamiento de Redrado y la creación por parte del Ejecutivo del Fondo del Desendeudamiento en reemplazo del Fondo del Bicentenario. Esta situación fue sin duda una circunstancia altamente tensionante que el paciente tuvo que soportar. Pero algo más estaba por llegar...

A fines de enero de 2010 se difunde la información de que Néstor Kirchner había comprado 2.000.000 de dólares en octubre de 2008 durante la crisis financiera mundial. Si bien la compra fue realizada en el circuito legal de acuerdo a las normativas vigentes y exteriorizada en una caja de ahorros en dólares perteneciente a Néstor Kirchner, el hecho abrió un abanico de opiniones y conflictos que iban desde el origen de los fondos y la compra de ellos por medio de información privilegiada hasta el hecho de que la compra fuese legal y a los efectos de formalizar la adquisición de un emprendimiento hotelero que figuraba en las declaraciones juradas. Los hechos, detalles e inclusive la verdad, no tienen interés a los efectos de la formulación de esta historia clínica. Lo que sí tiene interés es lo que el paciente "sintió" o "vivenció" a través de este hecho, ya que en el estrés no importa lo que sucede sino lo que uno cree que sucede. La respuesta a la evaluación emocional y al sufrimiento que esta circunstancia produjo en el paciente puede vislumbrarse en un *email* que el ex presidente Kirchner le envió al periodista Víctor Hugo Morales el 2 de febrero de 2010 y que luego se difundió a través de distintos medios de comunicación. El contenido de la misiva *per se* no tiene importancia a los efectos de esta historia clínica. Pero sí es relevante transcribir el siguiente párrafo de la carta: "Ante versiones periodísticas malintencionadas que han tomado trascendencia pública en las últimas horas, que afectan mi honorabilidad, vengo a informar a la comunidad y desmentir formalmente los citados comentarios". La clave en la emocionalidad del paciente está cuando dice "afectan mi honorabilidad". ¿Por qué?

Resulta que podemos "sufrir" distintas emociones. Algunas son emociones simples que pueden desencadenar complicaciones cardiovasculares, tales como el miedo y la ira. Pero en el caso del ser humano existen otras emociones que nos resultan propias y no están desarrolladas en los animales. Tal es el caso de la culpa, la vergüenza y el ataque al honor o al orgullo, entre otras. No pocas veces tenemos oportunidad de escuchar de boca de un paciente que ha presentado un infarto agudo de miocardio o un accidente cerebrovascular el relato de una vivencia reciente que compromete los paradigmas, estructuras o escala de valores de la persona. De ahí la sentencia "afectó mi honorabilidad". Es una situación que el paciente vivencia como inmerecida e injusta, que conlleva una gran repercusión emocional y afectiva. No pocas veces podemos ver este tipo de sobrecargas emocionales que anteceden en días o semanas a la aparición de una enfermedad.

Pasada una semana de estos hechos, el paciente es internado en terapia intensiva. Con la sobrecarga descripta llega el sábado 6 de febrero. Ese día jugó al fútbol en la quinta presidencial y llegada la noche se sintió más cansado de lo habitual pero durmió poco. Comentemos aquí que estos dos síntomas —cansancio y falta de sueño— resultan ser señales de alarma en la salud. Estas dos situaciones, sobre todo si van asociadas, son un llamado de atención para el médico y, claro está, deberían serlo para el paciente. Los síntomas no deben ser interpretados sólo como síntomas. Los síntomas son "información". Información por medio de la cual el cuerpo nos envía señales de alarma. Dicho de otro modo, cuando estamos cansados, el cuerpo nos está indicando que llegamos a un límite. En sangre aparecen sustancias inflamatorias que desencadenan enfermedad y ruptura de placas de ateromas, produciendo accidentes cerebrovasculares e infarto cardíaco. Tienen nombres raros tales como interleuquinas, proteína C reactiva, factor de necrosis tumoral alfa, adrenalina y otros tantos que, en definitiva, señalan un nivel de toxicidad en la sangre. La sangre se "hace mala". El dicho popular "no te hagas mala sangre" resulta ser cierto. Éste fue el caso.

El domingo 7 de febrero y después de muy pocas horas de sueño, el paciente comienza su día con la habitual caminata en la cinta. Comenzó a sentirse mal. Sintió sensación de malestar general y, progresivamente, una disminución de fuerza con percepción de adormecimiento en el hemicuerpo izquierdo, primero en el brazo y luego en la pierna. Dan aviso de inmediato al médico de guardia de la residencia presidencial, quien ante los síntomas se comunica urgentemente con el Dr. Marcelo Ballesteros, quien era subdirector de la unidad médica presidencial. El diagnóstico presuntivo era que Kirchner estaba cursando el inicio de un accidente cerebrovascular. El paciente fue trasladado rápidamente a la Clínica Olivos, a poca distancia de la quinta presidencial. Una vez ingresado, es llevado a Diagnóstico Maipú, un centro de diagnóstico adyacente. Ahí le realizan los estudios indicados para este tipo de patología: resonancia magnética nuclear y tomografía computada para poder ver imágenes en busca de infartos cerebrales (que es cuando se tapa una arteria y parte del tejido cerebral deja de recibir sangre) o hemorragia cerebral (que es cuando una arteria se rompe y sangra, formando un hematoma).También se estudiaron las arterias del cuello —que llevan sangre al cerebro— por medio de una tomografía de las arterias carótidas y un Ecodoppler de vasos de cuello. Con estos estudios se puede ver el interior de las arterias. El hallazgo resultó determinante. Se encontró una placa de ateroma que obstruía el 50% de la arteria carótida derecha. Ésta se encuentra en el lado derecho del cuello y por ella pasa la sangre que va al cerebro. Además se determinó que esa "placa" estaba ulcerada, es decir, rota. Al estar ulcerada puede liberar pequeños fragmentos, como si fueran arenillas que, como pequeños perdigones, pueden viajar hasta el cerebro y tapar arterias, provocando un infarto cerebral. Se pudo observar un pequeño infarto en el hemisferio cerebral derecho, en una región cerebral silente, esto es, en una parte del cerebro donde no se comprometía ni se producía alteración alguna. Era una lesión antigua, previa a este evento. Es un hallazgo relativamente frecuente en pacientes hipertensos y éste era el caso. Hecho el diagnóstico, se imponía la terapéutica. Lo indicado era la cirugía, para resolver el problema de la placa de ateroma en la carótida y evitar complicaciones mayores. Había que actuar con rapidez porque se trataba de una emergencia crítica. Quedaba por resolver dónde se operaría. Se descartó el Instituto Cardiovascular de Buenos Aires, donde en 1993 también se había operado por obstrucción de la carótida derecha el entonces presidente Carlos Saúl Menem, y en 2001 había sido intervenido por una obstrucción coronaria el entonces primer mandatario Fernando de la Rúa. Kirchner es trasladado entonces al Sanatorio de los Arcos. Si bien el diagnóstico presuntivo inicial era "accidente cerebrovascular", complicación también conocida como ACV o *stroke*, con el transcurso de los minutos y horas la sintomatología cedió. Es decir, afortunadamente los síntomas desaparecieron, por lo tanto el diagnóstico final fue "accidente isquémico transitorio" (AIT).

Sin embargo, aunque los síntomas desaparecieron espontáneamente, es necesario operar de inmediato para evitar que la complicación se repita. El cirujano que ese mismo día realizó la intervención fue Víctor Caramutti, especialista de larga trayectoria que había trabajado durante 30 años con el doctor Favaloro. Kirchner ingresa a quirófano a las 19 horas. La cirugía consistió en una endarterectomía a cielo abierto. En pocas palabras esta intervención consiste en realizar una incisión en el cuello, llegar a la arteria carótida, abrirla y limpiar o sacar la placa ulcerada de ateroma con una suerte de pequeña espátula. El riesgo en esta cirugía es que durante el procedimiento se desprendan fragmentos de la placa, que a manera de trombos viajen por las arterias cerebrales obstruyendo alguna de ellas. Para hacerse una idea de la cirugía hay que tener presente que el diámetro interior de la carótida no supera los 6 milímetros. La operación duró algo menos de una hora. El paciente se recuperó rápidamente de la anestesia y la función neurológica era buena, es decir que no quedó ningún tipo de lesión. Caramutti comentó luego que la complicación de la carótida era consecuencia del estrés y los antecedentes de la hipertensión arterial. Esta vez Racing perdía 4 a 2 con Arsenal y el resultado futbolístico no era el mejor para el post operatorio inmediato. En la puerta del sanatorio cientos de seguidores y militantes kirchneristas acompañaban a su líder con cánticos y pancartas de aliento.

Néstor Kirchner fue dado de alta el martes 10 de febrero. Quedó con tratamiento para disminuir las posibilidades de repetición del cuadro: medicación para el control del colesterol y la presión arterial y para disminuir la posibilidad de formación de coágulos. Había superado la emergencia crítica del accidente isquémico transitorio pero era posible una nueva complicación cardiovascular. De hecho, la estadística indica que quienes presentan un evento cerebrovascular (en este caso, un accidente isquémico) transitorio tienen tres veces más riesgo de presentar una complicación cardíaca en los meses siguientes. Ya había presentado una internación importante en la Semana Santa de 2004 y ahora una complicación en la carótida derecha.

El cuerpo nos envía señales... la próxima complicación no tardaría en llegar.

Septiembre de 2010, arteria coronaria

Néstor Kirchner no modificó su ritmo de actividad. Los estudios de control que le realizaron a los seis meses de la operación de carótida incluyeron un chequeo de rutina y particularmente el estudio de las carótidas y las arterias coronarias. Los estudios realizados "dieron bien". Las carótidas se encontraban libres de cualquier obstrucción y las arterias coronarias no mostraron obstrucciones significativas. Eran estudios satisfactorios. Evidentemente los resultados eran los mejores que podían esperarse y así lo percibió el paciente, quien se dio luz verde para continuar con una actividad política intensa. Ahora bien, estos datos merecen una consideración, o más bien dos. Para comenzar digamos que Kirchner salía recientemente de una cirugía por una complicación de una placa de ateroma que produjo un accidente isquémico transitorio. El hecho de presentar una placa de ateroma en la carótida no es un hecho aislado. Vale decir que el problema no debe interpretarse como limitado a la carótida, sino que debe entenderse que la condición en la cual se encontraba esa arteria es muestra de lo que sucedía en el resto de las arterias del cuerpo. Como dice el dicho, "para muestra basta un botón". Es decir, el problema arterial era generalizado. En segundo término otra aclaración. Los estudios realizados al paciente "dieron bien".¿Qué significa que "dieron bien"? Si el estudio de las arterias coronarias no mostró obstrucciones coronarias significativas, es claro, está mejor. Sin embargo eso no significa que pequeñas obstrucciones o "placas de ateroma" no puedan romperse y así tapar una arteria coronaria produciendo un infarto, sobre todo en un paciente predispuesto. Es aquí donde las emociones y el estrés pueden condicionar una complicación coronaria aun en arterias con poca obstrucción previa. Por lo tanto, que un estudio "dé bien" no es determinante. Es el conjunto de los estudios evaluados dentro de una prolija historia clínica la que puede determinar un pronóstico y un tratamiento.

Las contingencias y dificultades políticas que por entonces se presentaban no dejaban de sobrecargar la actividad y preocupación del paciente. La organización y armado de la estrategia con miras a las elecciones de 2011, más los problemas de inseguridad en Buenos Aires, complicaban la historia y también la historia clínica. La prensa daba cuenta de la fuerte repercusión social del caso de Carolina Píparo. Se trataba de una mujer embarazada de siete meses de su primer hijo. Fue víctima de una "salidera" bancaria en La Plata. Los delincuentes siguieron a su víctima hasta que la interceptaron. Aunque no se resistió le dispararon un tiro. La víctima fue trasladada al hospital donde se realizó una cesárea de urgencia. Madre e hijo quedaron en estado crítico de salud. Carolina sobrevivió pero Isidro, su hijo, murió una semana después. Tras la enorme tensión pública que el resonante caso generó, trascendieron las palabras que el gobernador de la provincia de Buenos Aires, Daniel Scioli, dijo al hermano de Carolina, Matías Píparo. El gobernador afirmó:

"tengo las manos atadas", en referencia implícita a una supuesta imposibilidad de combatir el delito. La declaración generó fuertes consideraciones y comentarios políticos y generaron tensión y diferencias de opinión en el seno del mismo gobierno nacional. Kirchner cierra el capítulo en un acto público en el barrio porteño de La Boca el 9 de septiembre, en el que frente a Scioli dice: "En esta asamblea, le pido al gobernador Scioli que nos diga quién le ata las manos". La situación de tensión era intensa. 48 horas después de todo este último periodo frenético de actividad política, Kirchner es internado de urgencia.

El 11 de septiembre Néstor Kirchner se encontraba en la quinta presidencial cuando luego de su actividad física aeróbica se sintió mal. Dada la alerta al doctor Marcelo Ballesteros, subdirector de la unidad médica presidencial, se decidió que el paciente fuera llevado a la Clínica Olivos. En ésta se realizó un diagnóstico presuntivo de complicación coronaria. Fue entonces trasladado nuevamente al Sanatorio de los Arcos. Ahí se realizó una coronariografía, estudio para visualizar las arterias coronarias. Se diagnosticó una obstrucción en una de las ramas de la arteria coronaria izquierda, más precisamente la arteria circunfleja y se procedió a realizar una angioplastia de urgencia. La angioplastia es un proceso extraordinario que cambió el tratamiento de las obstrucciones coronarias. Consiste en ingresar por una arteria de la ingle, la arteria femoral, con un catéter. Un catéter es como una especie de manguera muy delgada con la que se avanza por las arterias hasta llegar a las coronarias, en este caso, al lugar de la obstrucción en la arteria circunfleja. Toda esta maniobra se hace visualizando el catéter en un televisor que está al lado del paciente. El paciente se encuentra despierto durante todo el procedimiento. Una vez que el catéter llega hasta donde se encuentra la obstrucción coronaria, se le infla el extremo, donde se encuentra un balón, como si fuera un pequeño globo de agua: de este modo se dilata la arteria y se la desobstruye. Acto seguido se coloca un stent. El stent es una especie de pequeño rulero de metal que se deja dentro de la arteria justo donde estaba la obstrucción y se realiza la dilatación de aquélla. La finalidad es mantener abierta la arteria y evitar que se vuelva a cerrar. Queda así como una especie de "encofrado" que actúa de este modo apuntalando y tapizando la arteria por dentro. El primer stent fue desarrollado para las grandes arterias de los miembros inferiores por el doctor Charles Dotter en Estados Unidos, en 1967. Dotter llamó stent a esta especie de "rulero", en referencia al apellido de un odontólogo de la época victoriana que diseñó muchos dispositivos odontológicos y uno de ellos era un "separador" de dientes para niños. Por eso Dotter llamó stent a esta pequeña prótesis, porque mantiene separadas las paredes interiores de las arterias. Pero fue Julio Palmaz, médico argentino, quien desarrolló los pequeños stent para las arterias coronarias que hoy se usan en todo el mundo. Además, y esto es importante, los stent actuales se encuentran recubiertos con un medicamento que impide la formación del exceso de tejido cicatrizal. Dicho de manera más simple, disminuye la cicatrización para impedir que su exceso tape nuevamente la arteria.

Apenas siete meses atrás Néstor Kirchner había presentado una complicación en la carótida. ¿Qué le decimos los médicos a un paciente cuando tiene un accidente carotídeo? Que estadísticamente quien tuvo un problema carotídeo tiene casi un 50% de posibilidades de presentar una placa de ateroma en las coronarias, con posibilidad de romperse y en consecuencia tapar la arteria. Por lo tanto es importante cuidarse. ¿Y qué le decimos los médicos a un paciente que ha presentado una complicación coronaria como la descrita en este caso? Que tiene una alta posibilidad de tener en sus coronarias otra placa peligrosa. Y aún más, le decimos que con una angioplastia con un stent como el realizado en este tratamiento, la posibilidad estadística de presentar una nueva complicación coronaria se concentra en los próximos tres meses. La buena noticia es que una adherencia estricta al tratamiento disminuye mucho la posibilidad de complicaciones. La angioplastia y el stent solucionan la obstrucción coronaria pero la enfermedad puede continuar su curso. Por eso es muy importante seguir el tratamiento tanto en las recomendaciones sobre el estilo de vida como en la toma ordenada de los medicamentos. El paciente se recuperó rápidamente y la angioplastia con colocación del stent fue exitosa. Ese sábado, Kirchner se mostró feliz con el resultado de Las Leonas: el equipo femenino argentino de hockey había vencido 3 a 1 al combinado de Holanda, coronándose campeón en el Mundial de esa disciplina deportiva. En fútbol, no se mostró feliz, ya que el resultado no fue tan bueno: Racing, el equipo de su pasión, perdió 2 a 0 frente a Estudiantes de La Plata en el Torneo Apertura organizado por la AFA.

A menos de 24 horas de haber sido internado, el paciente se retira a Olivos. "Estoy perfecto", había declarado a los periodistas. A los tres días, Kirchner participó de un acto organizado por jóvenes kirchneristas en el Luna Park.

Octubre de 2010 y su lugar en el mundo

A esta altura de la historia clínica, Kirchner ya había pasado una internación por gastroduodenitis hemorrágica en el año 2004, complicación clínica en la cual la influencia del sistema nervioso resulta evidente. Además, en los últimos siete meses se acumularon dos complicaciones vasculares: el accidente isquémico transitorio por ruptura de una placa de ateroma en la carótida derecha en febrero y una complicación coronaria en septiembre.

Al acto de la juventud en el Luna Park le siguieron no pocas circunstancias de intensidad política que marcaron una carga estresora sobre el paciente. Veamos.

La Cámara de Senadores convirtió en ley el aumento de las jubilaciones mínimas al 82% del salario mínimo vital y móvil que impulsó la oposición. Según el oficialismo el costo fiscal no podría ser abordado por el Estado. Lo que además del hecho legislativo en sí pudo provocar sobre el paciente, hay que agregar una particularidad. La votación resultó ser un empate en 35 votos. Fue entonces el presidente del Senado Julio Cobos quien, como cuando se debatió "la 125", desempató votando en contra de la política del gobierno. El hecho resultó estresante y sus connotaciones también.

Un segundo hecho marcó una carga estresora en el paciente: el conflicto entre la Corte Suprema de Justicia y el gobernador de Santa Cruz Daniel Peralta. Peralta resistió el fallo de la Corte que instaba a reponer en su cargo al ex procurador Eduardo Sosa, quien había sido removido en 1995 por Néstor Kirchner. La Corte denunció penalmente al gobernador y pidió que interviniera el Congreso Nacional. El gobernador dijo que la Corte Suprema actuó con "intencionalidad política" y continuó el conflicto. Un tercer hecho que seguramente marcó una carga estresora en Kirchner fue la pérdida por parte del oficialismo del control del Consejo de la Magistratura.

Más adelante, Néstor Kirchner criticó fuertemente a la Corte Suprema y le reclamó "independencia". La Corte había confirmado la medida cautelar que suspendía la aplicación del artículo 161 de la ley de radiodifusión que establecía el plazo para la desinversión de los medios que no se ajusten a las disposiciones de la ley. Resultaba ser un fallo en contra de la ley de radiodifusión. Las declaraciones del ex Presidente fueron hechas desde Estados Unidos, adonde había viajado pocos días después de la última internación para acompañar a la Presidenta, quien participaría de la sesión inaugural de la Asamblea General de la Organización de las Naciones Unidas en Nueva York.

Pero lo que seguramente resultó una sobrecarga emocional importante fue el asesinato de Mariano Ferreyra. Fue el miércoles 20 de octubre, cuando un grupo de la Unión Ferroviaria atacó a balazos a manifestantes que intentaban cortar las vías del Ferrocarril Roca en repudio a los despidos recientes. Ferreyra era un joven estudiante de 23 años, militante del Partido Obrero. Al día siguiente, las organizaciones de izquierda convocaron a una masiva manifestación en Plaza de Mayo y el gobierno presionó a los gremios ferroviarios para que apareciera el responsable. La sobrecarga emocional y la repercusión vital que por distintos motivos tuvo la muerte de Ferreyra sobre el paciente fueron sin duda desequilibrantes. No lo pudo definir mejor su hijo, Máximo Kirchner, cuando afirmó que "al matar a ese pibe en Constitución también mataron a mi viejo"...

A mediados de octubre, el paciente se había realizado estudios de rutina para controlar la evolución de la angioplastia y del stent. Habían pasado cuatro semanas desde aquella internación del 11 de septiembre. Los chequeos realizados en la Clínica Olivos y en Diagnóstico Maipú incluían un eco-estrés y una tomografía cardíaca multislice. El eco-estrés es un estudio de ecografía que evalúa la capacidad contráctil del corazón, específicamente del ventrículo izquierdo, durante el esfuerzo físico o durante la administración de drogas estimulantes del corazón. Tanto el eco-estrés como la tomografía cardíaca multislice dieron resultados "normales". Nuevamente debemos aclarar que los resultados de estos estudios, como los de cualquier otro, deben interpretarse para establecer un pronóstico y un tratamiento, dentro del contexto de una evaluación médica en la historia clínica. Los estudios de diagnóstico evaluados aisladamente no determinan el pronóstico. Un estudio es justamente eso: un estudio. En cambio, un diagnóstico es el resultado de una evaluación médica integral. Néstor Kirchner presentaba a esa altura de la historia clínica todos los condicionantes para una complicación cardíaca:

- √ Tenía predisposición genética
- √ Había sido fumador
- √ Era hipertenso
- √ Tenía colesterol alto
- √ Su personalidad era Tipo A
- √ Contaba con antecedentes clínicos relacionados: patología digestiva funcional y gastroduodenitis hemorrágica
- √ Complicación en la arteria carótida con accidente isquémico transitorio cerebral
- √ Complicación coronaria con angioplastia y colocación de un stent
- √ Alto nivel de estrés como resultado de las amenazas que percibía en contra de su proyecto político y una alta actividad desarrollada para enfrentarlas.

La última aparición de Kirchner en un acto público fue el viernes 22 de octubre en Chivilcoy, donde se festejaban los 156 años de la fundación de la ciudad. Quienes lo vieron en persona ese día refieren que se lo veía desmejorado. El ex Presidente llegó a Río Gallegos el mismo viernes 22. A El Calafate arribó el sábado 23. Este pueblo chico, de unos 15.000 habitantes, a orillas del Lago Argentino, rodeado por montañas, distante a 322 kilómetros de Río Gallegos, era su lugar en el mundo.

Es curioso cómo algunas personas perciben el final. Tal vez éste sea el caso. Casi tres semanas antes del fin de esta historia clínica, Kirchner había realizado un acto con los gobernadores kirchneristas en apoyo del gobernador de Santa Cruz en su conflicto con la Corte Suprema y en contra de sectores de la oposición que promovían la intervención de la provincia. Fue en el Boxing Club de Río Gallegos. El discurso lucía por momentos nostálgico, haciendo referencia a tantas personas queridas: "Acá están mis abuelos, mis viejos, vive mi vieja, vive uno de mis hijos", decía. Su madre, María Ostoic, de 90 años, diría el día del sepelio que "el acto en el Boxing Club con los gobernadores le sonó como una despedida". Además, no hacía mucho que Kirchner había hecho reservar una parcela en el cementerio de Río Gallegos.

La noche del 26 de octubre, Néstor Kirchner cenó en su casa con su esposa y con un matrimonio amigo. Se acostó tarde. Aproximadamente a las 7.30 del 27 de octubre, día del Censo Nacional de Personas, se despierta con dolor de pecho. Se incorpora y pierde el conocimiento. Al caer golpea su frente con la mesa de luz que le provoca una herida. Lo atiende el médico de la unidad presidencial, el doctor Benito Alen González, quien se encontraba de guardia en el Hotel Los Sauces, contiguo a la residencia del matrimonio Kirchner. El médico realizó las primeras maniobras de resucitación cardiopulmonar que incluyeron la utilización de un cardiodesfibrilador y de una inyección intracardíaca de adrenalina. A los cinco minutos llegó la ambulancia y fue trasladado al Hospital José Formenti, distante a quince cuadras. Ingresó al *shock room* del hospital con signos vitales muy disminuidos. El diagnóstico era paro cardiorrespiratorio no traumático. ¿La causa más probable? Infarto agudo de miocardio por obstrucción del stent o posiblemente por una nueva obstrucción arterial en otro sector de alguna arteria coronaria. Continuaron las maniobras de resucitación, pero aproximadamente a las 9.15 de ese miércoles 27 de octubre fallece el ex Presidente de la Nación Néstor Kirchner.

Quisiera que me recuerden
sin llorar ni lamentarme.
Quisiera que me recuerden
por haber hecho caminos,
por haber marcado un rumbo,
porque emocioné su alma
porque se sintieron queridos,
protegidos y ayudados,
porque interpreté sus ansias,
porque canalicé su amor.
Quisiera que me recuerden
junto a la risa de los felices,
la seguridad de los justos,
el sufrimiento de los humildes.
Quisiera que me recuerden
con piedad por mis errores,
con comprensión por mis debilidades,
con cariño por mis virtudes.
Si no es así, prefiero el olvido,
que será el más duro castigo
por no cumplir mi deber de hombre.[23]

Tratamiento

Se entiende en medicina como tratamiento o terapéutica a la aplicación de medios farmacológicos, quirúrgicos, físicos, de estilos de vida, psicológicos y sanitarios que apuntan a curar o aliviar la sintomatología de una enfermedad. Claro está que para que el tratamiento sea el adecuado debe resultar de un "diagnóstico" previo correcto. Podría decirse que el médico, para identificar una enfermedad, es decir para hacer un diagnóstico, deber ser portador de un "saber", y en tanto ello se dice en medicina que respecto de un diagnóstico médico "sólo se encuentra lo que se busca y se busca lo que se conoce". Es decir, que se debe "saber" para hacer diagnóstico. Ahora bien, ese "saber" ha cambiado, evolucionado y aumentado con el tiempo y con la historia de la medicina. En este capítulo final haremos un breve abordaje de los tratamientos actuales para las enfermedades que terminaron con la salud y con la vida de los pacientes cuyas historias clínicas hemos desarrollado.

Otro aspecto de interés y que merece considerarse cuando se analiza la historia clínica —o, más específicamente, la salud de las personas—, es que los pacientes efectivamente tienen, cuando lo necesitan, una "atención médica". Lo que la mayoría de las veces no tienen es "médico". La diferencia es enorme. El médico es quien conoce al paciente no solamente en la enfermedad sino en la salud, tanto física como mental, y sobre todo en su historia de vida que resulta ser su historia clínica. Esta falta de "médico de cabecera" se da no solamente en los personajes de la Historia: de hecho se da en la mayoría de las personas. Es fundamental encontrar una adecuada relación médico-paciente. Es esa relación la que aporta al paciente todas las ventajas y beneficios de la medicina en cualquier época de la historia.

Una clara expresión de una buena relación médico-paciente, que supera a la medicina misma, es la de Napoleón, cuando en referencia a su médico de cabecera dijo: "No confío en la medicina, pero confío plenamente en Corvisart". Disponer de los beneficios de la medicina no es exactamente lo mismo que tener médico. Quedará ahora entonces para el análisis de cada uno responder qué hubiera sucedido si la medicina actual, en algunos casos, o el tratamiento correcto, en otros, hubiera estado al alcance de estos personajes. Entonces hubiese cambiado no sólo la historia clínica sino la Historia. Pero esa respuesta es un desafío para el razonamiento, la especulación y la conjetura. Es un desafío personal para quien decida abordarlo.

Cabe aún otra aclaración. Antes de ir al tratamiento de cada historia clínica, al expedirnos sobre la evolución de cada uno de los pacientes abordados, lo hacemos sobre la base del resultado estadístico que los tratamientos adecuados aportan. La medicina debe garantizar los medios terapéuticos adecuados, pero no es una ciencia exacta, no puede garantizar resultados. No obstante, con la medicina actual, garantizar el tratamiento adecuado implica aportar una alta posibilidad de éxito terapéutico. Esta ventaja que hoy nos da la medicina se alcanza con una buena relación médico-paciente.

Vamos entonces ahora a abordar cada una de las historias clínicas desde la perspectiva de la medicina actual.

José de San Martín

Además de los enemigos militares, San Martín tuvo que enfrentar muchos otros enemigos. La salud del paciente presentó contingencias diferentes y sostenidas a lo largo de su historia clínica. Si bien no sabemos con certeza qué enfermedad dentro de las de tipo reumático afectó al paciente, sabemos que sufrió importantes episodios de inflamación osteoarticular. Entre otras articulaciones, las de sus manos fueron afectadas al punto de dificultar la escritura. Hoy en día y gracias a los avances de la medicina, se pueden diagnosticar y tratar eficientemente todas las enfermedades reumatológicas. Podemos suponer por la información disponible que San Martín probablemente padeció algún grado de artritis reumatoidea. Si éste hubiera sido el caso, así como otras enfermedades similares, el "arsenal" terapéutico para combatirlas es hoy en día abundante. Los antiinflamatorios actuales, tanto los corticoides como los de tipo no esteroideos, son muy eficientes. El tratamiento kinésico y la actividad física programada son un aporte terapéutico muy importante. Tanto para el tratamiento crónico de la enfermedad como para contrarrestar los ataques agudos, la medicina actual hubiera cambiado radicalmente la dolencia de origen reumatológico del paciente. Con los tratamientos actuales, el general Guido nunca hubiese escrito sobre San Martín que "la articulación de la mano derecha lo imposibilita para el uso de la pluma".

El asma es la otra patología que lo tuvo a maltraer. Fue asmático de adulto, ya que comenzó a padecerla hacia los 30 años de edad cuando aún estaba en España. En este caso también el paciente hubiera sido beneficiado con la terapéutica moderna. Los fármacos disponibles actualmente permiten prevenir los ataques de broncoespasmo y tratar adecuadamente las crisis asmáticas. En esta patología la medicina contemporánea también hubiera cambiado la evolución de la historia clínica y muy probablemente el general San Martín no hubiera presentado esta complicación bronquial cuando era jefe del Ejército del Norte o al regreso de la batalla de Chacabuco. La otra patología que hemos considerado como diagnóstico posible en la historia clínica es la tuberculosis. Si bien es poco probable que hubiera presentado esta enfermedad en su forma típica, la medicina actual hubiera permitido el diagnóstico de certeza. De haber sido así el tratamiento con antibióticos (isonaicida, rifampicina, etambutol, estreptomicina, etc.) hubiera curado la enfermedad. Si como algunos sostienen, el paciente padeció una forma poco frecuente de tuberculosis, la tuberculosis "fibrosa", también hubiera curado con el tratamiento adecuado. En este supuesto, la medicina actual también hubiera resuelto con éxito la enfermedad.

San Martín fue un lector infatigable y la afectación de ambos ojos por cataratas hizo que perdiera la vista. La cirugía realizada en París en 1848 era precaria y tuvo pésimos resultados. La cirugía actual de cataratas simplemente asegura recuperar la visión.

Respecto de la enfermedad que desencadena la muerte de San Martín, el shock hemorrágico por sangrado de una úlcera gastroduodenal es hoy totalmente tratable. Es más, resulta difícil morir por este motivo. Las eficientes terapéuticas actuales para inhibir la secreción ácida gástrica disminuyen enormemente la posibilidad de presentar una úlcera gastroduodenal sangrante. Actualmente, con diagnóstico y tratamiento adecuado, es un cuadro clínico difícil de ver. Si de todos modos se hubiera presentado un shock hemorrágico por úlcera digestiva sangrante, el tratamiento actual de los cuadros de shock, las transfusiones sanguíneas, la farmacología actual y en última instancia la cirugía, hubieran brindado al paciente la posibilidad de sobrevida. Con la medicina actual, el general San Martín no hubiese dicho a su hija en sus momentos finales la conocida frase "Mercedes, ésta es la fatiga de la muerte" para luego dirigirse con falta de aire al marido de Mercedes, el Dr. Mariano Balcarce y decirle "Mariano, a mi cuarto", para fallecer minutos más tarde.

Juan Domingo Perón

Desde el punto de vista médico, Juan Domingo Perón era un paciente con enfermedad cardiovascular importante. Con antecedentes de complicaciones arteriales, como la tromboangeítis obliterante intermitente de miembros inferiores, o enfermedad de Buerger y un enfisema pulmonar o Epoc, ambos como consecuencia del hábito tabáquico, era un paciente difícil. Tampoco jugaba a favor su avanzada edad y, claro está, las complicaciones coronarias que había presentado. Para el día de su fallecimiento tenía como antecedente un infarto cardíaco de la cara anterolateral del corazón de 1973 y un infarto de la cara inferior o diafragmática de 1972. Además, ya había presentado varios cuadros de edema agudo de pulmón por falta de fuerza contráctil del corazón. En definitiva, un paciente cardíaco complicado con una función cardíaca ya muy deteriorada. Inclusive ya tenía un infarto cuando Perón llega a Buenos Aires en 1973, hecho clínico que se ocultó por considerarse que disminuiría sus posibilidades electorales.

Para evaluar el tratamiento del paciente hay que tener presente que estamos viajando hacia atrás en el tiempo al menos 40 o 45 años y hasta probablemente 60 o más años, si consideramos el momento de la aparición de los primeros síntomas arteriales de Perón.

Recordemos que era un paciente fumador, con enfisema pulmonar, colesterol alto y compromiso arterial de ambos miembros inferiores. Debemos considerar los recursos diagnósticos y terapéuticos con los que contábamos en aquel entonces, es decir, hacia el comienzo de la década de 1970. Por entonces, aunque no con la calidad y precisión de hoy día, se disponía de la coronariografía como método para diagnosticar las obstrucciones coronarias. También estábamos en el comienzo del desarrollo de la técnica de *by-pass* en nuestro país. La cardiología estaba por entonces más avanzada en Argentina que en España, donde Perón había sido atendido por el doctor Florez Tascón. A esto se debe que en Madrid no se hubieran planteado estudios y tratamientos cardiológicos de mayor profundidad. Ahora bien, ¿por qué no realizaron en Buenos Aires una coronariografía para estudiar las obstrucciones coronarias? Y en tanto ello, ¿se perdió la oportunidad quirúrgica de realizar un *by-pass*? Veamos. El cuadro clínico de Perón era ya muy complicado al llegar a Buenos Aires en junio de 1973 y se complicó aún más a los pocos días con un nuevo infarto en su casa de Gaspar Campos. Esta vez, el infarto fue más extenso que el anterior y en una pared del corazón aun más importante desde el punto de vista de su función. Por lo tanto, ya había una proporción muy grande de músculo cardíaco lesionado y que de hecho no ejercía su función contráctil. Es muy probable que aun conociendo las lesiones coronarias a través de una coronariografía, las condiciones de deterioro clínico y cardiológico del paciente hubieran contraindicado la realización de un *by-pass* aortocoronario con la técnica que el doctor René Favaloro había introducido por entonces en nuestro país. Debemos considerar algunas condiciones clínicas que aumentaban mucho el riesgo quirúrgico en el general Perón, tales como la edad, el enfisema y los dos infartos previos. Por lo tanto, habría que considerar que Perón era en ese momento un paciente de alto riesgo quirúrgico que no resistiría una cirugía de *by-pass*. En consecuencia, los médicos tratantes, frente a semejante panorama, optaron por el tratamiento clínico y farmacológico. Debemos coincidir, considerando los antecedentes descritos, que dicha decisión resultó ser la más adecuada. ¿Pero cuáles serían los beneficios que la medicina actual aportaría a Perón en caso de haber dispuesto de ellos? Pues bien, la diferencia es asombrosa. Para comenzar, digamos que actualmente el control de los factores de riesgo coronario es mucho más eficiente. Tal es el caso, como ejemplo, de la medicación actual para el control del colesterol. Por otra parte, al inicio de los síntomas coronarios una coronariografía o angiografía señalarían con precisión las obstrucciones coronarias más significativas. Estas obstrucciones podrían tratarse con angioplastia y con la colocación de uno o varios stents con drogas, método terapéutico no disponible por entonces. Así podría haberse evitado el primer infarto o al menos el segundo, que resultó ser más grave.

En el caso clínico de Juan Domingo Perón, la medicina actual hubiera cambiado el curso de la historia clínica y, en consecuencia, el de la Historia.

Jesús

Cuando se produce un fallecimiento, el médico debe obligatoriamente completar el certificado de defunción. Siempre la causa de muerte es "paro cardiorrespiratorio". Lo que en el certificado debe aclararse es si ese paro cardiorrespiratorio es como consecuencia de una causa natural, como ser una enfermedad, en cuyo caso se indica "paro cardiorrespiratorio no traumático". Por el contrario si la causa del paro cardiorrespiratorio es por accidente, herida de arma blanca, herida de arma de fuego, etc., se indicará como "paro cardiorrespiratorio traumático", dejando constancia así de que el motivo del fallecimiento no fue de muerte natural. En segundo término, el médico debe indicar la causa que dio origen a ese paro cardiorrespiratorio, por ejemplo, "cáncer gástrico" en el caso de un "paro cardiorrespiratorio no traumático", o "herida de arma de fuego" o "accidente automovilístico" en un "paro cardiorrespiratorio traumático". En el caso de trauma, el cuerpo siempre va a autopsia judicial. Lo mismo sucede si en un caso de "paro cardiorrespiratorio no traumático" el médico desconoce la causa de muerte y deja constancia en el certificado de defunción que la ésta es una "muerte dudosa". Sería la situación, por ejemplo, de un envenenamiento. Aquí también el cuerpo va a la autopsia. En el caso que nos ocupa, el certificado de defunción citaría como motivo y causa de muerte, respectivamente, lo siguiente: *A- Paro cardiorrespiratorio traumático* y *B- Asfixia por crucifixión.*

Resulta claro que el objetivo de la autoridad romana que indicó la crucifixión era la muerte de Jesús. De todos modos, y al solo efecto del ejercicio clínico, comentaremos los pasos terapéuticos que debieran seguirse en caso de que a un crucificado se lo "bajara de la cruz". Las medidas terapéuticas deberían realizarse en forma inmediata, ya que se trata de una emergencia. Rápidamente, hay que suministrar oxígeno, detener la hemorragia y expandir el volumen de sangre circulante. La administración de oxígeno se realiza con la colocación de una simple máscara de oxígeno sobre la nariz y la boca del paciente. Esta medida aumenta inmediatamente la concentración de oxígeno en la sangre. Para detener la hemorragia se realiza una simple compresión sobre las regiones sangrantes o con la ayuda de maniobras de cirugía menor. Es fundamental detener la hemorragia en las zonas de traumatismos, es decir, en las lesiones producidas por los clavos en las muñecas y en los pies, en las lesiones producidas por las espinas en el cuero cabelludo, y en las laceraciones por los latigazos en la espalda. Simultáneamente a las maniobras anteriores hay que administrar líquidos por las venas a través de una "vía" de administración, lo que se conoce habitualmente como colocación de un "suero". El líquido que se administra de rutina es una "solución fisiológica" compuesta por agua y sales. Sin embargo, lo ideal, sobre todo si la pérdida sanguínea es importante, es transfundir sangre. Éste es el mejor modo de normalizar el aporte de oxígeno a los tejidos y de estabilizar la presión arterial y combatir el estado de shock. La determinación del tipo de sangre se realiza en pocos minutos y así puede administrarse el mismo tipo de sangre del paciente. Si no se pudiera determinar el tipo sanguíneo por falta de los reactivos necesarios o no tuviéramos disponible el grupo y factor del paciente, se puede administrar sangre Grupo 0, Factor Rh negativo, que es el llamado dador universal y no provoca rechazo en ningún paciente. Desde ya que no sabemos el tipo de sangre de Jesús, solamente podemos citar como dato anecdótico que el grupo sanguíneo encontrado en el santo sudario es AB. El grupo AB es muy común entre los judíos. De todos modos, remarcamos este hecho sólo como anecdótico, ya que según los estudios de datación por Carbono 14 realizados sobre el Santo Sudario, éste es de la época del Renacimiento y no del primer siglo de nuestra era. Como hemos citado en el capítulo correspondiente, hay quienes sostienen que las muestras obtenidas para el estudio de Carbono 14 fueron obtenidas en forma técnicamente incorrecta.

A la terapéutica suministrada habría que agregar medicación para el tratamiento del dolor y para prevenir infecciones en las heridas. También aplicaríamos con finalidad preventiva vacuna y suero antitetánico.

La finalidad de los romanos era la lenta y dolorosa muerte del crucificado, además de su exposición pública.

Históricamente hablando, Jesús murió en la cruz. Sin embargo, ¿qué hubiese sucedido si no hubiese muerto? ¿Cuál hubiera sido la historia clínica, y cuál la Historia?

Ernesto "Che" Guevara

Aquí resulta evidente que se buscaba una ejecución sumaria que fue efectuada en un instante. Las condiciones clínicas del paciente al momento del fusilamiento eran críticas. Su salud estaba deteriorada y seguramente con importante pérdida de peso y mal estado general. Todo ello como consecuencia de meses de combate, asma, falta de agua, de alimentos, de sueño, heridas, infecciones y estrés. Un aspecto que merece un particular análisis psicológico y emocional son las vivencias que el Che presentó durante los 11 meses de su última campaña guerrillera. La lectura detallada del diario del Che en Bolivia brinda mucha información al respecto. Pareciera que existe un desajuste entre lo escrito por el paciente y la realidad de los hechos, como si existiera discordancia objetiva entre los malos resultados obtenidos durante la campaña y la evaluación subjetiva vertida en el papel. En Bolivia, los campesinos no adhirieron al proyecto del Che, no encontraba apoyo en la población, no había incorporaciones de guerrilleros y las bajas en combate y el cerco militar iban en aumento. Es más, el último día que el Che escribe en su diario fue el 7 de octubre de 1967, dos días antes de su captura y ejecución, donde dice: "Se cumplieron los 11 meses de nuestra inauguración guerrillera sin complicaciones, bucólicamente". ¡Su percepción de las cosas y la realidad objetiva no coincidían! Resulta claro que no podía afirmarse que no había habido "complicaciones" en una campaña que resultó diezmada. Sin embargo, el Che agrega "bucólicamente". El paciente era un lector muy instruido, y si aplicó adecuadamente la palabra "bucólicamente" es porque hizo referencia a la acepción poética del vocablo según el Diccionario de la Real

Academia Española, en tanto "evocación idealizada" de la situación vivida. De ahí que la interpretación psicológica, afectiva y emocional del escrito del Che en su diario en Bolivia es materia de un mayor análisis de carácter controversial.

Volviendo a los aspectos físicos relacionados con su ejecución deberíamos considerar el motivo de fallecimiento, que aunque evidente y claro, amerita algunas consideraciones médicas. El certificado de defunción diría "muerte por paro cardiorrespiratorio traumático". ¿La causa? Fusilamiento. El cadáver del paciente presentaba, según la autopsia realizada por los médicos intervinientes del Hospital de Malta en Vallegrande, nueve heridas de bala. Una de ellas, en la pierna o pantorrilla derecha, que según datos de combate fue producida durante la captura, antes de ser ejecutado. Las otras heridas, producidas por una ametralladora americana M2, corresponden a la ejecución. De esos ocho impactos de bala, seis ingresaron al tórax. La autopsia revela lesión en el vértice pulmonar izquierdo y ruptura de los grandes vasos sanguíneos subclavios derechos, ubicados detrás de la clavícula derecha. Otros trayectos de bala atravesaron el pulmón derecho y otros el pulmón izquierdo en un trayecto tangencial. Ambos hemitórax se encontraban con abundante derrame sanguíneo a predominio del tórax derecho. De la descripción de la autopsia se desprende que los médicos intervinientes no describen ruptura cardíaca por lesión de ningún proyectil, lo cual de haber sido así, resultaría evidente. Por lo tanto habría suficiente argumento para asumir que la muerte no fue inmediata por lesión cardíaca sino por una pérdida cataclísmica de sangre. En esta condición la muerte se debió producir rápidamente, pero es posible que hubiera sobrevivido uno o dos minutos y a juzgar por las fotografías que muestran el cadáver del Che con los ojos abiertos es posible que haya visto a su ejecutor hasta el último instante. Cabe señalar que las lesiones óseas encontradas en los restos del Che en Vallegrande, estudiados por el Equipo Argentino de Antropología Forense, concuerdan con las lesiones descritas en la autopsia.

Después de los disparos de ametralladora, ninguna intervención médica inmediata hubiera evitado el desenlace fatal.

Alejandro Magno

Los historiadores Plutarco y Arriano debieron tener razón: Alejandro Magno no muere envenenado sino por muerte natural. La descripción de Plutarco es muy clara respecto de los síntomas iniciales. Fue en Babilonia, luego de un banquete en el Palacio de Nabucodonosor II en el que Alejandro bebió y comió copiosamente, que el paciente comienza con malestar y fiebre alta. Si en ese momento lo hubiese atendido un médico de nuestra época, probablemente habría utilizado medicación sintomática, tales como antitérmicos. Al observar que no mejoraba, muy probablemente hubiese considerado la posibilidad de una enfermedad seria, sobre todo al ver el gran compromiso en el estado general del paciente. Con lo cual lo más acertado hubiera sido la internación de emergencia. Como dijimos, el médico encuentra lo que busca; y busca lo que conoce. Si el médico hubiese considerado la posibilidad de fiebre tifoidea habría pedido los análisis correspondientes. Con el hemocultivo y/o el coprocultivo para buscar el germen productor de la enfermedad en sangre y materia fecal, hubiese hecho el diagnóstico. A estos estudios hay que agregar el análisis de sangre en busca de anticuerpos que evidencien la infección por salmonella. Con esto basta para el diagnóstico. El tratamiento actual incluye antibióticos como la amoxicilina, trimetropina-sulfametoxazol, cotrimoxazol, cloranfericol, ciprofloxacina, etc. El tratamiento es muy efectivo y evita complicaciones tales como la perforación intestinal, que muy probablemente complicó el cuadro clínico de Alejandro. Debió haber sufrido mucho. A esto hay que agregar que la infección se produce por falta de higiene en la preparación de alimentos y control del agua, por lo cual la prevención en este aspecto hubiera evitado la enfermedad. También las vacunas son efectivas. En otras palabras, Alejandro no hubiese muerto por fiebre tifoidea con la medicina actual.

Respecto de un cuadro de encefalitis, se podría haber realizado diagnóstico con pruebas específicas de análisis sanguíneos para detectar anticuerpos. Con respecto al tratamiento y teniendo en cuenta que se trata de un virus, los antibióticos no resultan efectivos. Tampoco se han desarrollado antivirales específicos hasta el día de hoy. Sin embargo, hecho el diagnóstico, las medidas terapéuticas que apuntan a controlar el fenómeno inflamatorio cerebral y a mantener la función respiratoria son muy eficientes. El paciente con diagnóstico y tratamiento precoz tiene muchas posibilidades de sobrevivir.

Con la medicina actual, Alejandro Magno muy probablemente no hubiese muerto y uno no sabe qué nuevos límites hubiera establecido en sus futuras conquistas militares. La historia clínica hubiera sido otra y la Historia también.

Eva Duarte de Perón

La primera sintomatología atribuible a la enfermedad, que en última instancia resultara mortal, se presentó en enero de 1950. La paciente tenía por entonces 31 años. El diagnóstico presuntivo fue apendicitis y se actuó en consecuencia. Fue operada al día siguiente de iniciados los síntomas. Como resultado de la cirugía se extirpa un apéndice "normal". Por lo tanto, el diagnóstico fue erróneo: no se trataba de apendicitis. La realización de estudios post-quirúrgicos, como un meticuloso examen ginecológico y la toma de una biopsia de cuello de útero, hubieran dado el diagnóstico esa misma semana: cáncer de cuello de útero. Cabe señalar que los beneficios de la medicina moderna bien podían haber impedido la aparición de la enfermedad. Contamos actualmente con dos recursos simples de medicina preventiva que han cambiado drásticamente la historia del cáncer ginecológico. El Papanicolau (PAP) con colposcopia y la vacuna contra el HPV o virus del papiloma humano. El Papanicolau comenzó a usarse en forma extendida en la década de 1950. Su utilización como método de diagnóstico preventivo del cáncer de cuello de útero fue promovido intensamente en nuestro país por la actriz y cantante Tita Merello. "Muchacha, hacete el Papanicolau", insistía públicamente la popular actriz y cantante. Por otro lado, la vacuna contra el HPV es de reciente desarrollo y previene la aparición del cáncer de cuello de útero en una proporción significativa cuando se administra a la edad y en los casos correspondientes. Ninguno de los dos métodos preventivos estuvo al alcance de Eva Perón en ese momento. Es difícil conocer con exactitud por qué no se hizo lo correcto ese día. Porque fue "el" día en el cual la historia clínica de la paciente hubiera cambiado. El diagnóstico por biopsia de cáncer de cuello de útero en ese momento hubiera permitido una cirugía efectiva. De hecho, Juana, la madre de Eva Perón, fue operada por esa misma enfermedad con muy buena evolución y sobrevivió a su hija. Pero en el caso de Eva Perón el diagnóstico fue tardío. Nuevamente, una buena relación médico-paciente hubiera garantizado los beneficios de la medicina. Una cosa es tener buenas atenciones médicas y otra es tener médico. Acorde a lo esperado, la paciente empeoró paulatinamente en su estado de salud y la biopsia de cuello de útero llegó con el diagnóstico un año y medio después de iniciados los primeros síntomas. Se le había dado al cáncer una ventaja decisiva.

El primer día ganaba la medicina; un año y medio más tarde ganó el cáncer.

En el caso de Eva Perón, la atención médica correcta hubiera cambiado la historia clínica y también la Historia.

Jorge Luis Borges

Jorge Luis Borges presentó una miopía importante desde la niñez, de evolución lentamente progresiva, de ambos ojos, y llegó hasta la ceguera. Como él decía, no era una ceguera propia: su padre, su abuela paterna y su bisabuelo paterno fueron también ciegos. Era una ceguera hereditaria. El diagnóstico era una miopía maligna. Borges se consideró ciego cuando tenía 56 años. ¿Cómo se podía haber tratado la miopía maligna de Borges hoy día? La miopía maligna o patológica es una alteración de los tejidos del ojo, los cuales se tornan más débiles, alterando todas las estructuras del ojo y dañando la visión de múltiples modos. Es un proceso degenerativo en el cual aumenta la longitud anteroposterior del ojo en forma desmedida, produciendo múltiples y variadas complicaciones, entre ellas glaucoma, cataratas, retinopatía, desprendimiento de retina, degeneración macular, hemorragias, alteraciones de la coroides, etc. Las complicaciones visuales dependen de qué complicación se presentó primero y de la acumulación de éstas a lo largo del tiempo. La enfermedad aún no tiene cura pero el arsenal terapéutico disponible en la actualidad para un paciente en el cual se hace diagnóstico e inicia el tratamiento desde la niñez es enorme.

Para el tratamiento de las complicaciones, según sea el caso, disponemos de técnicas de microcirugía de avanzada, terapia láser, terapia fotodinámica, etc. También la farmacología ha avanzado enormemente, utilizándose actualmente anticuerpos monoclonales producidos por ingeniería genética para inhibir el desarrollo anormal de vasos sanguíneos, etc. La detección y tratamiento precoz de las complicaciones permite que los afectados por esta enfermedad conserven la visión por más tiempo. ¡Pensemos que estamos a más de cien años del nacimiento de Borges! Con el tratamiento hoy en día disponible, desde la niñez hubiera cambiado la evolución oftalmológica de la historia clínica de Borges. De tal suerte, muy probablemente, Borges no hubiese sido ciego cuando fue nombrado director de la Biblioteca Nacional.

En cuanto al cáncer hepático, el diagnóstico es generalmente tardío porque no da síntomas hasta llegada una etapa avanzada. Éste fue el caso. Desde el diagnóstico hasta el fallecimiento transcurrieron sólo nueve meses. Lamentablemente, aún hoy, en similares condiciones clínicas y diagnósticas, las posibilidades no son muchas.

Napoleón Bonaparte

Aproximadamente cinco años antes de su fallecimiento, Napoleón presentó hepatitis. Si bien la hepatitis puede tener distintos orígenes —sean estos infecciosos (virales o bacterianos), tóxicos (alcohol o medicamentos) o por enfermedad autoinmune—, lo más probable es que en este caso hubiera sido por virus o por alcohol. La infección viral es la causa más común de hepatitis. Claro está, no podemos saber con certeza qué virus pudo haber afectado a Napoleón. Sin embargo, los más frecuentes son los virus de la hepatitis A y B. Hoy en día existen vacunas contra estos virus. Si el paciente hubiese estado vacunado, no habría enfermado o al menos la enfermedad habría sido leve. La otra posibilidad es que en el caso de Napoleón la hepatitis hubiese sido de origen alcohólico. Napoleón gustaba del vino y este diagnóstico debe tenerse en cuenta. De todos modos, el consumo de alcohol no era importante. Por lo tanto, habría que inclinarse por el origen viral de la hepatitis. La otra patología que hemos descrito, y que hizo sufrir enormemente a Napoleón, fue la gastritis. Hoy en día, hecho el diagnóstico correcto, contamos con fármacos muy efectivos para inhibir la secreción ácida gástrica del tipo del omeprazol, lanzoprazol, ranitidina, etc. La gastritis también puede ser condicionada por una infección gástrica de una bacteria, la *Helicobacter pylori*. Si se hubiese hecho este diagnóstico, la administración de antibióticos del tipo de la claritromicina, la amoxicilina o las tetraciclinas hubiesen solucionado el tema. Una dieta adecuada con carnes de vaca o ternera cocida o asada y sin grasa, pollo sin piel, pescados, frutas, sopas, huevos sin aceite, pan blanco o integral y lácteos hubieran completado el tratamiento. Así Napoleón no hubiese sufrido los dolores de origen gástrico que lo tuvieron a maltraer toda su vida. Pero claro, esta medicación no estaba al alcance en la época en que los médicos atendían a Napoleón. También podría considerarse que un tratamiento adecuado de su gastritis hubiese evitado la aparición de una úlcera gastroduodenal y la posible malignización de ésta. Probablemente el diagnóstico precoz y adecuado tratamiento de la gastritis hubiese evitado la aparición del cáncer gástrico que el paciente efectivamente padeció.

Supongamos que de todos modos el cáncer gástrico se hubiera desarrollado. En este caso la realización de una gastroduodenoscopía con toma de una biopsia hubiera hecho el diagnóstico y orientado el tratamiento. Las posibilidades terapéuticas actuales para el cáncer de Napoleón incluyen cirugía, radioterapia y quimioterapia. De todos modos, y esto debemos decirlo, excepto en el caso de diagnóstico verdaderamente precoz y enérgico tratamiento, Napoleón hubiese fallecido de todos modos. Muy probablemente, aun con los beneficios de la medicina actual, la isla de Santa Elena y con los ingleses como carceleros hubiese sido su última morada. Sin embargo debemos enfatizar que el tratamiento adecuado de la gastritis que Napoleón presentó desde joven hubiera disminuido la posibilidad de desarrollar cáncer gástrico. En este supuesto, una vez más la historia clínica hubiera sido otra y la Historia también.

Raúl Alfonsín

El análisis de la historia clínica confeccionada, revela, de acuerdo con las complicaciones médicas que presentó, que se trataba de un paciente de riesgo cardiovascular. Es decir, ése era su condicionamiento genético. Paciente que presentaba hipertensión arterial y lípidos altos, tanto colesterol como triglicéridos. A este condicionante genético debemos agregar otros factores de riesgo que el paciente agregó y no controló, como el sobrepeso —por momentos obesidad—, el cigarrillo, el sedentarismo y la influencia del estrés tal como se consignó en su historia clínica. La evolución de la patología cardiológica pasó por varios episodios de arritmias cardíacas, dolor de pecho de origen coronario o angina de pecho y eventos de hipertensión arterial. Con respecto a este último punto —la hipertensión arterial—, cabe señalar que fue un paciente de difícil control, que necesitaba dos, tres y eventualmente más drogas para mantener la presión arterial dentro de niveles aceptables. En cuanto al dolor de pecho de origen coronario, ha requerido incluso la realización de una coronariografía. Lo cierto es que en cuanto a la enfermedad cardiovascular, Raúl Alfonsín estuvo siempre con el diagnóstico y el tratamiento adecuados. El cuadro clínico cambia entonces en forma dramática con otra enfermedad.

Fue en el mes de enero de 2008 cuando comienzan los síntomas que inician una secuencia de estudios dando como resultado diagnóstico cáncer de pulmón. Si bien no puede establecerse un correlato oncológico directo del análisis de la historia clínica, se desprende que la función respiratoria siempre fue un punto débil en Alfonsín, aun desde la infancia. En la evolución del paciente se encuentra evidencia de que en la etapa escolar padecía con mucha frecuencia infecciones respiratorias. En la etapa adulta se sumarían varios episodios de neumonitis y de enfermedad de la pleura. Lo que no puede dejarse de consignar es el hábito tabáquico del paciente, ya que era un fumador importante. Si bien había dejado de fumar hacía tiempo, para cuando se declaró el cáncer de pulmón seguramente continuó siendo un fumador pasivo ya que asistía a reuniones políticas llenas de humo de tabaco.

El diagnóstico de cáncer pulmonar comienza por el hallazgo de una metástasis ósea en la cadera derecha y la secuencia de estudios lleva al hallazgo del cáncer primario que originó esa metástasis, el cáncer pulmonar. El paciente y su familia deciden iniciar el tratamiento oncológico en Estados Unidos, más por motivos personales que por razones médicas: como hemos consignado oportunamente, allí sería un paciente más y no un ex Presidente. Además, su hija vivía cerca del centro oncológico. Cabe señalar que ése fue el motivo de la decisión y no por diferencias en el nivel médico diagnóstico y/o terapéutico, ya que el tratamiento en Estados Unidos no agrega ninguna diferencia científica respecto del que podía recibir en nuestro país. De hecho, el paciente continuó tratándose en la Argentina.

La evolución de la enfermedad fue rápida y a los 14 meses de realizado el diagnóstico, recibiendo el tratamiento adecuado y convencional, fallece el Dr. Raúl Ricardo Alfonsín.

Néstor Kirchner

El análisis terapéutico del Dr. Néstor Carlos Kirchner requiere puntualizar el hecho que hemos aclarado en la introducción de este capítulo. Esto es, la medicina y particularmente el médico deben garantizar los métodos de diagnóstico y terapéuticos adecuados. No es una ciencia exacta, no puede "garantizar" resultados. Sin embargo, el arbitrio de un tratamiento adecuado con una buena relación médico-paciente, ponen en la actualidad al alcance los beneficios de la medicina moderna, y con ello una posibilidad de éxito terapéutico para la mayoría de las enfermedades. Aclarado este punto, es decir, el hecho de que un correcto diagnóstico y tratamiento no puede garantizar resultados pero sí brinda una alta posibilidad estadística de resultados favorables, es que analizaremos los últimos cuatro eventos que originaron atenciones de urgencia. Estos hechos son cuatro: la internación por gastroduodenitis hemorrágica en Santa Cruz, la complicación en la carótida derecha con accidente isquémico transitorio, la complicación coronaria con colocación de un stent y el evento de muerte súbita en El Calafate. Veamos.

Para comenzar evaluemos la gastroduodenitis hemorrágica aguda que generó la internación en el Hospital José Formenti en El Calafate y luego en el Hospital Regional de Río Gallegos, en abril de 2004. La gastroduodenitis hemorrágica aguda es una contingencia posible en un paciente con antecedentes digestivos de colon irritable y que es sometido a un tratamiento odontológico, que es medicado con antiinflamatorios potentes como el ketoralac y que se encuentra sometido al estrés diario que suponen las tareas de gobierno. Quien coincida con esta afirmación también coincidirá con el hecho de que en la medida que podía pronosticarse también podía prevenirse. Estadísticamente hablando, el control de la medicación y el tratamiento preventivo con fármacos bloqueantes de la secreción ácida gástrica podrían prevenir efectivamente el sangrado gástrico por gastritis erosiva. De hecho es el tratamiento que recibió cuando efectivamente la hemorragia se produjo y requirió internación de urgencia.

El evento que sigue se produce seis años más tarde, en febrero de 2010. Fue la complicación en la carótida derecha que produjo un accidente cerebral isquémico transitorio. Recibió rápido y correcto tratamiento con buena evolución post-quirúrgica. Luego, en septiembre de 2010 y acelerando los tiempos en la historia clínica, se produjo, tal como estadísticamente se podía prever, una complicación coronaria que requirió angioplastía y la colocación de un stent. El resultado del procedimiento terapéutico también fue exitoso y el paciente evolucionó favorablemente sin complicaciones inmediatas. Queda claro aquí que la historia clínica señalaba un paciente de alto riesgo cardiovascular. La estadística lamentablemente se cumplió: Kirchner fallece por muerte súbita el 27 de octubre de 2010 probablemente por reobstrucción de la arteria coronaria que había recibido tratamiento con angioplastía y stent, o tal vez por el compromiso de otra arteria coronaria. Como no hay autopsia, no se puede saber. Ahora bien, ¿cuál es el tratamiento adecuado para un paciente de estas características? La terapéutica incluye seis ítems: diagnóstico adecuado, tratamiento farmacológico adecuado, dieta y actividad física controlada, tratamiento de complicaciones, prevención de complicaciones y reconversión y adaptación del estilo conductual del paciente.

El diagnóstico y el tratamiento farmacológico fue el habitual para estos casos. La dieta y la actividad física también, pues se trataba de un paciente metódico y disciplinado. Las complicaciones fueron tratadas al mejor nivel médico profesional. Posiblemente se podría observar la prevención de las complicaciones, que evidentemente se produjeron desde la internación de 2004. Por último analizaremos brevemente la reconversión y adaptación del estilo conductual. El común denominador de todos los eventos descritos es sin duda que todos se produjeron en el mismo paciente, es decir, en una persona con un estilo comportamental del llamado "personalidad Tipo A". Es cierto que este estilo temperamental predispone la producción de las complicaciones que efectivamente se produjeron. Pero no es menos cierto, y esto es importante, que los pacientes de este estilo comportamental que han presentado una complicación cardiovascular tienen estadísticamente mejor pronóstico vital que las personalidades de tipo opuesto. ¿Por qué? Porque justamente la vehemencia del temperamento juega a favor cuando el médico logra que el paciente adhiera a un esquema terapéutico que exceda la simple toma sistemática de los medicamentos y avance sobre la reformulación de proyectos y objetivos. Sería un error intentar que una personalidad Tipo A cambie. Las personalidades no cambian. Se trata de planificar la actividad con un esfuerzo laboral que implique una adecuada relación costo-beneficio. También sería un error indicar a un paciente de personalidad Tipo A que se detenga. Salvando las distancias, sería como que un piloto de avión, ante la falla del motor, lo detenga, ya que se caería. Lo mismo sucede con este tipo de personalidades: en general la inactividad sería más dañina que la actividad misma. Lo que sí hay que lograr es que el paciente, con un análisis terapéutico dirigido por el médico, pueda reencaminar su nivel de energía y expansión personal al plano de lo posible. Esto es, reconvirtiendo y adaptando el estilo conductual para evitar que factores inflamatorios sanguíneos produzcan complicaciones vasculares. En determinadas condiciones, el desafío médico es conservar la salud y evitar complicaciones.

Notas

1 Por entonces, muchos síntomas de enfermedades reumáticas eran catalogados como gota.

2 En otra carta, en esta oportunidad dirigida a Guido, San Martín cuenta que estuvo "quince días postrado en cama de resultas de una fístula producida por unas almorranas engangrenadas".

3 Bartolomé Mitre, respecto de la hematemesis, escribió que "le acompañó siempre, complicado con otras afecciones dolorosas que le pusieron varias veces en peligro de muerte".

4 Esas condiciones climáticas cambiaron, ya que el calentamiento global del planeta —con el consecuente aumento de la temperatura de los mares— ha modificado el clima: las primeras mediciones climatológicas se realizaron apenas inaugurada la Estación Meteorológica de Córdoba, en 1872, durante la presidencia de Sarmiento, es decir, varias décadas después de que San Martín aprovechara el clima cordobés para el tratamiento de su patología respiratoria. Desde entonces, la humedad del aire ha aumentado considerablemente y en consecuencia el beneficio del clima cordobés es menor ahora que entonces.

5 Las cataratas es la pérdida de la transparencia de la lente del ojo, el cristalino, que se encuentra en la pupila y permite enfocar los objetos.

6 Perón vivía en la residencia de la calle Gaspar Campos porque creía que lo querían matar y ahí se sentía más seguro.

7 Algunos piensan que la entrega de Jesús era parte del plan, para que se diera cumplimiento a las escrituras. Otros consideran que el nacionalista Judas, en la actitud a tomar frente a las autoridades romanas, no compartía el proyecto de no violencia de Jesús. Se

dice que no pudo haberlo traicionado por odio, ya que en su momento lo quería como el resto de los apóstoles. El dinero tampoco pudo haber sido la causa: treinta monedas de plata no representaba mucho por entonces... Puede incluso que Judas no supiera que pretendían matar a Jesús y esto podría explicar su arrepentimiento cuando Jesús fue condenado a muerte, y posterior suicidio.

8 El filósofo Filón de Alejandría cita una carta enviada por el rey judío Agripa I al emperador Calígula, en la que acusa a Pilato de excesiva agresividad, torturas, ejecuciones sin previo juicio y otras agresiones contra los judíos.

9 Historiador judío nacido en el año 37 o 38 de nuestra era, descendiente de la casta sacerdotal, Flavio Josefo dejó una rica información a través de importantes escritos, tales como *La guerra de los judíos*, *Antigüedades judías* y de su autobiografía.

10 El año 0 de nuestra era no coincide exactamente con el nacimiento de Jesús. Se debe a un error de Dionisio el Exiguo, monje del siglo VI, quien realizó la datación inicial del nacimiento de Jesús. Dionisio lo fechó hacia el año 753 de la fundación de Roma, cometiendo un error de cuatro a seis años, ya que Jesús nació probablemente entre el año 747 y 749 del entonces calendario romano.

11 Otra fecha posible de nacimiento es el 14 de mayo del mismo año. Esta diferencia de 30 días no cambia el posible diagnóstico. Es decir, no tiene relevancia médica.

12 Por entonces ya hacía tres años que a Ernesto Guevara se lo conocía como el “Che”. En 1954, Guevara había conocido a Antonio “Nico” López en Guatemala, quien había participado con Fidel en el asalto al cuartel Moncada. Guevara trabó amistad con Nico. Fue él quien le puso el seudónimo “Che” debido a que esa palabra es una interjección propia del habla coloquial en Argentina y Guevara la usaba con frecuencia. El Che respetaba mucho a Nico López. Admiraba en él una conjunción poco frecuente: a pesar de tener sólo cuarto grado, era una persona leída, poseedor de un importante bagaje teórico marxista, y al mismo tiempo no era un hombre de escritorio ya que había combatido contra los soldados de Batista.

13 En la entrevista que mantuvimos, Alberto Granado refiere que la herida en la mano fue accidental. El Che dormía en una hamaca paraguaya días previos al combate en playa Girón, en Bahía de los Cochinos. El Che, no se explicaba cómo pudo pasar, pero su pistola soviética Stechkin 9 milímetros se cayó y se disparó, lesionando su mano y la región de la sien izquierda. La cicatriz le quedó para siempre.

14 Lucio Flavio Arriano también era conocido como Jenofonte.

15 Impulsado por José López Rega, Oscar Ivanissevich reemplazó en agosto de 1974 a otro médico, Jorge Taiana, en la cartera de Educación de la Nación. Fue ministro durante un año.
16 El estafiloma miópico es una depresión redondeada del polo posterior del ojo que produce aún mayor déficit visual en la miopía.
17 Napoleón, cuando adulto, cambia su apellido paterno *Buonaparte* por el más afrancesado *Bonaparte*.
18 Aunque pueda llamar la atención, estas determinaciones ocurren con frecuencia en algunos pacientes.
19 En más de una oportunidad el paciente manejó su enfermedad con humor. Hay quien recuerda una anécdota nunca desmentida. Alfonsín le preguntó a su amigo y correligionario Enrique Nosiglia: "Coti, ¿vos tenés buenas relaciones allá arriba?", refiriéndose al cielo, a lo que Nosiglia preguntó: "¿Qué necesitás?", y Alfonsín responde: "Tiempo, conseguime un poco de tiempo".
20 Preámbulo de la Constitución Nacional, pronunciado por el ex presidente Dr. Raúl Ricardo Alfonsín desde los balcones del Cabildo el 10 de diciembre de 1983, día en que asumió la presidencia de la Nación.
21 En otros casos de historias clínicas analizadas en este libro, nos hemos referido a la "personalidad", especificando el concepto. Por lo tanto, mucho de lo que escribiremos a continuación ya fue dicho en otras partes del libro. Si nos explayamos sobre conceptos ya mencionados, parcialmente analizados o no, es a los fines de entender mejor la historia clínica del paciente que estamos examinando, más allá de que por momentos a algunos lectores les resulten redundante ciertas alusiones.
22 Presidenta Cristina Fernández de Kirchner, Diario *Tiempo Argentino*, 15 de diciembre de 2010.
23 Poema del detenido-desaparecido Joaquín Enrique Areta que el Dr. Néstor Kirchner leyó en la Feria Internacional del Libro de Buenos Aires de 2005.

Bibliografía

Albertelli, Jorge, *Los "cien días" de Eva Perón*, Cesarini Hnos, Buenos Aires, 1994.

Araya, Emilio, *Biografías de cuatro americanos notables*, Grupo Editor Latinoamericano, Buenos Aires, 1999.

Armstrong, Karen, *La historia de la Biblia*, Debate, Buenos Aires, 2008.

Aubry, Octave, *Vida privada de Napoleón*, Losada, Buenos Aires, 1992.

Babini, José, *Historia de la medicina*, Gedisa, Barcelona, 2000.

Benetti, Santos, *Jesús y su proyecto político*, Lohlé-Lumen, Buenos Aires, 1998.

Biblia de Jerusalén, Desclée de Brouwer, Bilbao, 1998.

Bordelois, Ivonne, *A la escucha del cuerpo: puentes entre la salud y las palabras*, Libros del Zorzal, Buenos Aires, 2009.

Borges, Jorge Luis, *Autobiografía*, El Ateneo, Buenos Aires, 1999.

——, *Borges literal*, Umbriático, Buenos Aires, 2006.

—— y Kodama, María, *Atlas*, Emecé, Buenos Aires, 2008.

Bruce, Evangelina, *Napoleón y Josefina*, Javier Vergara, Buenos Aires, 1996.

Cabañés, *Les morts mysterieuses de l'histoire*, Michel, París.

Carotto, Oscar, *El Che: la historia*, El autor, Rosario, 2009.

Castañeda, Jorge G., *La vida en rojo. Una biografía del Che Guevara*, Espasa Calpe, Buenos Aires, 1997.

Castro, Nelson, *Enfermos de Poder. La salud de los presidentes y sus consecuencias*, Vergara, Buenos Aires, 2005.

——, *Los últimos días de Eva*, Javier Vergara Editor, Buenos Aires, 2007.

Chevalier, A. G., *Las enfermedades y la muerte de Napoleón*, Actas Ciba, 1941.

——, *La pretendida epilepsia de Napoleón*, Actas Ciba, 1941.

Constenla, Julia, *Che Guevara, la vida en juego*, Edhasa, Buenos Aires, 2006.

——, *Raúl Alfonsín*, Javier Vergara, 2009.

Cormier, Jean, *La vida del Che, mística y coraje*, Sudamericana, Buenos Aires, 1997.

Cossio, Pedro Ramón y Seara, Carlos A., *Perón, testimonios médicos y vivencias*, Lumen, Buenos Aires, 2006.

Crossan, John Dominic, *The dark interval. Towards a theology of story*, Eagle Books, Cedar Rapids, 1988.

——, *Jesús. Una biografía revolucionaria*, Planeta, 1996.

——, Watts, Richard G., *Who is Jesus? Answers to your questions about the historical Jesus*, Westminster John Knox Press, Louisville, 1996.

——, *The essential Jesus*, Castle Books, New Jersey, 1998.

Curia, Walter, *El último peronista, ¿Quién fue realmente Néstor Kirchner?*, Sudamericana, Buenos Aires, 2010.

Doallo, Beatriz Celina, *El exilio del Libertador*, Instituto de Investigaciones Históricas Juan Manuel de Rosas, Buenos Aires, 1997.

Falcón, Huarque J., *Medicina en la Historia*, La Médica, Buenos Aires, 1976.

Fraga, Rosendo M., *Borges y el culto de los mayores*, Fundación Internacional Jorge Luis Borges, Buenos Aires, 2001.

Galatoire, Adolfo, J. *Cuáles fueron las enfermedades de San Martín*, Ed. Plus Ultra, Buenos Aires, 1973.

Gambeta, Néstor, *Los Grandes Capitanes,* imprenta del Servicio de Prensa, Propaganda y Publicaciones Militares del Ministerio de Guerra, Lima, 1949.

Gambini, Hugo, *El Che Guevara*, Paidós, Buenos Aires, 1968.

García Bazán, Francisco. *Jesús el Nazareno y los primeros cristianos. Un enfoque desde la historia y la fenomenología de las religiones*, Lumen, Buenos Aires, 2006.

——, *Las tumbas de Jesús. ¿El osario familiar o el sepulcro vacío?*, Lumen, Buenos Aires, 2007.

García Hamilton, José Ignacio, *Don José: la vida de San Martín*, Sudamericana, 2000.

Garrison, F. H., *Introducción a la Historia de la Medicina*, Espasa Calpe, Madrid, 1922.

Guerrino, Antonio Alberto, *La salud de San Martín: ensayo de patología histórica*, Ciudad Argentina, Buenos Aires, 1999.

Guevara Ernesto, *El Diario del Che en Bolivia*, Ediciones Metropolitanas, Barcelona, 1984.

——, *La revolución, escritos esenciales*, Taurus, Buenos Aires, 1996.

Guevara Lynch, Ernesto, *Mi hijo el Che*, Plaza & Janés, Barcelona, 1988.

Hadis, Martin, *Los ancestros ingleses de Jorge Luis Borges*, Sudamericana, Buenos Aires, 2006.

Huarque Falcón, J., *Medicina en la Historia*, La Médica, Rosario, 1976.

Irazusta, Julio. *Actores y espectadores*, Sur, Buenos Aires, 1937.

——, *El espectro de Napoleón*, Eudeba, Buenos Aires, 1969.

Iriarte, Tomás de, *Napoleón y la libertad Hispano-americana*, Sociedad Impresora Americana, Buenos Aires, 1944.

Iros, Mariano, *El Gral. José de San Martín, sus padecimientos físicos y energía espiritual*, Revista UNC, Año III, Nº1-2, 1962.

Equipo de la Facultad de Teología de Lyon, *Flavio Josefo: un testigo judío de la Palestina del tiempo de los apóstoles*, Verbo Divino, Navarra, 1996.

Juhn, B., *Jean Nicolas Covisart, médico de Napoleón*, Actas Ciba, 1944.

Kalfon, Pierre. *Che. Ernesto Che Guevara*, Plaza & Janés Barcelona, 1997.

La Biblia, *El Libro del pueblo de Dios*, San Pablo, Madrid, 1999.

Laici, María Luz (comp.), *Quisiera que me recuerden*, Planeta, Buenos Aires, 2010.

Laín Entralgo, Pedro, *Historia Universal de la Medicina* (6 volúmenes), Salvat, Barcelona, 1984.

Laperrousaz, E. M., *Los Manuscritos del Mar Muerto*, Eudeba, Buenos Aires, 1964.

Larraquy, Marcelo, *López Rega: El peronismo y la triple A,* Punto de lectura, Buenos Aires, 2007.

Larroc, H., *La última enfermedad de Napoleón*, Actas Ciba, 1944.

Lathoud, *Materia medica homeopática*, Albatros, Buenos Aires, 1988.

López Rosetti, Daniel, *Estrés, epidemia del siglo XXI. Cómo entenderlo, entenderse y vencerlo*, Lumen, Buenos Aires, 2005.

——, *El cerebro de Leonardo*, Lumen, Buenos Aires, 2006.

——, *El estrés de Jesús*, San Pablo, Buenos Aires, 2009.

Marabini, Sergio, *"Che" Guevara*, Visor, Argentina, 2003.

Martínez, Tomás Eloy, *Las memorias del General*, Planeta, Buenos Aires, 1995.

Medrano, Samuel W., *El libertador José de San Martín*, Espasa Calpe, Buenos Aires, 1950.

Mitre, Bartolomé, *Historia de San Martín*, Peuser, 1952.

——, *Las cuentas del Gran Capitán* en "Comisión Nacional Ejecutiva de Homenaje al Bicentenario del Nacimiento del Gral. San Martín", Instituto Nacional Sanmartiniano, 1978.

O'Donnell, Pacho, *El Che*, Sudamericana, Buenos Aires, 2003.

——, *Historia Argentina de la Conquista al Proceso*, Sudamericana, Buenos Aires, 2010.

Pigna, Felipe, *Los Mitos de la Historia Argentina 2*, Planeta, Buenos Aires, 2005.

——, *Los Mitos de la Historia Argentina 3*, Planeta, Buenos Aires, 2006.

——, *Los Mitos de la Historia Argentina 4*, Planeta, Buenos Aires, 2008.

——, *Evita*, Planeta, Buenos Aires, 2007.

——, *Libertadores de América*, Planeta, Buenos Aires, 2010.

Prado Salmón, Gary, *Cómo capturé al Che*, BSA, Colombia, 1987.

Quiroga, Rodrigo Quian, "In Retrospect: Funes the memorias", revista *Nature*, vol. 463/4, febrero de 2010.

Rodríguez, Horacio Daniel, *Che Guevara*, Plaza & Janés, Barcelona, 1968.

Rojas, Ricardo, *El Santo de la espada: vida de San Martín*, Eudeba, Buenos Aires, 1978.

Siles Del Valle, Juan Ignacio, *Los últimos días del Che*, Debate, Buenos Aires, 2007.

Taiana, Jorge A., *El último Perón*, Planeta, Buenos Aires, 2000.

Tajer, Carlos, *El corazón enfermo*, Libros del Zorzal, Buenos Aires, 2008.

Torre Borges, Miguel de, *Apuntes de familia, mis padres, mi tío, mi abuela*, Alberto Casares editores, Buenos Aires, 2004.

—— (recopilador), *Borges. Fotos y manuscritos*, Proa, 2005.

Uriburu, Julio V., *Los médicos y cirujanos de Napoleón y de sus ejércitos*, Colección Academia Nacional de Medicina, volumen IV, Buenos Aires, 1982.

Vallejo Nágera, Juan Antonio, *Perfiles Humanos*, Planeta, Barcelona, 1990.

Wider y Hapgood, *El asesinato de Napoleón*, Argos Vergara, 1982.
Wienhauser, Santiago, *Fortaleza Sanmartiniana: bosquejo psicológico*, Theoria, Buenos Aires, 1982.
Williamson, Edwin, *Borges,* Seix Barral, Buenos Aires, 2006.

Entrevistas

José de San Martín
Dr. Osvaldo Canziani, meteorólogo (marzo de 2010)

Juan Domingo Perón
Dr. Pedro Ramón Cossio, médico cardiólogo (abril de 2010)
Dr. Carlos A. Seara, médico cardiólogo (marzo de 2010)
Comandante Fernando Carlos Cebral, piloto aéreo (octubre de 2010)
María Elisa Makara, enfermera (noviembre de 2010)
Dr. Luis de la Fuente, cardiólogo intervencionista (noviembre de 2010)

Jesús
Dr. Francisco García Bazán, filósofo (mayo y junio de 2007)
Dr. Gabriel Castellá, médico psicoterapeuta (agosto de 2007)
Lic. Cecilia Pilli, psicóloga (junio de 2007)

Ernesto "Che" Guevara
Dr. Alberto Granado, médico (enero de 2011)
Dr. Mario Pacho O'Donnell, historiador (enero de 2011)
Lic. Patricia Bernardi, antropóloga (julio de 2010)
Julia Constenla, periodista (octubre de 2010)
Dr. Alfredo Vasallo, contador (marzo de 2009)
Dr. Osvaldo Canziani, meteorólogo (marzo de 2010)

Alejandro Magno
Dr. Carlos F. Damin, médico especialista en toxicología (abril de 2010).

Eva Duarte de Perón
Dr. Nelson Castro, periodista (abril de 2010)
María Eugenia Álvarez, enfermera (noviembre de 2010)

Jorge Luis Borges
Cristina Pérez, periodista (abril de 2010)
Dr. Jorge Segundo Malbrán, médico oftalmólogo (junio de 2010)

Napoleón Bonaparte
Dr. Francisco Klein, médico especialista en clínica médica (abril de 2010)
Dr. Rubén Laguens, médico especialista en anatomía patológica (abril de 2010)

Raúl Alfonsín
Dr. Juan Krauss, médico cardiólogo (octubre de 2010)
Dr. Elías Hurtado Hoyo, médico cirujano (septiembre de 2010)
Dr. Marcelo Muro, médico cirujano (septiembre de 2010)
Margarita Ronco, secretaria de Raúl Alfonsín (noviembre de 2010)
Senador Pablo Verani, ex gobernador de Río Negro (diciembre de 2010)
Julia Constenla, periodista (octubre de 2010)

Néstor Kirchner
Dr. Carlos Tajer, médico cardiólogo (marzo de 2011)
Dr. Alberto Álves de Lima, médico cardiólogo (marzo de 2011)
Dr. Luis De la Fuente, médico cardiólogo intervencionista (marzo de 2011)

Diarios y revistas utilizadas

Capítulo VI: *Eva Duarte de Perón*
Diario *Democracia*, 13 de enero de 1950.
Revista *Primera Plana*, Historia del Peronismo, Nro 210.

Capítulo X: *Néstor Kirchner*
Diario *Página 12*, 2 de abril de 2004
Diario *Clarín*, 12 de abril de 2004
Diario *Página 12*, 13 de septiembre de 2010
Diario *Página 12*, 31 de octubre de 2010
Diario *Tiempo Argentino*, 15 de diciembre de 2010

Índice